AIME-MOI SI TU L'OSES

Les Whiskey : Les Dark Knights du Ranch Rédemption
MELISSA FOSTER

Note aux lecteurs

Je suis ravie de vous présenter une nouvelle série sur la famille Whiskey. Les Whiskey : les Dark Knights du *Ranch Rédemption* qui ont une place spéciale dans mon cœur depuis la première fois où je les ai décrits dans SHE LOVES ME (de la série *Harmony Pointe*). J'étais impatiente d'écrire l'histoire de Dare et Billie, depuis que je les ai rencontrés dans SEARCHING FOR LOVE (dans la série *Les Braden & Montgomery*). Dare et Billie forment l'un des couples les plus fougueux que j'ai jamais écrits, et leur histoire était à la fois déchirante et amusante à écrire. Je suis tombée éperdument amoureuse de Dare et Billie, de leurs familles et du reste de l'équipe du *Ranch Rédemption*. J'espère que ce sera aussi votre cas.

Si c'est votre première découverte de l'univers des Whiskey, sachez que tous mes livres sont écrits pour être lus de manière individuelle, alors lancez-vous et profitez de l'aventure amusante et sexy de Billie et Dare, jusqu'à ce qu'ils atteignent le bonheur absolu. Lorsque vous aurez terminé ce roman, vous pourrez retourner lire mon autre série sur les Dark Knights, *Les Whiskey : les Dark Knights de Peaceful Harbor*.

Les Whiskey sont deux des séries de ma collection de romances familiales *Love in Bloom*. Les personnages de chaque série feront des apparitions dans les prochains romans, de sorte que vous ne manquerez jamais les fiançailles, un mariage ou la naissance d'un enfant. Une liste complète des titres de toutes les séries françaises est disponible sur mon site web :
www.MelissaFoster.com/amour-sublime

N'oubliez pas de vous inscrire à ma newsletter pour être sûr de ne rien manquer des prochaines parutions :
www.MelissaFoster.com/Francaise-news

CHAPITRE UN

BILLIE POUSSA le plateau de boissons qu'elle portait au-dessus de sa tête en se faufilant dans la foule, contournant la piste de danse bondée du *Roadhouse*, le bar pour motards de sa famille, où elle travaillait depuis qu'elle avait l'âge de gagner de l'argent. Sa jeune sœur Bobbie et elle avaient grandi dans ce bar rustique, où elles traînaient pendant qu'elles faisaient leurs devoirs et où elles faisaient la vaisselle lorsqu'elles étaient à court de personnel, parce que c'est ce que faisaient les Mancini. Ils faisaient ce qu'ils avaient à faire et se soutenaient les uns les autres. Tout comme la foule de gars qui étaient là tous les soirs, vêtus de leurs blousons de cuir noir ornés de l'écusson du club de bikers des Dark Knights. Son père était le vice-président du club et les liens qui unissaient les membres de ce club étaient indéfectibles.

Elle se rapprocha du groupe de beaux étrangers vêtus de pantalons kaki et de chemises élégantes qui avaient commandé les boissons près de la table de billard et remarqua que leur copain à l'allure superbe la regardait en attendant son tour de jouer. Ils étaient grands et forts à Hope Valley, dans le Colorado, où les ranchs et le bétail permettaient à la plupart des familles de payer leurs factures. Billie avait un faible pour les mains calleuses, les visages burinés et les hommes sans histoires qui n'avaient que faire des costumes et des cravates. Mais l'été amenait dans leur petite ville toutes sortes de touristes amoureux de la montagne.

— *Glou ! Glou ! Glou !* scandait un groupe de femmes.

Billie jeta un coup d'œil vers la source de cette agitation et vit trois femmes plantureuses se tenant côte à côte, chacune tenant un verre à liqueur entre ses seins. Devlin "Dare" Whiskey lécha le creux d'un des seins de la blonde qui gloussait et elle répandit du sel sur la tache humide. *C'est une blague !* Pendant que la fille tendait la salière à sa voisine, Dare lécha le sel sur son sein et referma sa grande bouche insolente autour du verre à liqueur. Il pencha son trop beau visage vers l'arrière et avala le verre les mains libres. En fait, ses mains n'étaient pas vraiment libres. Pendant que les filles criaient et applaudissaient, il attira la blonde dans un baiser, puis se dirigea vers la fille suivante qui gloussait et réitéra l'opération.

Fichu *Dare*.

Billie et Dare avaient été meilleurs amis dans leur enfance, avec leur autre meilleur ami, Eddie Baker. Tous les trois étaient inséparables. Dès l'âge de sept ans, ils avaient été surnommés les Casse-Cous parce qu'ils étaient toujours en train de faire la course ou d'essayer de faire des cascades risquées sur leurs skateboards, leurs motos et tout ce qu'ils pouvaient trouver. Ils rendaient leurs parents fous, mais au lieu de les dissuader, ces derniers veillaient à ce qu'ils apprennent à faire ces choses en toute sécurité. Leurs cascades étaient devenues plus risquées à mesure qu'ils grandissaient : sauts dans le vide, plongeons dans les falaises, courses de dragsters, et à peu près tout ce qui pouvait leur procurer une poussée d'adrénaline. Même si la devise des Casse-Cous était "La *bonne* personne gagne toujours, pas la *meilleure*", parce qu'ils se considéraient égaux à tous les niveaux,

Dare et elle avaient toujours essayé de se surpasser en relevant de nouveaux défis, tandis que l'amour d'Eddie pour la technologie avait pris le dessus. Chacun avait son *truc*. Lorsqu'Eddie avait commencé à se passionner pour les vidéos et les films, renonçant à de nombreuses cascades au profit de celles qu'il filmait, ils avaient soutenu son amour du cinéma de toutes les manières possibles, en faisant tout ce qu'il leur demandait. Dare aimait les voitures et les motos de collection, ils allaient donc à toutes les expositions de voitures de collection, et le motocross était la passion de Billie. Elle était devenue pilote professionnelle à dix-huit ans et Dare et Eddie l'avaient encouragée à presque toutes les courses.

Ils avaient beaucoup ri, même si Billie et Dare avaient batifolé une fois l'été avant qu'il ne parte à l'université, il y avait toujours eu quelque chose de sombre et d'électrique entre eux, comme des flammes jumelles. Même à l'époque, il était robuste et musclé, sacrément arrogant, et *il savait* embrasser. Mais ce n'était arrivé qu'une fois, et bien que leur relation ait été un peu gênante pendant un certain temps, ils avaient dépassé ce stade et étaient restés meilleurs amis jusqu'à l'âge adulte, quand Eddie, qui avait toujours été une force fondamentale dans sa vie et elle, avaient entamé une relation ratée qui avait duré un an.

Ils étaient restés les Casse-Cous – incassables et inarrêtables – jusqu'à ce qu'Eddie soit tué lors d'une cascade qui avait mal tourné, il y avait six ans de cela. Leur vie n'avait plus jamais été la même. Dare avait commencé à faire des cascades de plus en plus terrifiantes et Billie avait laissé tomber ce style de vie dangereux et tout ce qui le lui rappelait. Y compris Dare. Le problème, c'est que ce dernier était toujours dans les parages, et que sa seule vue faisait trembler les barrières qui retenaient ses squelettes dans le placard.

Une salve d'applaudissements tira Billie de ses pensées alors que Dare but le troisième shot. Il jeta un coup d'œil, ses yeux se fixant sur elle alors qu'il retirait le verre de sa bouche. Un sourire arrogant courba ses lèvres et il haussa les sourcils de cette façon qu'il avait de dire : *Viens ici, ma chérie, et je vais te faire tellement de bien que tu ne m'oublieras jamais.*

Elle leva les yeux au ciel et se détourna, se concentrant sur la distribution des boissons aux clients et essayant de ne pas penser à la justesse du message silencieux de ce biker arrogant. C'était le seul homme qui avait jamais allumé un feu au plus profond d'elle. Ils n'étaient même pas allés jusqu'au bout de cette chaude nuit d'été, il y avait des années de cela, et elle *restait* excitée rien qu'en pensant à ses mains sur elle.

L'irritation grimpa le long de sa colonne vertébrale et elle se retourna pour se diriger vers le bar, mais M. le Péquenaud était *juste là*.

— On t'a déjà dit que tu ressemblais à Bridget Moynahan ?

Uniquement tous les enfoirés du coin.

— Je l'ai entendu une fois ou deux.

Elle tenta de le contourner mais il lui barra la route en se rapprochant.

— Tu es bien plus sexy qu'elle.

Il posa sa main sur sa hanche.

— Qu'est-ce que tu fais plus tard ?

Billie le jaugea rapidement. Elle mesurait un mètre soixante-dix, encore plus avec ses bottes, et cet abruti *devait* mesurer un mètre quatre-vingt-dix. Elle fronça les yeux et leva le menton, captant un mouvement dans sa vision périphérique avant de dire :

— Rien qui ne *te* concerne.

Elle repoussa sa main tandis que Dare réduisait la distance

entre eux, tel un taureau prêt à charger. Elle s'approcha du visage de M. le Péquenaud, sa voix étant d'un calme mortel.

— Touche-moi, ou n'importe quelle autre femme ici sans sa permission, et tu auras de la chance si tu peux ramper jusqu'à la porte ce soir.

— Allez, chérie, tu sais que tu as envie de moi.

Le Péquenaud passa sa main le long de son bras.

— T'es *sérieux*, mon pote ?

Elle soupira, comme si elle s'ennuyait, et dans la seconde qui suivit, elle lui attrapa la main et lui tordit le bras vers l'intérieur, tout en pliant sa main vers l'arrière. Il se plia en deux sous l'effet de la douleur.

— Bordel, *putain*.

Ses genoux se dérobèrent et il s'effondra sur le sol.

Tous les Dark Knight présents dans la salle se levèrent et Dare était en tête du peloton, tandis que Billie fixait le crétin agenouillé avec un sourire.

— Aikido. Ceci fait du bien au corps. Maintenant, dégage ton cul de mon bar, tu m'entends ? Tu m'entends ? fulmina-t-elle.

— Dégage de là…

Elle lui tordit encore plus le poignet et il cria.

— Oui, madame. Je m'en vais tout de suite, mima-t-elle calmement. Dis-le moi avant que je ne te brise le poignet.

— *Très bien*, grogna le type.

Elle lui tira le bras plus haut.

— Oui, madame ! Je m'en vais !

Elle lui relâcha la main et passa devant lui, jetant un regard noir à Dare alors que plusieurs Dark Knights raccompagnaient le type vers la porte.

Dare marcha à ses côtés.

— Tu vas bien ?

Elle ricana. Il savait mieux que quiconque qu'elle pouvait prendre soin d'elle-même, et si elle avait des ennuis, Bobbie savait comment utiliser le fusil de chasse qu'ils gardaient derrière le bar.

— Tout simplement fantastique. Tu peux retourner voir les demoiselles en détresse qui prennent leur pied à être sauvées.

Elle se dirigea vers le bar et rangea le plateau.

Bobbie se rapprocha d'elle avec un sourire taquin.

— Tu ne trouveras jamais de mec si tu continues à leur faire du mal.

Billie lança un regard impassible à sa jeune sœur aux cheveux clairs et qui était aussi sa colocataire. Bobbie éclata de rire et alla porter des boissons à une table. Billie retourna vers le bar alors que des acclamations retentissaient près du taureau mécanique. Elle jeta un coup d'œil à l'autre bout de la salle et vit Dare qui montait sur le taureau, se délectant de toute cette attention, mais son regard passa au-dessus des têtes de ces femmes enthousiastes et il fit un clin d'œil à Billie.

— Vous êtes déjà sortis ensemble ?

Kellan attrapa une bouteille derrière lui et commença à préparer un verre. Il était barman à temps partiel et étudiant en droit, avec des fossettes profondes et une personnalité lumineuse, toujours de bonne humeur, mais sévère quand il le fallait.

Nous n'allons pas nous lancer dans ce genre de discussions.

— Qu'est-ce que c'est ? L'heure des potins ?

— Je suis juste curieux. Je pense que vous feriez un beau couple. Vous êtes tous les deux des durs à cuire.

— J'espère que tu seras meilleur avocat qu'entremetteur.

Elle désigna d'un signe de tête son client, qui l'observait attentivement, comme s'il pouvait le faire avancer plus vite.

— Je crois qu'il veut le verre que tu tiens.

À mesure que la soirée avançait, le bar devenait de plus en plus bondé. Billie se rendit dans la réserve pour réapprovisionner le bar en alcool, et lorsqu'elle en ressortit, les groupies de Dare agitaient de l'argent, l'encourageant à monter sur le bar et à se mettre à danser sur la chanson "Save a Horse, Ride a Cowboy". L'homme représentait plus de cent kilos de sexe sur pattes, avec des hanches et la langue bien pendue. Bobbie et Kellan dansaient derrière le bar tout en servant des boissons, et tandis que la plupart des clients appréciaient le spectacle, une poignée d'entre eux semblaient choqués et légèrement consternés.

— Tu te fous de moi ? marmonna Billie en posant les verres sur le comptoir et en scrutant la foule à la recherche des frères de Dare.

Ces derniers pourraient normalement l'aider à rentrer chez lui, mais Doc et Cowboy étaient introuvables. Elle repéra son cousin Raleigh "Rebel" Whiskey et leva la paume de sa main, le fixant du regard pour *l'implorer de faire quelque chose.*

L'amusement monta dans les yeux de Rebel.

— Bonne chance, s'écria-t-il et but une gorgée de sa bière.

Était-elle la seule personne saine d'esprit dans ce bar ? Elle s'approcha de Dare à grands pas.

— Dégage de mon bar !

Il lui sourit en se couvrant les oreilles.

— Quoi ? Tu veux que je remue les fesses ?

Il tendit son derrière vers elle et secoua son cul exaspérant, provoquant une horde d'applaudissements et de rires.

— Va au club de strip-tease en bas de la rue ! hurla Billie.

Son sourire arrogant s'élargit.

— Tu veux que je *me déshabille* ?

Des huées et des sifflets retentirent tandis qu'il enlevait sa chemise et la faisait tourner autour de sa tête.

Billie posa ses mains sur le bar.

— *Dégage*, Dare ! Et je ne veux pas que tu enlèves ton pantalon !

Un cri collectif retentit de la part des femmes avec lesquelles il avait passé la nuit. Dare saisit les bras de Billie, la hissant sur le bar. Il enroula son bras puissant autour de sa taille, tournoyant contre elle, ses yeux sombres perçants atteignant son âme, lui rappelant toutes les années où ils avaient fait des bêtises comme celles-ci et avaient ri toute la nuit.

— Allez, Tigresse, tu sais bien que tu veux te lâcher avec moi.

Sa poitrine se contracta au surnom qu'il lui donnait depuis qu'ils étaient enfants et qu'il avait rarement utilisé ces dernières années. Mais cette chaleur fut suivie d'une vérité brutale et douloureuse. Ses sentiments pour Dare étaient la raison pour laquelle Eddie était mort. Il était mort à cause *d'elle*. Elle enfouit ces sentiments au plus profond d'elle-même et ricana.

— Je veux arrêter *quelque chose*, d'accord. Remets ta fichue chemise, descends de mon bar et ramène ton cul de frimeur sur la piste de danse.

— Seulement si tu danses avec moi.

Il resserra son emprise sur elle, se déhanchant, sa large poitrine la frôlant de manière séduisante, tandis que les femmes criaient :

— Je danserai avec toi.

— Bordel, regardez-moi ces hanches !

Certains hommes faisaient des yeux de chien battu, ce qui leur valait des faveurs spéciales. Dare Whiskey avait une centaine de façons de regarder une femme pour obtenir ce qu'il voulait. Alors qu'il inclinait la tête, les sourcils froncés, les yeux suppliants, un sourire séducteur jouant sur ses lèvres, l'esprit de Billie se remémora la dernière fois qu'elle avait été attirée par ce regard.

La nuit où ils s'étaient rencontrés et où il lui avait brisé le cœur.

Elle se rapprocha de lui, plaça sa bouche à côté de son oreille.

— Juste une danse, lui promit-elle.

Le sourire exalté qu'il arborait la fit *presque* culpabiliser lorsqu'ils descendirent du bar, au grand dam de son entourage, et qu'il s'approcha d'elle.

— Dansons, ma belle.

Elle lui tendit une serviette propre.

— La seule danse que je ferai, c'est de m'occuper des clients pendant que tu nettoieras le bar.

Elle sentit la chaleur de son regard alors qu'elle se pavanait dans la réserve avec Bobbie sur ses talons.

— Pourquoi es-tu comme ça avec lui ? Il ne fait que s'amuser.

Billie se tourna vers elle.

— Parce que c'est une *entreprise* et que si quelqu'un est blessé, nous sommes responsables. Tu veux que tout le monde pense qu'il peut venir ici et faire de telles conneries ?

— Non, mais c'est *Dare*. Il l'a toujours fait. Je ne comprends pas.

— Il n'y a rien à comprendre. C'est notre entreprise familiale et il est temps qu'on arrête de la gérer comme si c'était un terrain de jeu.

Bobbie était institutrice et ne travaillait qu'à temps partiel au bar, tandis que Billie le gérait à plein temps et prenait l'affaire plus au sérieux.

Bobbie croisa les bras avec une expression pincée.

— Peux-tu me dire *pourquoi* tu te comportes aussi mal avec lui ces derniers temps ? Je sais que les choses ont changé après la mort d'Eddie, mais c'est comme si tu n'avais soudain plus aucune patience avec lui, alors que je ne l'ai jamais vu faire autre chose qu'être ton ami.

Parce que faire son deuil sans lui est plus terrifiant que n'importe quelle cascade, et chaque fois que je le regarde, je me souviens de la trahison dans les yeux d'Eddie juste avant son accident mortel. Mais plus je repousse Dare, plus il revient vers moi pour raviver notre amitié et cela rend plus difficile de garder ce mur entre nous. En fait, je suis perturbée, parce que j'ai autant envie de démolir cette muraille que de foncer dans l'autre sens. Elle ferma la bouche avant que tout cela ne lui échappe, laissant l'horrible vérité continuer à la ronger comme un rat vorace essayant de se frayer un chemin vers la sortie.

Elle attrapa deux bouteilles d'alcool et retourna au bar, apercevant Dare en train de danser avec ses groupies. *Il faut que je quitte cette ville.* C'est ce qu'elle disait toujours mais elle n'était jamais partie. Voyager l'été pour ses courses de motocross lorsqu'elle était plus jeune avait prouvé ce qu'elle avait toujours su. Sa place était à Hope Valley, même si cela signifiait qu'elle devait côtoyer ce fichu Dare Whiskey.

Repoussant cette pensée, elle s'échappa vers le seul endroit où elle n'avait pas besoin de réfléchir : derrière le bar. Malheureusement, Bobbie la suivit *à nouveau*.

— Billie… ?

Sa sœur baissa la voix et un défi se dessina dans ses yeux.

— Tu ne serais pas *jalouse* de ces femmes avec Dare, n'est-ce pas ?

— Tu es folle ? Tu crois que j'ai envie d'être un nom de plus sur son tableau de chasse ? C'est un miracle que cette foutue chose ne soit pas en lambeaux.

DARE ÉTAIT ASSIS à une table avec son frère aîné Callahan, qui se faisait appeler Cowboy, et leur cousin Rebel, les écoutant raconter des conneries, tandis qu'il ruminait en pensant à Billie. Cela faisait plus d'une heure qu'elle ne l'avait pas regardé, et cela le mettait hors de lui. Il en avait tellement marre qu'elle lui manque – la *véritable* Billie – qu'il en était malade. S'il avait été l'un de ses patients en thérapie, il se donnerait une liste d'outils pour rompre ces liens, en commençant par le plus évident : arrêter de se pointer au *Roadhouse*. Mais il ne pourrait pas faire et oublier aussi vite ce qu'il avait ressenti en la tenant à nouveau dans ses bras sur ce foutu bar, sans se soucier de sa férocité et de son entêtement. Cette femme possédait son cœur depuis qu'ils étaient enfants.

Dare avait toujours désiré *trois* choses et Billie était en haut de la liste, suivie par le fait de devenir un Dark Knight et d'être thérapeute dans le ranch familial – le *Ranch Rédemption* – où l'on sauvait des chevaux et des gens, en donnant une seconde chance aux ex-détenus, aux toxicomanes qui avaient suivi une cure de désintoxication, aux personnes ayant des problèmes sociaux ou émotionnels, et à d'autres âmes égarées.

Certains diraient que deux sur trois, ce n'est pas si mal. Mais alors que Dare observait Billie de l'autre côté du bar, son cœur disait le contraire.

Il n'aurait jamais dû conclure ce pacte stupide avec Eddie au lycée, mais ils étaient deux gamins qui s'étaient entichés de leur meilleure amie. Ils avaient convenu qu'aucun d'entre eux ne ferait un geste, mais si *Billie* en faisait un, ils pourraient agir en conséquence. Dare avait eu de la chance quand elle avait fait un pas en avant l'été précédant l'université. Mais sa chance n'avait pas duré. Quelques instants après l'avoir embrassé, elle l'avait fichu à la porte.

Il avait pris un bon coup de pied aux fesses et s'était ensuite engagé sur une mauvaise pente, faisant la fête et des choses effrayantes dans le seul but de la faire sortir de sa tête. Son père avait essayé de le remettre sur le droit chemin plus de fois qu'il ne pouvait le compter. Il n'y avait personne de plus dur que Tommy "Tiny" Whiskey. Il mesurait environ un mètre quatre-vingt et pesait environ cent kilos ; c'était aussi un biker et un éleveur hors pair. Mais Dare ne se laissait pas facilement intimider et bien qu'il soit sauvage, il n'était pas stupide. Il était allé à l'université et avait eu de bonnes notes malgré les fêtes, de sorte que ses parents n'aient aucune raison de le lui faire arrêter ses études. Ce n'est qu'en deuxième année, lorsque Billie lui avait dit qu'elle ne savait même plus qui il était et qu'il n'avait pas ce qu'il fallait pour devenir un Dark Knight, qu'il s'est enfin rangé. Il s'était ressaisi, avait fait des stages dans son domaine pendant ses études et au ranch quand il n'était pas à l'école, où sa mère, Wynnie, une psychologue, dirigeait une équipe de thérapeutes. Il avait prospecté chez les Dark Knights et après avoir obtenu son diplôme, il était rentré chez lui, déterminé à retrouver sa copine.

Il était allé directement chez Eddie pour lui dire qu'il ne respectait plus le pacte. Mais avant que Dare n'ait pu prononcer un seul mot, son ami avait lâché la bombe en lui annonçant que Billie et lui sortaient ensemble. Dare avait combattu l'envie de boire jusqu'à l'oubli, et au lieu de cela, il avait fait tout ce qu'il fallait pour devenir le meilleur thérapeute possible et vivre une vie sacrément agréable, parce qu'il était sûr que Billie et Eddie se rendraient compte qu'ils n'étaient pas faits l'un pour l'autre, et quand cela arriverait, il serait là pour lui montrer la lumière. Il avait obtenu sa maîtrise et s'était depuis forgé une solide réputation pour son style de thérapie non conventionnelle.

Il ne s'attendait pas à ce qu'Eddie demande Billie en mariage ni à ce qu'elle dise oui, ce qui avait de nouveau bouleversé Dare. Il aurait dû se battre pour elle cet été-là, avant qu'ils ne partent à l'université. Peut-être qu'alors elle n'aurait pas fini avec Eddie, et que Dare n'aurait pas dit les conneries qu'il avait dites quand elle s'était fiancée, ruinant ainsi leur amitié.

— Je n'arrive pas à croire que je suis si en retard !

Birdie, leur plus jeune sœur, s'approcha de la table, le tirant de ses pensées. Elle portait un short à carreaux noirs et blancs avec des ourlets à volants, un T-shirt noir court et des talons hauts rouges. Un ruban à pois rouge et jaune tressé dans sa chevelure sombre et sauvage formait une mèche qui descendait sur le côté gauche de son visage. Elle portait deux bracelets avec d'énormes perles rouges et blanches et des lunettes à monture blanche, esthétiques et obtenues sans ordonnance. Son style était aussi excentrique que sa personnalité. Elle se laissa glisser sur une chaise à la table, parlant à un rythme effréné.

— La boutique était très fréquentée puis Quinn et moi avons discuté après la fermeture. Tu sais comment ça se passe.

Birdie était copropriétaire de la chocolaterie *Divine Intervention*, où elle travaillait avec sa meilleure amie et leur tante.

— Quinnie sera là plus tard, d'ailleurs…

Pendant que Birdie continuait à déblatérer, Dare regarda Billie à l'autre bout de la pièce, penchée sur le bar et portant un dos nu en cuir rouge très moulant. Elle était diablement sexy, que ce soit dans ses pantalons coupés, ses bottes de cow-girl ou son collier ras-de-cou noir qu'elle portait comme une marque de fabrique. Elle était toujours habillée de façon provocante et sexy, elle respirait la confiance en soi et dégageait cette attitude menaçant quiconque de "ne pas se foutre de sa gueule". Il l'avait vue exclure des gens de sa vie mais jamais, il n'avait pensé qu'il en ferait partie. Jusqu'à ce qu'Eddie meure et que le monde tel qu'il le connaissait n'existe plus.

— Cet endroit est plein à craquer. Qui Dare regarde-t-il ?

Birdie se hissa sur la chaise, attirant l'attention de ce dernier alors qu'elle observait la foule. Elle était toute petite et c'est pourquoi Dare lui avait donné le surnom de Birdie alors qu'elle n'avait que deux ans. Il lui convenait mieux que son prénom, Blair.

— C'est Billie !

— Qui d'autre ? répliqua Rebel alors que Birdie s'asseyait.

— S'il continue à la regarder comme ça, les gens vont penser que c'est un harceleur.

— Il a raison, mec, approuva Cowboy. Laissons-la tranquille.

Dare regarda son frère aîné, barbu et *redoutable*, qui, avec leur frère aîné Seeley qui se faisait appeler "Doc" et qui dirigeait une clinique vétérinaire au ranch, essayaient toujours de le maîtriser. Cowboy avait un caractère naturellement autoritaire, ce qui était parfait pour diriger les employés du ranch, mais qui n'avait jamais été apprécié par Dare.

— Vous croyez que j'en ai quelque chose à foutre de ce que pensent les autres ? Je m'assure juste que personne ne lui donne du fil à retordre.

Cow-boy arqua un sourcil.

— Personne d'autre que *toi* ? Je pense qu'elle a clairement fait comprendre qu'elle n'avait pas besoin qu'on la protège.

— Qu'est-ce que tu en sais ? renchérit Birdie. Tu surprotèges toutes les personnes que nous connaissons et tu me fais toujours des reproches sur ma façon de m'habiller et sur les garçons avec qui je parle.

— Ce sont *tous* tes frères, fit remarquer Rebel.

— Je n'ai pas besoin des commentaires de leur part, merci beaucoup, répondit Birdie.

Dare appréciait l'attitude de sa sœur qui ne prenait pas de gants.

— Désolé de te l'apprendre, Bird, dit Cowboy. Mais tu n'as pas de couilles.

— Ah oui ?

Elle se redressa.

— Tu dis toujours qu'il faut des couilles pour monter sur le taureau mécanique. Qui détient le record de la plus longue chevauchée de taureau mécanique deux années de suite ?

Elle se désigna des deux pouces.

Dare gloussa, Cowboy secoua la tête et Rebel fit un bras d'honneur à Birdie.

— Merci beaucoup.

Birdie tendit la main vers la bière de Dare.

Il posa sa main sur la bouteille.

— Tu conduis ?

— Oui, *papa*, c'est pourquoi je ne prends qu'une gorgée de la tienne et que je ne bois pas la mienne.

Elle arracha la bouteille et en but une gorgée, puis la posa devant lui.

— Tu ne conduis pas, *toi* ?

— Si, mais je fais environ soixante kilos de plus que toi, et c'est ma première et unique bière.

— Parfois, j'aimerais être plus lourde. *Maintenant...*

Elle se tapota le menton, regardant autour d'elle.

— Je dois trouver une femme pour Cowboy.

Il y avait quelques mois de cela, elle s'était mis en tête de marier Cowboy, et elle essayait toujours de lui trouver une femme. Birdie vivait pour ses *missions* inventées autant que leur sœur Sasha vivait pour leurs parties de paintball.

Birdie tendit la main et tapota le bras de Cowboy.

— Il y a une jolie blonde. Celle avec le haut bleu.

— Non merci. Dare l'a embrassée il y a quelques heures.

Birdie lança un regard désapprobateur à son frère.

— Est-ce que tu dois embrasser *toutes* les femmes de cette ville ? Bon sang !

Il n'y avait qu'une seule femme sur laquelle il voulait poser sa bouche, mais elle aimerait bien l'écraser avec son camion.

— Je me contente de distiller de l'amour, ma belle.

Birdie leva les yeux au ciel.

— Vous m'enfermeriez si je faisais ça.

— Bien évidemment, répondirent les trois hommes en même temps et Birdie s'en prit à eux.

Dare se laissa aller à penser à Billie. Elle avait le droit de le détester. La dernière chose qu'il lui avait dite avant la mort d'Eddie était de ne pas l'épouser. Elle avait perdu l'homme qu'elle aimait et Dare les avait perdus tous les deux. En tant que thérapeute, il comprenait son chagrin et tout ce qu'elle traversait, mais en tant qu'ami, il voulait l'aider à surmonter cette épreuve et à retrouver la jeune fille joyeuse et intrépide qui aurait vendu son âme pour une carrière dans le motocross et une vie pleine d'aventures. Mais elle avait enfoui cette partie d'elle-même aux côtés d'Eddie, laissant Dare assis dans ce bar année après année, regardant les gars draguer sa meilleure amie qu'il aimait et la femme qu'il ne pouvait s'empêcher d'adorer, malgré la grosse pression qu'elle avait sur ses épaules et ses beaux yeux qui lui lançaient des flèches à chaque fois qu'elle en avait l'occasion.

Elle était serveuse, affichait son magnifique sourire et jetait ses longs cheveux noirs sur son épaule, se faisant draguer et flirtant à chaque fois qu'elle se refermait sur elle-même. Mais *c'était* Billie, confiante comme jamais. Elle savait comment gagner des pourboires et comment se protéger. Du moins physiquement. Mais son cœur tendre était brisé et *Dare* était l'homme qu'il lui fallait pour le réparer.

Elle jeta un coup d'œil, le surprenant en train de la fixer. Elle fronça les sourcils et elle se détourna, gaspillant son sourire éblouissant sur les quatre frères Transom, qui ressemblaient à des chiens affamés salivant à l'idée de leur prochain repas.

Des enfoirés.

La blonde et ses amies s'approchèrent de Dare.

— Tu veux partir d'ici avec nous ?

— Bien sûr que oui.

Tout pour se distraire et oublier Billie.

— Euh, *hé ho* ? Belle entrée en matière, mon pote, lui dit Birdie en chantonnant.

Il se pencha et lui chuchota à l'oreille :

— Pas besoin de t'occuper de ta jolie petite tête avec les salutations. Je ne connais pas leurs noms, et même si je les connaissais, je les oublierais dès demain.

Il suivit les trois femmes dans leur appartement et passa beaucoup trop de temps à écouter de la mauvaise musique, des conversations ridicules et des questions ineptes sur le métier de biker – *Est-ce que tu fais du trafic de femmes ? As-tu déjà tué quelqu'un ? A quoi il aurait pu répondre : Non, pas directement, et non. Grâce à Billie qui m'avait secoué les puces l'été suivant ma première année d'université, j'étais parvenu à ne pas aller en prison, et maintenant j'aide d'autres personnes à comprendre les erreurs qu'elles commettent.* Mais il ne gaspilla pas sa salive, car c'était l'heure de la fermeture du *Roadhouse*, et alors qu'il esquivait les offres alléchantes pour *des jeux de groupe*, ce qu'il aurait totalement fait si Billie n'avait pas remué la merde dans son cerveau, ces jolies femmes lui rappelèrent toutes les raisons qu'il avait de vouloir partir.

Il n'avait plus envie de perdre son temps avec des femmes qui ne l'intéressaient pas. Il avait perdu Billie parce qu'il ne s'était pas battu pour elle. *Eh bien, tu sais quoi, Mancini. Il est temps de se débarrasser de ce poids et de faire face à cette merde avant que nos vies entières ne nous échappent.*

DARE FIT le tour du bar avec sa moto pour s'assurer que le connard que Billie avait envoyé chier ne traînait pas dans les parages, puis il se gara devant pour attendre que Bobbie et elle s'en aillent, comme il l'avait fait des centaines de fois auparavant. Le parking était vide, à l'exception de la Jeep de Bobbie, de la voiture de Kellan et du vieux camion de Billie. Il fut un temps où les seules choses qu'elle conduisait étaient des voitures rapides, des motos et des motocross. À l'époque, elle l'aurait fait monter sur le bar et aurait ri quand ses parents leur auraient dit de se calmer. Ce côté sauvage lui manquait.

Il leva les yeux vers l'enseigne *ROADHOUSE* en néon orange au-dessus de la porte d'entrée et vers le large porche qui s'étendait sur toute la longueur du bâtiment. Il imaginait encore Billie, du haut de ses quatorze ans, debout sur les marches, dans ses bottes de cow-girl et son short, avec un casque de motocross glissé sous le bras et de l'insolence à profusion. Quand ils étaient jeunes, il avait pensé que ce bar était l'endroit le plus cool du coin. C'était un endroit génial et plein de bons souvenirs, mais maintenant il savait que ce n'était pas l'endroit qui était cool. C'était Billie, avec sa personnalité démesurée et son arrogance qui l'avaient toujours insupporté. *C'était aussi Eddie*, pensa-t-il avec une pointe de nostalgie. Il avait été le calme dans leurs tempêtes et il manquait à Dare tous les jours.

La porte d'entrée du bar s'ouvrit et Kellan et Bobbie sortirent, verrouillant la porte derrière eux. Dare descendit de sa moto pendant qu'ils descendaient les escaliers.

Kellan fit un signe de tête à Dare et lui souhaita une bonne nuit, avant de se diriger vers sa voiture.

Un sourire inquiet *faillit* atteindre les yeux de Bobbie. Ses cheveux blonds tombaient au milieu de son dos. Elle était plus douce qu'insolente et mesurait quelques centimètres de moins que Billie, mais elle pouvait sans aucun doute tenir son rang.

— Hé là, ma belle.

Bobbie croisa les bras.

— Billie ne va pas être contente de te voir ici.

Comme si je ne le savais pas.

— Après les conneries qu'elle a commises avec ce connard ce soir, tu crois vraiment que je vous laisserais sortir d'ici toutes les deux seules ?

— Je te connais par cœur, et elle aussi. Mais Kellan était là.

— Et il est parti avec toi, ce qui veut dire qu'elle sortira seule, ajouta-t-il alors que Kellan sortait du parking.

Bobbie poussa un soupir.

— Tu as raison. Merci de veiller sur elle. Je sais que ce n'est pas facile pour ma sœur, mais je suis contente que tu le fasses.

— Je l'ai fait toute notre vie, ma belle. Il faudrait bien plus que sa grande bouche pour m'arrêter.

— Je le sais aussi.

Elle se dirigea vers sa Jeep, criant par-dessus son épaule :

— Fais attention à toi. Elle garde un couteau dans sa botte.

Elle l'a toujours fait.

— Tu sais que je les aime fougueuses.

Un peu plus tard, Billie sortit par la porte d'entrée. Ses yeux vifs balayèrent le parking, s'attardant sur Dare. Il pouvait pratiquement sentir sa colère irradier avec le roulement des yeux de la jeune femme lorsqu'elle sortit du porche.

Elle se dirigea vers son pick-up, ne ralentissant pas quand il arriva à côté d'elle.

— Qu'est-ce que tu fais là ?

— Comme toujours, je te protège.

Elle s'arrêta dans son élan, l'air se refroidissant.

— Tu te pointes ici depuis aussi longtemps que je me souvienne. Ai-je *jamais* eu besoin de ton aide ?

— Dois-je vraiment te rappeler toutes les fois où tu as eu besoin de mon aide, ici même, sur ce parking ?

— Est-ce que toutes les fêtes que tu as faites après le lycée t'ont détraqué le cerveau ? Parce que je ne me souviens pas avoir *jamais* eu besoin de ton aide.

— L'année dernière. Le connard du Wisconsin avec l'anneau au sourcil.

— J'aurais pu m'en occuper.

— Sans aucun doute. Mais tu ne devrais pas avoir à le faire. Et les deux types qui passaient par la ville quelques mois auparavant, avec qui tu as tellement flirté qu'ils t'ont suivie jusqu'à la maison ?

Ses yeux se plissèrent.

— Qu'est-ce que tu racontes ? Personne ne m'a jamais suivie chez moi.

— Qui crois-tu qui les a empêchés de te faire chier ?

— Quoi… ?

Elle secoua la tête.

— Et *ouais*. Les points de suture que j'ai eus sur la joue ? Ils ne sont pas dus à une bagarre avec Cowboy.

Elle fronça les sourcils.

— Eh oui, ma grande Je vois que tu as des doutes. Mais tu sais que je ne mens pas. Tu es une dure à cuire, mais deux gars contre une femme qui ne se doute de rien ? Tu n'aurais eu aucune chance.

— Pourquoi tu ne me l'as pas dit ?

— Parce que je m'en suis occupé et j'ai fait en sorte qu'ils quittent la ville.

— Merci, mais je ne suis pas sous *ta* responsabilité.

Peut-être pas à tes yeux, mais je te suis totalement dévoué.

— Tu es devenu ma responsabilité le jour où tu m'as touché la poitrine en me disant : *Tu es mon nouveau meilleur ami. Allons-nous attirer des ennuis.* Et tu m'as fait jurer par le petit doigt.

— J'avais *six ans* et je n'avais manifestement pas beaucoup de jugeote.

— Sans aucun doute. Johnny Petrone en était la preuve.

Ce qui lui valut un autre haussement d'yeux.

— J'avais *quinze ans*.

— Et tu braillais sur ces mêmes marches.

Il pointa du doigt le bar.

— Parce qu'il a rompu avec toi. Il n'a *jamais* été digne d'un seul rendez-vous. Qu'est-ce qui t'a pris ?

— C'est pour ça que tu lui as collé un œil au beurre noir ?

— Il a fait pleurer ma meilleure amie. J'aurais fait pire que ça si Doc ne m'avait pas arrêté.

Sa mâchoire se crispa, une guerre faisant rage dans ses beaux yeux noisette.

— Tu as toujours été incontrôlable.

— Et toi, tu ne l'étais pas ?

Il soutint son regard.

— Pas comme toi.

Il se rapprocha. Si près qu'elle dut lever le visage pour voir le sien, éliminant la froideur qu'elle essayait de porter comme un bouclier.

— Tu es *exactement* comme moi. Tu l'as toujours été. Tu le seras toujours. Tu ne vis et ne respires que pour la prochaine montée d'adrénaline, et le simple fait de le faire n'est jamais suffisant. Tu *devais* être la meilleure, tout comme moi. Tu as travaillé dur pour devenir une pilote de motocross professionnelle. Je ne sais pas comment tu as pu t'en éloigner et tourner le dos à tout ce que tu aimais, à l'exception de ce foutu bar.

Ses yeux se plissèrent, sa poitrine se souleva au rythme de ses respirations lourdes, le frôlant.

— J'ai grandi.

— Tu as eu *peur*.

Il laissa cette phrase résonner et s'il ne l'avait pas cherchée, il aurait manqué le léger tressaillement de ses yeux, ce *signe* qui indique qu'elle pense à quelque chose ou qu'elle ment.

— Il est temps d'arrêter de faire semblant d'être quelqu'un que tu n'es pas, Billie. Je sais que tu aimes le bar, mais ce n'est qu'une partie de ce que tu es, comme le ranch fait partie de ce que je suis. Tu es comme un tigre en cage là-dedans. Je le vois dans tes yeux et je le sens à chaque fois que je suis près de toi. Ce n'est *pas toi*, Billie. Tu avais l'habitude de briller comme ce foutu soleil et maintenant, tu es comme un orage qui attend de se produire. Je déteste te voir comme ça et Eddie te dirait la même chose.

— Si tu n'aimes pas ce que tu vois, alors ne t'approche pas de moi. Arrête de venir dans le bar de ma famille.

Elle fit un pas vers sa camionnette et il se plaça devant elle, lui barrant la route.

— Ce n'est pas ce qui va se passer et je ne crois pas que tu veuilles que je le fasse.

— Tu te fiches de ce que *je* veux, fulmina-t-elle. Il s'agit de ce que *tu* veux.

— Tu as bien raison, parce que ce que je veux, c'est t'empêcher de gâcher ta vie.

Elle écarquilla les yeux mais sa mâchoire se resserra à nouveau.

— Va trouver quelqu'un d'autre à sauver.

— Tu es tellement frustrante, grogna-t-il. Je ne veux pas te *sauver*. Je veux t'aider à retrouver la vie que tu mérites. La vie que tu aimes *vraiment*.

— Garde tes beaux discours pour quelqu'un d'autre. Pourquoi tu t'intéresses à ce que je fais, de toute façon ?

— Parce que je *t'aime*, bon sang, et que j'aimais Eddie, et que maintenant il n'est *plus là*, Billie. Mais tu es toujours là et agir comme quelqu'un que tu *n'es pas* ne va pas le ramener.

La colère flamboyait dans ses yeux, elle le dépassa et se dirigea vers sa camionnette.

— Nous l'avons perdu *tous les deux*, Billie, et tu ne m'as pas parlé une *seule fois* de ce qui lui est arrivé, dit-il alors qu'elle grimpait dans sa voiture. Je comprends que tu me détestes pour ce que j'ai dit le jour de sa mort.

Sa main se figea sur la portière.

— Je suis désolé de m'en être mêlé. J'aimerais pouvoir revenir en arrière, mais bordel, *crie-moi* dessus. Frappe-moi à mort. Fais *quelque chose* pour faire sortir cette colère en toi, parce qu'il était une partie de nous, et tu es la *seule* autre personne sur cette terre qui sache ce que cela signifie vraiment.

Elle déglutit difficilement, les yeux baissés.

— Allez, Billie.

Il adoucit son ton.

— Ça n'a pas assez duré ? Je veux juste que ma meilleure amie revienne. Je veux parler, traîner et faire des trucs sympas avec toi. Tu me *manques*, Billie. Notre amitié me manque.

Elle leva vers lui un regard triste et furieux.

— Eh bien, je ne suis plus cette fille, alors oublie ça.

Elle claqua la portière de sa camionnette et il la regarda s'éloigner. Elle était si têtue que briser cette armure qu'elle avait portée comme un bouclier exigerait de la finesse. Il avait peut-être été un éléphant dans un magasin de porcelaine, mais il avait eu six longues années pour apprendre la patience. Il était prêt à mettre cette patience à l'épreuve et à relever son plus grand et plus important défi : montrer à la femme qu'il avait toujours aimée que certaines initiatives valaient le *risque*.

CHAPITRE DEUX

APRÈS UNE NUIT DE SOMMEIL AGITÉE passée à repenser à chaque mot que lui avait dit Dare, Billie se rendit au parc d'Elk Mountain pour son jogging matinal. Elle n'avait jamais été une grande dormeuse, mais son incapacité à faire taire son esprit s'était encore aggravée après la mort d'Eddie et l'abandon de son mode de vie axé sur l'adrénaline. Elle avait eu beaucoup de mal à trouver des moyens plus sûrs de se débarrasser de son excès d'énergie. Elle luttait encore contre cela, mais courir l'aidait à se vider la tête et à calmer son esprit.

Du moins, c'est ce qu'elle faisait le plus souvent.

Ce matin, alors que le soleil tapait sur ses épaules, elle n'arrivait pas à se perdre dans la sérénité des champs verdoyants et des montagnes pittoresques. Au lieu de cela, la voix angoissante de Dare résonnait dans sa tête. *Tu as eu peur... Tu brillais comme un foutu soleil et maintenant tu es comme un orage qui attend de surgir. Je déteste te voir comme ça et ce serait aussi le cas d'Eddie.*

Elle accéléra sa vitesse, essayant de fuir la véracité de ses paroles.

Tout ce qu'elle voulait, c'était contrôler sa vie, et elle ne s'était jamais sentie aussi perdue. *Je veux juste que ma meilleure amie revienne... Tu me manques, Billie. Notre vie me manque.*

Elle redoubla d'efforts, la sueur coulant sur son cou et sa poitrine, mais il n'y avait pas moyen d'échapper au mal profond et à la nostalgie de toutes les choses qu'elle avait perdues ou abandonnées. Mais surtout, le fait de faire partie de leur trio et leurs journées excitantes et insouciantes, leurs amitiés faciles et leurs nuits folles et amusantes. Le fait que Dare et Eddie soient en tous points opposés n'avait jamais eu d'importance. En fait, cela les rendait meilleurs tous les trois. Dare était grand, costaud et sauvage, tandis qu'Eddie était maigre, robuste et prudent. Dare gardait ses cheveux noirs coupés courts et sa barbe bien taillée, alors que les cheveux blonds d'Eddie avaient toujours besoin d'être coupés et qu'il ne se rasait que sous la contrainte. Dare était têtu, avait plusieurs piercings à l'oreille, au septum et à la narine, et était tatoué du cou aux pectoraux. Dieu seul sait quelle quantité d'encre se trouvait dans cette zone sensible, mais elle avait vu les tatouages sur ses cuisses et ses mollets. Eddie était plein de charme et n'avait pas la moindre trace de tatouage sur son corps. Dieu que cela lui manquait d'être avec eux. La façon dont Dare la poussait et dont Eddie savait toujours ce qu'il fallait faire et dire, comme s'il avait été mis sur terre parce que l'univers savait qu'ils avaient besoin de quelqu'un de plus rationnel pour les freiner et leur servir de caisse de résonance. Leurs plaisanteries lui manquaient autant que leurs disputes, et la personne qu'elle avait été avec eux lui manquait.

Mais comment pourrait-elle revenir en arrière, alors qu'elle souffrait tant ?

Elle leva les yeux vers le ciel bleu clair, comme elle l'avait fait des milliers de fois auparavant, et imagina le beau visage d'Eddie, ses yeux bleus scintillant vers elle, ses cheveux blonds hirsutes tombant devant eux. Elle le revoyait rire, parce qu'imaginer autre chose la faisait toujours pleurer. Chaque fois qu'elle lui parlait, elle pensait avoir dit tout ce qu'elle avait à dire. Elle s'était excusée de ne pas l'aimer comme il le méritait plus de fois qu'elle ne pouvait le compter, mais quand elle relevait la tête, c'était toujours la première chose qui lui venait à l'esprit.

— C'est encore moi. Je suis désolée de ne pas t'avoir aimé comme tu le méritais. Je regrette de ne pas avoir été faite différemment. Tu as *toujours* été là pour moi.

Elle aspira l'air en pensant à la façon dont il l'avait encouragée et applaudie lors des courses de motocross. *Montre au monde ce que tu sais faire* – et il avait même enregistré les cascades les plus ridicules.

— Ça aurait dû suffire.

Mais tu étais trop simple et je n'aime pas la simplicité. Mais tu le savais, n'est-ce pas ? Cela lui apporta une vague de culpabilité qui faillit la faire tomber à la renverse, mais c'était aussi vrai que le ciel était bleu.

— J'ai vraiment besoin de tes paroles pleines de sagesse en ce moment, Eddie.

Elle prit quelques profondes inspirations, essayant de calmer son cœur qui battait la chamade.

— Je ne sais pas quoi faire, mais Dare a raison. La plupart du temps, j'ai l'impression que je vais exploser. Ça *fait mal*, Eddie. J'aimerais que tu sois là pour me dire quoi faire.

Elle entendit un avion au loin et souhaita être à bord. Non, pas du tout. Elle aurait aimé *vouloir* être à bord de l'avion, parce que partir rendrait les choses tellement plus faciles, mais elle ne désirait pas quitter ce lieu, ni les gens qu'elle aimait.

— Peux-tu me faire un signe, Eddie ? Un indice sur ce que je dois faire…

Elle courut plus vite, regrettant d'avoir commencé à sortir

avec lui, car elle savait déjà à l'époque que son cœur était pris. Mais elle avait cru pouvoir dépasser ses sentiments pour Dare. Oh ! Comme elle avait essayé, année après année, mais il était si profondément enraciné dans son âme qu'elle ne savait pas où elle se positionnait et où lui la complétait.

Elle ne savait même pas quand elle était tombée amoureuse de lui, mais elle avait su qu'elle était trop impliquée l'été suivant le lycée, lorsqu'elle avait eu un peu trop de courage à une soirée bien arrosée et qu'elle s'était laissée aller à un baiser – et qu'elle en était ressortie consumée par des sensations plus puissantes que tous les frissons qu'elle avait connus, plus addictives que les poussées d'adrénaline qui avaient régi sa vie, et que cela l'avait terrifiée. Elle avait compris à ce moment-là qu'il était dangereux d'aimer Dare Whiskey et elle lui avait dit que cela ne se reproduirait plus jamais. C'était une bonne chose, parce qu'il était devenu tellement incontrôlable cet été-là, buvant trop, expérimentant les drogues et provoquant le destin avec des cascades dangereusement périlleuses. De ce fait, elle avait été sûre qu'elle ne voudrait plus de lui. Mais elle était là, dix ans plus tard, en train de demander de l'aide à son ex-fiancé décédé.

Ses poumons la brûlaient, ses vêtements étaient trempés et son cœur lui faisait un mal de chien. Elle ralentit le pas et se pencha, posant ses mains sur ses cuisses pour essayer de reprendre son souffle. La brise lui faisait du bien au visage.

— *Maaaaanciiiiiiiniiiiii !*

Elle se retourna juste au moment où Dare atterrissait en parachute de l'autre côté du terrain. *Tu te fous de moi, Eddie ? C'est ça ton signe ? Soit tu as un sacré sens de l'humour, soit je suis dans le pétrin.*

Elle se dirigea vers le jeune homme en traversant le terrain alors qu'il décrochait son équipement. La plupart des gens portaient des combinaisons de vol, mais Dare et Billie les avaient toujours détestées. Il portait un T-shirt, un short cargo et des baskets, ainsi qu'un petit sac à dos attaché à sa poitrine. Son sourire arrogant lui arracha un sourire, malgré son agacement.

— Hé, ma belle. Superbe matinée, non ?

Il se débarrassa du sac à dos qu'il portait sur la poitrine et se mit sur les fesses en le dézippant.

— Jusqu'ici *oui*. Qu'est-ce que tu fiches là, Dare ?

Il sortit une bouteille de jus d'orange en plastique de son sac à dos et la posa sur l'herbe.

— Je prends mon petit déjeuner.

Il sortit un récipient en plastique et enleva le couvercle, dévoilant deux sandwichs.

— Un sandwich au beurre de cacahuète, à la confiture et l'autre à la banane. Tu veux qu'on partage ?

Il tapota l'herbe à côté de lui.

Elle leva les yeux au ciel en s'asseyant.

— Je suis censée croire que tu as sauté en parachute, armé de mon petit déjeuner préféré et que tu as atterri *par hasard* dans le champ où je cours pratiquement tous les jours ?

— Je me suis dit que je devais te manquer.

— Je t'ai vu hier soir.

— *Exactement.* C'était il y a longtemps et je sais que tu rêves de moi.

— Revoilà cet ego que nous connaissons tous si bien.

— Tu ne me connais plus assez bien, et tu cours trois jours par semaine, pas sept.

Il appuya son épaule contre la sienne, baissant la voix.

— *Frimeur.*

Il tendit le récipient en plastique devant elle.

— Vas-y, tu sais bien que tu en as envie.

— Je n'ai pas faim, merci.

— C'est des conneries. Tu as toujours faim. Enfin, je sais que tu préférerais avoir un peu de ça.

Il désigna son corps d'un geste de la main.

— Mais je ne m'amuse pas avec des femmes qui veulent m'arracher les yeux. Maintenant, enfonce tes ongles dans mon dos…

Il lui fit un clin d'œil.

— Rêve, *Devlin.*

— Tu sors le grand jeu, pas vrai ?

Il souleva à nouveau le récipient.

— Mange ce foutu sandwich, et ne t'inquiète pas, *Wilhelmina*, je ne le prendrai pas comme un rameau d'olivier.

Argh. Pourquoi ses parents l'avaient-ils affublée du prénom de son arrière-grand-mère ? Elle prit le sandwich à contrecœur et mordit dedans, encore plus irritée par le fait que ses sandwichs avaient toujours meilleur goût que ceux de n'importe qui d'autre. La confiture de framboise et les bananes étaient plus sucrées, le beurre de cacahuète plus consistant, et le pain était aussi moelleux qu'un nuage.

— Merci.

— J'ai menti. Je vois ça comme un signe de paix.

Il enfourna la moitié de son sandwich dans sa bouche et fouilla dans son sac à dos pour lui tendre une bouteille d'eau, l'amusement brillant dans ses yeux.

Elle la lui arracha des mains.

— Tu me fais chier.

— C'est bien. Le jour où je cesserai de le faire, je saurai que je ne compte pas pour toi.

Comme si cela pouvait arriver. Elle but l'eau.

— Tu es venu ici pour me faire encore chier ?

— Je n'ai pas encore décidé.

— *Super.*

Elle se leva.

Il la retint.

— Calme-toi, Mancini. Je prends juste le petit-déjeuner avec ma meilleure amie.

— Je ne suis plus ta meilleure amie.

— Tu le seras toujours. Ces liens ne se brisent pas juste parce que tu as fait des tiennes pendant quelques années.

— Quelle chance j'ai, répondit-elle d'un ton sarcastique. A qui dois-je botter les fesses pour t'avoir fait venir ici ?

— Flame m'a emmené. Bonne chance pour botter les fesses d'un type dont le métier consiste à sauter dans des incendies.

Flame était le nom de route de Finn Steele, l'ami de Dare. C'était un pompier parachutiste et un Dark Knight, et depuis ce moment, il était sur la liste des emmerdeurs de Billie.

— Satané Finn. Tu peux parier que je vais lui faire vivre un enfer.

— Bonne chance. Hé, peut-être que j'irai courir avec toi un jour.

Elle ricana.

— Tu ne pourrais pas suivre.

— Tu veux parier ?

— Oui. Je gagne, tu arrêtes de venir. Tu gagnes, tu arrêtes de venir.

Il mangea le reste de son sandwich en une seule bouchée, les yeux plissés tandis qu'il mâchait et avalait.

— Tu te sentirais seule sans moi.

— Je suis sans toi depuis longtemps, Dare, et je ne me sens pas seule.

Elle prit une autre bouchée de son sandwich et regarda le champ, espérant avoir réussi à mentir.

— Tremble, tremble.

Elle essaya d'étouffer un sourire en se tournant vers lui.

— Tu crois me connaître.

— Les amis pour la vie connaissent les secrets des uns et des autres.

— Tout comme je sais que tu es là pour me faire parler.

Il s'appuya sur ses paumes et croisa les chevilles.

— C'est si grave ?

— Pourquoi *maintenant* ? Après tout ce temps ?

— Je n'ai jamais cessé d'essayer de te parler.

C'était vrai, même après qu'elle ait essayé de l'exclure de sa vie, il avait persisté, revenant jour après jour, appelant, envoyant des textos, venant quand il savait qu'elle serait à la maison, essayant de lui parler au bar après qu'elle soit retournée au travail. Des semaines plus tard, lorsqu'il avait finalement compris le message et que les visites s'étaient espacées, elle avait été aussi soulagée que dévastée. Mais il n'a jamais cessé d'essayer.

— Mais comme je te l'ai dit hier soir, tu me manques, et tu ne m'as jamais laissé m'excuser pour ce que j'ai dit ce jour-là. C'était égoïste de ma part de te dire de ne pas épouser Eddie. Si je pouvais revenir en arrière et recommencer…

— Tu dirais la même chose, lança-t-elle brusquement. Nous savons tous les deux que tu dis toujours ce que tu penses, quelles que soient les conséquences.

C'était l'une des choses qu'elle admirait le plus chez lui, parce qu'elle avait toujours fait la même chose. Mais le fait d'avoir tout retenu pendant toutes ces années était épuisant.

— Plus autant maintenant.

— Est-ce que tes professeurs t'en ont fait voir de toutes les couleurs quand tu étais à l'école ?

Elle ne lui avait jamais parlé de sa carrière, mais elle savait tout sur le ranch. Il avait une excellente réputation pour ses programmes thérapeutiques, et Billie avait entendu dire que Dare était un thérapeute exceptionnel. Il avait toujours cherché à savoir ce qui faisait réagir les gens. Elle était curieuse du travail qu'il faisait, mais elle n'était pas prête à s'engager dans cette voie.

— Oui, on peut dire ça. On peut aussi dire que j'ai mûri.

Il la regarda un long moment, ses yeux sombres la retenant captive.

— Mais je déteste la façon dont tu me regardes, comme si tu souhaitais que ce soit moi qui sois mort cette nuit-là. Je comprends et je changerais de place avec Eddie en un battement de cœur juste pour que *tu* ne l'aies pas perdu.

Sa gorge se serra.

— C'est ce que tu penses ? Que je préférerais que tu sois mort ?

— Oui, c'est ce que je ressens.

Il se redressa et but une gorgée de son jus de fruit.

Les émotions montèrent en elle.

— Eh bien, ce n'est *pas* le cas, et ce ne sera jamais le cas.

Elle se leva et fit les cent pas.

— J'aurais aimé que *personne* ne meure. Ce n'était pas une fatalité.

Elle ne put empêcher sa voix de monter.

— Eddie ne faisait *jamais* de sauts périlleux. Il n'était pas assez coordonné et il le savait. Il n'aurait jamais dû monter sur cette moto.

Dare se leva.

— On a tous les deux essayé de l'arrêter, tu te souviens ?

— Bien sûr que je m'en souviens ! Comment pourrais-je oublier ? Toute cette histoire se déroule dans mon esprit comme un film d'horreur tous les soirs, et je ne te déteste pas non plus pour ce que tu as dit. Alors arrête de penser que c'est le cas.

Elle se dirigea vers lui, les mains jointes, se rappelant ce qu'il avait dit quand il avait vu la bague. *Tu ne vas pas l'épouser, n'est-ce pas ? J'aime Eddie, mais ce n'est pas l'homme de ta vie, Billie. Il n'est pas l'homme qui enflamme ton âme.*

— Tu ne m'as rien appris de nouveau. J'avais déjà rompu avec lui quand tu as vu la bague et que tu m'as dit de ne pas l'épouser. Il n'a pas voulu reprendre la bague, mais c'était déjà fini. C'est pour *cette raison* qu'on s'est disputés avant qu'il ne prenne la moto au lieu de nous filmer. C'est pour ça qu'il *est mort.*

Des larmes coulèrent de ses yeux. Dare semblait choqué par sa confession mais elle était trop bouleversée pour se calmer.

— À cause de *moi*. Parce que je n'ai pas pu l'aimer comme il m'a aimée. C'est ma faute s'il est mort, Dare. *Ma* faute !

— *Non*, Billie, tu *n'*assumeras *pas* cette responsabilité.

Il l'attira dans ses bras.

— Laisse-moi *tranquille.*

Elle frappa ses poings sur sa poitrine, pleurant de colère, de frustration et elle souffrait tellement que c'était inéluctable.

— *Jamais.*

Il la serra plus fort, malgré sa lutte.

— Ce n'était pas ta faute. Ce n'était pas de *sa* faute. C'était une cascade débile qui a mal tourné.

— Mais il ne l'aurait jamais fait si je l'avais aimé comme il m'aimait.

Sa confession ouvrit les vannes, et elle s'accrocha à lui, impuissante à arrêter les larmes et le chagrin qu'elle retenait depuis des années. Elle s'était préparée à ce qu'il se mette en colère parce qu'elle s'en voulait, parce que Dare Whiskey avait toujours été comme ça. Son grand protecteur. L'homme qui refusait de la laisser souffrir et qui l'avait toujours soutenue pour qu'elle se sente indestructible. Toute cela lui avait appris à être forte, et jusqu'à ce moment précis, elle avait cru qu'elle était passée maître dans l'art de cacher sa souffrance.

Mais Dare ne s'était pas mis en colère.

Il n'avait pas dit un mot.

Il se contenta de la tenir pendant qu'elle pleurait, passant sa main dans son dos, le muscle de sa mâchoire se serrant contre sa tempe. Il était plus musclé qu'il ne l'était il y avait des années de cela, lorsqu'il la prenait dans ses bras après qu'ils aient réussi une belle cascade ou qu'elle ait gagné une course de motocross, mais il lui paraissait toujours aussi rassurant et familier. *Malgré les années passées à te frapper avec cette attitude, comme un iceberg se heurtant à une montagne inébranlable.* Elle se sentit coupable et recula, mais il resserra son emprise sur elle et parla à voix basse.

— Je n'en ai pas encore fini avec toi, Mancini.

Elle ferma les yeux pour ne pas se laisser envahir par les émotions qui accompagnaient les mots qu'il lui avait dits il y avait tant d'années de cela, après leur aventure alcoolisée, et auxquels elle avait répondu : *Si, parce que moi, j'en ai fini avec toi.* Elle s'était crue si forte à l'époque, ne cédant pas à l'envie d'être une fille de plus parmi ses conquêtes, mais elle était loin de se douter qu'elle allait mordre à l'hameçon et qu'elle n'allait pas se laisser faire. Elle était loin de se douter qu'elle se voilait la face.

Elle s'essuya les yeux, se demandant si elle pouvait s'enfuir et s'il la poursuivrait cette fois-ci.

— Assieds-toi, Mancini.

Il n'attendit pas de réponse, lui saisit le poignet et l'attira à ses côtés.

La colère fit son apparition. Elle se redressa, se préparant à un assaut de résistance.

— Respire, dit-il d'un ton apaisant.

Il lui tendit la bouteille d'eau qu'il lui avait donnée plus tôt.

— Bois un coup.

Sa mâchoire était serrée, ses yeux sombres sérieux mais pas en colère. Qui était cet imposteur calme ?

— Ou pas.

Il posa la bouteille d'eau sur l'herbe entre eux et ouvrit son jus d'orange. Il termina ce qui restait dans la bouteille et leva un genou, posant paresseusement son bras dessus et regardant le champ, comme s'il avait toute la journée pour s'asseoir là avec elle.

— Tu as vraiment rompu avec lui ? Vous êtes sortis ensemble pendant si longtemps et quand tu as accepté sa demande en mariage, j'ai pensé que j'avais tort et qu'il était l'amour de ta vie.

— Tous ceux qui sortent ensemble pendant de longues années ne sont pas faits pour se marier.

Il était difficile de comprendre ce côté sérieux de Dare. C'était si nouveau pour elle et il était difficile de parler de quelque chose qu'elle avait gardé sous silence pendant si longtemps, mais il méritait de connaître la vérité. Au moins cette partie de la vérité.

— J'aimais Eddie, mais j'avais beau essayer, tu avais raison, il n'embrasait pas mon âme. C'est pourquoi, je n'ai pas pu l'épouser.

BORDEL DE MERDE. L'esprit de Dare remonta le temps, jusqu'au moment où Eddie ou elle ne fassent des commentaires sur leur relation. Ce n'est pas arrivé souvent, mais il y avait eu quelques fois où l'un d'entre eux avait mentionné qu'ils devraient peut-être faire une pause ou qu'ils avaient traversé une période difficile. Aujourd'hui, Dare considérait ces moments comme des occasions manquées de se battre pour elle. Mais elle n'avait pas voulu de *lui*, et il n'était pas un adepte de l'auto-flagellation. Du moins, pas ce genre de punition.

Elle croisa son regard.

— Maintenant, tu comprends pourquoi c'est ma faute ?

— Non, mais je comprends pourquoi tu penses ainsi. Tu l'as énervé et ensuite il a fait une cascade qu'il n'aurait pas dû faire.

— Parce qu'il était en colère.

— Parce que c'était un *mec*, et que nos ego sont plus gros que nos engins. Nous avons un besoin viscéral de sauver la face. Tu as blessé son cœur et sa fierté, et il voulait te montrer que tu ne l'avais pas brisé. Il était *encore* un homme capable de faire des trucs cool, même s'il n'aurait pas dû essayer.

— J'ai envie de lever les yeux au ciel, mais tout le truc de l'ego masculin sonne vrai.

— Sauf le mien.

Il fronça les sourcils et elle secoua la tête avec un petit sourire. Il le ferait lui aussi.

— Tu sais, tu étais toujours en train d'énerver l'un de nous, et on a tous les deux essayé plein de cascades stupides quand on était en colère, et on n'est pas mort lors de ces occasions. La mort d'Eddie a été tragique, mais ce n'était pas ta faute.

— Quand je t'entends dire ça, j'ai envie de te croire, mais tard dans la nuit, tout me revient, et…

— Alors peut-être que j'ai besoin d'être près de toi tard le soir pour te rappeler que ce n'est pas de ta faute.

Ce qui lui valut un léger haussement de sourcils.

— Je te comprends, Billie, et ce dont tu te souviens ne changera peut-être jamais. Mais ce que cela signifie pourrait changer un jour, et c'est ce que j'espère. Tu te souviens de ma deuxième année de fac, quand je faisais bien trop la fête et que tu essayais de me faire cesser mes bêtises ?

— Oui. Tu m'as dit de me calmer, et je t'ai dit que s'il t'arrivait quelque chose, ce serait de ma faute parce que je ne t'avais pas arrêtée. J'étais tellement en colère contre toi. Je te jure que tu es la personne la plus têtue que j'aie jamais rencontrée.

— C'est comme se regarder dans un miroir, n'est-ce pas ?

Il plissa les yeux.

— Tu te souviens de ce qu'Eddie t'a répondu quand tu m'as dit ça ?

Elle baissa les yeux et arracha un brin d'herbe.

— Il a dit que je ne pouvais pas être responsable de tes choix, même si je les détestais.

— C'est vrai, ma belle, et Eddie ne voudrait certainement pas que tu portes le fardeau de la culpabilité parce qu'il s'est énervé pendant quelques minutes. Tu le sais, n'est-ce pas ?

Elle haussa les épaules.

— Quelque part au fond, sous la douleur et la culpabilité, je pense que tu le sais. Et heureusement pour toi, *je* le sais, et je continuerai à te le rappeler jusqu'à ce que tu ne fasses plus en sorte de te voiler la face.

— Tu n'es pas une espèce de magicien qui peut faire changer les gens d'avis.

— Malheureusement, je ne le sais que trop bien. Je sais aussi que tu portes ce fardeau depuis longtemps et que tu es têtue, et je sais aussi qu'une seule conversation ne suffira pas à le faire disparaître.

— Ou cinquante.

Défi accepté, ma belle.

— Je suppose qu'on verra. C'est pour ça que tu m'as exclue de ta vie ? Parce que tu pensais que je te reprocherais la mort d'Eddie si j'apprenais que tu avais rompu avec lui ?

Elle s'agita, mal à l'aise, et il eut l'impression qu'elle avait fini d'en parler.

— Chaque fois que je te vois, je me souviens de ce jour et du fait que c'est ma faute s'il est mort.

Elle se leva brusquement.

— Combien je te dois pour cette séance, parce que je dois y aller ?

Même s'il avait très envie de partir avec elle, il resta assis, sachant que plus il insisterait, plus vite ses barrières se dresseraient.

— Dîner ce soir.

Elle rit.

— Ce n'est pas parce qu'on a parlé, qu'on est à nouveau meilleurs amis.

— On verra bien.

Il lui fit un clin d'œil.

Elle secoua la tête et se remit à courir.

Billie ne *marchait* pas n'importe où. Elle se pavanait avec détermination, son magnifique cul se balançant dans son short de course très court. Lorsqu'elle accéléra son rythme jusqu'à atteindre un jogging facile, il s'écria :

— Tu te déplaces comme si tout ce poids immense sur ton dos avait diminué.

Elle ne perdit pas le rythme et lui fit un bras d'honneur sans se retourner, puis se mit à courir plus vite.

Il la regarda rapetisser au loin, et le nœud coulant qu'il portait depuis des années, celui dont il aurait parié qu'il aurait du mal à respirer jusqu'au jour où il rencontrerait Eddie de l'autre côté, se desserra un tout petit peu.

CHAPITRE TROIS

MARDI SOIR, APRÈS une journée bien remplie passée à travailler au ranch et à voir des patients, Dare se doucha et s'habilla, puis mit son blouson. Il devait aller à l'église ce soir. C'est ainsi que les Dark Knights appelaient leurs réunions, et après le dîner, il se rendrait au clubhouse avec son père, ses frères et les autres Dark Knights qui vivaient au ranch. Il prit son chapeau de cow-boy en sortant de sa cabane et fut accueilli par les odeurs familières du ranch, des chevaux, du foin, du travail acharné et des familles. Le soleil se profilait au-dessus des montagnes au loin, projetant des ombres sur le ranch où ses racines étaient profondément ancrées. Sa famille et lui vivaient et travaillaient tous sur la propriété, à l'exception de Birdie, qui vivait près de sa chocolaterie à Allure, une ville voisine.

Il grimpa sur un quad et se dirigea vers la maison principale pour le dîner, passant devant les pâturages et les granges dans lesquels il avait travaillé toute sa vie. Le ranch appartenait à la famille de sa mère depuis des générations et servait de refuge pour les chevaux. Son père était originaire de Peaceful Harbor, dans le Maryland, où son grand-père avait fondé les Dark Knights. Il s'était retrouvé à Hope Valley lorsque son frère Biggs et lui avaient traversé le pays en moto et étaient tombés sur le *Roadhouse*. Sa mère était là avec ses amies, et son père l'avait regardée et avait dit à Biggs qu'il l'épouserait un jour.

Cet été-là, Biggs était retourné seul à Peaceful Harbor et le père de Dare avait commencé à travailler au ranch. Quelques années plus tard, ses parents s'étaient mariés et son père avait continué à travailler au ranch tandis que sa mère poursuivait une carrière de psychologue. Le père de Dare avait commencé à embaucher d'anciens détenus et des toxicomanes en voie de guérison, dans l'espoir de leur donner un coup de pouce, mais il avait été très déçu de voir que beaucoup d'entre eux avaient fini par retourner en prison ou retomber dans la drogue. Il avait fini par se rendre compte que, même s'ils avaient purgé leur peine ou surmonté leurs démons, ils n'avaient pas bénéficié du soutien permanent dont ils avaient besoin pour reconstruire leur vie tout en restant propres, sobres ou à l'abri des ennuis. Il ne fallut pas longtemps à ses parents pour avoir l'idée d'étendre la mission du ranch à un environnement thérapeutique où les gens pourraient apprendre de nouvelles et meilleures façons de faire face à des situations difficiles en vivant et en travaillant au ranch et en participant à des séances de thérapie individuelle et de groupe. Ces personnes recevaient le soutien dont elles avaient besoin et avaient un but à atteindre. À l'époque, Tiny avait envie de créer un nouveau chapitre des Dark Knights, et il avait finalement trouvé sa mission, en travaillant main dans la main avec le ranch pour donner une seconde chance aux gens et les aider à rester à l'écart de la dépendance et des problèmes. Au fil des ans, de nombreuses personnes qui avaient suivi leurs programmes étaient devenues des Dark Knights, et plusieurs d'entre elles travaillaient encore au ranch.

Des décennies plus tard, son père supervisait le ranch, qui s'étendait sur plusieurs centaines d'hectares, avec plusieurs maisons, des granges, des dépendances, des manèges intérieurs et extérieurs, onze cabanes pour les patients hébergés, une multitude de bureaux avec des logements pour le personnel et les nouveaux arrivants, ainsi qu'une clinique vétérinaire spécialisée. Ils avaient aidé des centaines d'ex-détenus et de toxicomanes en voie de guérison à retrouver une nouvelle vie, et ils employaient désormais quatre thérapeutes, dont Dare et sa mère, un thérapeute en rééducation équine – Sacha – qui travaillait souvent avec des stagiaires, plusieurs dizaines d'ouvriers du ranch dirigés par Cowboy, un directeur de résidence et cuisinier, deux médecins de garde, un directeur des services thérapeutiques, et une poignée d'autres membres du personnel.

Il passa devant le terrain de paintball, que Sasha et Cowboy avaient agrandi, il y avait quelques mois de cela, et se dirigea vers la maison principale, où se trouvaient les bureaux pour mener des thérapies plus traditionnelles ainsi que les résidences de plusieurs membres du personnel et de tous les patients âgés de moins de vingt-et-un ans. Ayant toujours été intrigué par le comportement humain, ayant grandi auprès de bikers endurcis dont la mission était d'aider tous ceux qui se trouvaient sur leur chemin, et ayant été témoin direct de la façon dont les programmes du ranch avaient aidé des personnes ayant un passé difficile, Dare avait su très tôt qu'il voulait être thérapeute au ranch. Mais ses méthodes n'étaient pas traditionnelles. Il trouvait qu'il était plus facile de communiquer avec les patients lorsque leurs mains étaient occupées et qu'ils pensaient à leur travail plutôt qu'à mettre leur âme à nu. Au lieu d'organiser des séances de thérapie dans un bureau, il les organisait à l'extérieur pendant qu'ils travaillaient ensemble au ranch.

Alors qu'il garait le quad, les portes de la maison principale s'ouvrirent et Gus Moore, âgé de quatre ans, sortit en courant, suivi de son père, Ezra. Ce dernier était un Dark Knight qui avait suivi le programme alors qu'il n'était qu'un adolescent perturbé. Il avait ensuite fait un stage chez la mère de Dare pendant les vacances scolaires et les étés, tout en obtenant ses diplômes. Il était devenu un Dark Knight et était l'un des thérapeutes les plus respectés du ranch.

Gus aperçut Dare qui descendait du quad et courut vers lui dans ses petites bottes de cow-boy et son short, ses boucles sombres rebondissant autour de son adorable visage.

— Dare ! Tu m'emmènes faire *un tour* ?

Dare le prit dans ses bras.

— Hé, p'tit homme. Je crois qu'on devrait demander à ton père ce qu'il en est.

Il salua d'un hochement de tête Ezra. C'était le père de Gus : il était célibataire et avait des cheveux noirs.

— Vous ne restez pas pour le dîner ?

Les personnes qui suivaient leurs programmes étaient souvent séparées de leurs familles, et les Whiskey faisaient tout ce qu'ils pouvaient pour atténuer le sentiment de solitude, notamment en mangeant avec le personnel et les patients, en faisant des feux de camp, en faisant des randonnées et en jouant au paint-ball. Ses parents croyaient fermement à la mentalité "travailler dur, se dépenser sans compter", et leur approche équilibrée les avait aidés. Ils étaient devenus la seule famille de certains de leurs patients.

— Pas ce soir. J'ai promis de déposer Gus chez sa mère un peu plus tôt.

Ezra avait la garde partagée de Gus avec son ex-femme.

— Est-ce qu'on a le temps de faire un petit tour ?

— *S'il te plaît*, papa ? supplia Gus.

— Bien sûr, mon p'tit gars. Un petit tour, mais écoute bien

Dare.

— Je le ferai !

Gus sourit à Dare tandis qu'il l'emmenait vers le quad.

— Je peux porter ton chapeau ?

— Tu te souviens de la règle ?

Gus acquiesça.

— Tiens-toi au quad même si le chapeau tombe.

— C'est bien, mon petit pote.

Il installa Gus sur le véhicule tout-terrain et posa son chapeau sur sa tête tandis qu'il grimpait derrière lui.

— On peut aller voir *Sasha* ?

Gus avait un gros crush pour la jeune sœur de Dare.

Ce dernier et Ezra échangèrent un regard amusé, puis Dare se dirigea à travers le champ vers les granges de rééducation. Sasha sortait de la grange quand ils arrivèrent. Ses cheveux blond foncé étaient attachés en queue de cheval et elle portait un jean, un T-shirt et ses bottes de grange marron préférées. Tous les membres de la famille avaient leurs particularités. Doc était un penseur profond qui gardait son côté coquin si bien enfermé qu'il se demandait s'il le libérerait un jour. Cowboy était farouchement responsable et surprotégeait tout le monde, mais il avait une touche de canaille en lui, et Dare était le rebelle. Sasha avait deux ans de moins que Dare et était aussi calme et posée qu'il était porté sur l'adrénaline, mais elle avait une touche d'insolence à mille lieues à la ronde et une force tranquille pour la soutenir, tandis que Birdie était leur caméléon. Elle avait un peu de chacun en elle, et elle était ce qu'elle voulait être à tout moment.

Gus fit un signe de la main.

— Salut, mon chou !

Dare rit en coupant le moteur.

— Bonjour, *Gusto*. Je crois que tu as trop traîné avec Dare.

Elle jeta un coup d'œil sous le chapeau à larges bords.

— Comment va le gars le plus mignon du ranch ?

— Il va bien, merci.

Dare sourit.

Sasha lui adressa un regard impassible.

— J'ai entendu dire que tu *étais passé voir* Billie l'autre jour. Tu n'as pas de coquard, donc je suppose qu'elle ne t'a pas frappé.

— Où as-tu entendu ça ?

Dare n'avait pas vu Billie depuis dimanche et il lui avait fallu toute sa volonté pour ne pas s'arrêter au bar hier soir ou envoyer un message. Mais il attendait son heure, laissant passer l'irritation causée par leur discussion impromptue.

— J'étais en train d'envoyer un texto à Finn et il m'en a parlé.

— Qui est Finn ? demanda Gus.

Dare plissa les yeux.

— Quelqu'un avec qui Sasha devrait faire attention quand elle lui envoie des textos.

— Pourquoi ? demanda Gus.

— Il n'est pas vraiment réputé pour être un gentleman avec les dames, répondit Dare.

— Et toi, tu l'es ?

Sasha secoua la tête.

— Dare dit des bêtises, Gus. Finn est vraiment un type bien. Tu es venu me chercher pour le dîner ?

— *Euh !*

Gus montra le quad d'un geste de la main.

— Monte, *chérie* !

— Tu *es* le plus mignon des garçons.

En grimpant derrière Dare, elle dit :

— Qu'est-ce qui s'est passé avec Billie ?

— On n'a pas fini de parler de Finn.

Ils retournèrent à la maison principale et Ezra les attendait devant.

— *Eh bien*, regardez donc qui est là, dit Sasha d'un ton un peu *trop* appréciateur.

Dare se tourna vers elle, lui jetant un regard noir, et elle leva les yeux au ciel. Les femmes jetaient toujours un coup d'œil à Ezra, mais son ex était un peu un cauchemar, et lui ne s'occupait que de son fils et de son travail. Dare ne se souvenait pas de la dernière fois où Ezra avait mentionné sortir avec une femme.

— Fais attention à toi, l'avertit Dare.

Ils avaient instauré une politique stricte contre la fraternisation au travail il y avait des années de cela, après que Doc soit tombé amoureux de la fille d'un puissant politicien alors qu'elle travaillait au ranch et qu'il se soit attiré un tas d'ennuis, ce qui, Dare l'avait juré, avait changé son frère à tout jamais.

Sasha leva les yeux au ciel et sourit à Ezra.

— Salut, Ez.

— Comment ça va, Sasha ? demanda Ezra tandis que Dare descendait du quad et soulevait Gus du siège.

— Notre dernier sauvetage mange bien et prend des forces, c'est une bonne journée.

Elle commença à descendre du véhicule tout-terrain.

— Attends !

Gus se précipita et lui tendit la main.

Sasha jeta un coup d'œil à Ezra.

— C'est toi qui lui as appris ça ?

— C'est Dare ! s'exclama Gus s'exclama en descendant, et le

chapeau de Dare tomba par terre.

— Il m'a dit d'aider les filles et les animaux, avant de m'aider moi-même.

— C'est vrai, p'tit homme.

Dare lui ébouriffa les cheveux et ramassa le chapeau.

— Il aurait peut-être dû parler du fait de les appeler *"mon chou"*, dit Sasha.

Ezra ricana.

— Allons-y, mon p'tit gars, avant que Dare ne se fasse botter les fesses.

Ezra prit la main de Gus.

— On se voit demain, Sash. Bon appétit. Dare, je te verrai à l'église.

— Qu'est-ce que c'était que ça ? demanda Dare alors que Sasha et lui se dirigeaient vers les portes.

— Je n'ai aucune idée de ce dont tu parles, répondit Sasha avec amusement.

— Tu vas te mettre dans le pétrin. Qu'est-ce qui se passe avec Finn ? Vous sortez ensemble ?

— Est-ce que Billie te parle enfin à nouveau ?

— *Sasha*, la mit-il en garde.

— *Non*. D'accord ? Finn est un ami. Et Billie et toi ?

— C'est la même réponse que toi.

Mais il espérait faire pencher la balance en sa faveur.

Ils entrèrent dans la maison principale, qui présentait de hauts plafonds avec des chevrons en bois apparents, un grand espace de rassemblement sur deux étages avec des canapés, des chaises, des étagères, des tables de bricolage et une énorme cheminée en pierre. À leur gauche se trouvaient des salles de réunion et des bureaux, et à leur droite, la cuisine et la salle à manger, une salle de cinéma et d'autres bureaux. Les résidences du personnel et les chambres des jeunes patients étaient situées à l'étage.

Des odeurs savoureuses et le brouhaha des conversations provenaient de la salle à manger, alors que la famille de Dare, le personnel du ranch et leurs patients travaillaient ensemble, dressant les grandes tables de style fermier et apportant les plats de la cuisine.

— On dirait que Dwight a préparé ton poulet au barbecue préféré, déclara Dare.

Dwight Cornwall, leur directeur de résidence et cuisinier, vivait dans la maison principale et supervisait les jeunes pensionnaires. Il travaillait là depuis que Dare avait treize ans et, en tant que commandant de la marine à la retraite, il tenait la barque avec rigueur.

La salle à manger était très animée, et plusieurs hommes et femmes qui travaillaient au ranch, ainsi que quelques-uns de leurs patients, se tournèrent vers Dare et Sasha pour les saluer. Il mit un doigt sur ses lèvres et se faufila derrière sa mère alors qu'elle posait les serviettes sur la table et la serra dans ses bras.

Elle laissa échapper un petit cri et se retourna, un sourire chaleureux illuminant ses yeux.

— *Dare.* Tu m'as fait peur, mon chéri.

Elle le serra dans ses bras, toujours aussi bien habillée, maquillée, parée de colliers, d'une chevelure blonde soigneusement peignée et d'un chemisier de couleur pêche. Elle préférait les jeans et les bottes à tout autre chose ; elle avait bon cœur, était forte et avait toujours à l'esprit le meilleur intérêt de leurs patients et de leur famille.

— Désolé, maman. Je ne voulais pas te faire peur.

— Ne touche pas à ma femme, grogna son père à l'autre bout de la pièce en posant un plat de poulet sur l'une des tables.

C'était un homme de la taille d'un ours, au ventre bedonnant, à la barbe grisonnante et touffue et aux longs cheveux gris qui étaient actuellement emprisonnés sous un bandana rouge noué autour de son front. Sa peau dure, comme du cuir, était couverte de traces de tatouage, et il ne se passait pas un jour sans qu'il ne porte des bottes et des jeans. Il avait été élevé par un biker dur à cuire et misogyne, et il était bourru. Il ne souriait pas souvent et se fichait éperdument de savoir combien de personnes changeaient de trottoir en le voyant arriver. Mais si ces gens qui le jugeaient sur sa seule apparence physique prenaient un jour le temps de le connaître, ils se rendraient compte que s'il pouvait écraser le crâne d'un homme à mains nues, il avait construit sa vie autour de l'aide qu'il apportait aux autres et qu'il traitait les femmes comme des reines.

Dare croisa le regard de son père.

— Je ferai ce que je veux, mon vieux.

Plusieurs d'entre eux les observèrent. Dare et son père s'étaient affrontés plus souvent qu'il ne voulait l'admettre et en tant qu'adolescent arrogant et ivre pendant les vacances de printemps de sa première année d'université, Dare s'en était même pris physiquement à son père. Il n'oublierait jamais le regard de ce dernier lorsqu'il avait saisi Dare par le col de sa chemise, l'avait soulevé d'une main et lui avait dit : *"Nous pouvons nous battre aussi souvent que tu le souhaites, mon garçon, mais ce que tu fuis sera toujours là, et moi aussi. Ce n'est pas comme ça qu'on gère ses problèmes, alors ressaisis-toi avant de te faire tuer.* Dare avait été trop têtu pour entendre la signification de ces mots à l'époque, mais ils étaient devenus depuis des mots qu'il suivait à la lettre. Son père était le meilleur et le plus fort des hommes qu'il connaissait.

— Pas si tu tiens à la vie, dit Cowboy en arrivant de la cuisine avec un plateau de nourriture.

— Et nous savons tous à quel point tu aimes parler.

Hyde Ledger, un ex-taulard fortement tatoué, sourit.

Dare avait été le thérapeute de Hyde lorsqu'il avait suivi le programme, il y avait quelques années de cela. Hyde était passé d'un mec qui cherchait la bagarre à celui d'un type tout à fait cool. Il avait prospecté pour le club et était devenu un membre à part entière. Il était resté pour travailler au ranch, car les Whiskey étaient devenus sa famille. A tel point que Hyde reprochait à Dare de toujours vouloir parler, comme le faisaient ses propres frères et sœurs.

— Parler est une bonne chose, dit sa mère. D'ailleurs, je pense que Dare pourrait donner du fil à retordre à Tiny s'il le voulait.

— Tiny l'écraserait comme un insecte, rétorqua Darcy.

C'était une autre patiente de Dare, qui était une ancienne droguée. Cette ancienne toxicomane était arrivée au ranch quatre mois plus tôt, après avoir suivi un programme de désintoxication pendant quatre-vingt dix jours et avoir eu du mal à s'acclimater à son mode de vie sans drogue. Sa capacité à plaisanter à propos de Dare était un signe de sa bonne santé.

Son père rit.

— Tu as raison.

— Tu aimerais bien, mon vieux, lui lança Dare pour le taquiner.

Alors que les gars commençaient à plaisanter avec son père sur le fait que chacun d'entre eux l'affronterait, sa mère lui toucha la joue et lui dit :

— Maya m'a dit que tu avais obtenu tes billets pour l'Espagne.

Maya Martinez s'occupait des bureaux du ranch, mais elle

MELISSA FOSTER

ne vivait pas sur place.

— Je n'ose pas imaginer qu'il puisse arriver quelque chose à mon beau garçon. Es-tu sûr de vouloir aller là-bas ?

Cela faisait plus d'un an qu'il préparait ce voyage pour affronter les taureaux.

— J'y vais, maman. Mais tout ira bien.

Sasha se rapprocha de lui et baissa la voix.

— Peut-être que tu *ne devrais pas* essayer de te rabibocher avec Billie au cas où tu te ferais piétiner. Elle a déjà eu assez de chagrin d'amour.

— Bon sang, Sasha. Je vais m'en *sortir*, s'emporta Dare.

Doc franchit à cet instant la porte d'entrée avec son labrador noir, Mighty, l'un de ses nombreux chiens. Mighty se précipita sur Sasha, qui s'agenouilla pour le caresser.

— Est-ce que Billie et toi vous vous reparlez ? demanda sa mère avec surprise.

Birdie fit irruption par la porte d'entrée et sprinta dans la salle à manger, vêtue d'un short jaune vif, d'un haut violet flottant et de baskets à semelles compensées. Elle s'arrêta entre Dare et leur mère.

— Je ne peux rester qu'un quart d'heure, mais je suis affamée.

Birdie regarda Dare de haut en bas.

— Tu as l'air en forme et tu *sens* bon. Tu as un rendez-vous ? Attends, on est mardi. *L'église.*

Elle caressa Mighty en se dirigeant vers la table, se glissa sur une chaise entre Hyde et Darcy, et commença à empiler de la nourriture dans son assiette.

— Tenez-moi au courant de vos vies, mais faites vite.

Dare regarda sa mère qui secoua la tête en souriant.

— Alors ? lui demanda sa mère. Est-ce que Billie et toi vous

52

vous reparlez ?

— Je n'ai jamais cessé de lui parler. Elle m'a finalement accordé quelques minutes de son temps l'autre jour.

Et c'était vraiment génial. Il espérait qu'elle continuerait à s'ouvrir à lui. Il s'inquiétait pour elle. Il avait ressenti la perte d'Eddie et de son amitié avec Billie comme si le monde s'était écroulé sous ses pieds. Mais alors qu'il avait parlé de ses sentiments pendant des années, il savait que Billie avait choisi de garder les siens pour elle, et il ne savait que trop bien comment ce genre de chagrin d'amour pouvait détruire une personne.

— Quelques *minutes* ?

Doc se moqua en s'approchant d'eux. Il était grand et en forme, avec des cheveux bruns courts d'une couleur intermédiaire entre celle de Dare et celle de Cowboy.

— Si c'est tout ce que tu as, ce n'est pas étonnant que les femmes ne te rappellent jamais.

— Hé Dare, tu peux toujours lui donner mon numéro, renchérit Taz.

C'était un gros cinglé et l'employé de ranch le plus rapide que Dare ait jamais rencontré.

Dare lui jeta un coup d'œil du style *touche-la et je te bute*, tandis que les autres se joignaient à lui pour plaisanter. Avant qu'il ne s'en rende compte, même leur mère et leur père se mettaient à faire des blagues.

Un dîner ordinaire…

APRÈS UN DÉLICIEUX repas et des conversations amusantes, Dare enfourcha sa moto et suivit son père, ses frères et les autres

Dark Knights qui travaillaient au ranch, hors de la propriété, en direction du clubhouse. Mais lorsque les autres tournèrent à droite sur la route principale, il continua à avancer, se dirigeant directement vers le *Roadhouse*.

Il franchit les portes d'entrée et Billie se retourna de derrière le bar, un sourire hésitant se dessinant sur le bord de ses lèvres.

— Voilà, c'est plutôt *ça* !

Il leva les mains en l'air et fit un saut périlleux arrière, provoquant les applaudissements des clients.

— Bien joué, Whiskey ! cria quelqu'un.

Dare s'inclina, les yeux rivés sur Billie, qui se renfrogna lorsqu'il s'approcha d'elle.

— C'était quoi, *ça* ? grogna-t-elle.

— Une fête. Tu ne m'as pas jeté des poignards quand je suis entré.

Elle tenta d'étouffer un sourire, les yeux plissés.

— Qu'est-ce que tu fais ici, Dare ?

Il croisa les bras sur le bar, se penchant par-dessus.

— Je te fais juste savoir que toi et moi avons quelque chose de prévu demain après-midi.

Il savait qu'elle était en congé le mercredi.

— Non.

Elle entreprit d'essuyer le bar.

Il posa sa main sur la sienne, l'immobilisant et ramenant ses yeux sur lui.

Elle arqua un sourcil.

— Tu veux perdre cette main, Whiskey ?

— Sois prête à midi et habille-toi confortablement.

— Je ne peux pas. Je dois…

Ses yeux le frôlèrent.

— Donner un bain à ma chatte.

Un lent sourire s'étira sur son visage.

— Je peux penser à une bien meilleure façon de mouiller ta chatte.

Elle dégagea sa main et lui lança un regard noir.

— Je ne vais nulle part avec toi. Je te l'ai dit, ce n'est pas parce qu'on a parlé que ça fait de nous des copains.

— Si c'est ce que tu dois te dire pour dormir la nuit, vas-y, Mancini. Je te verrai demain à midi.

Alors qu'il se dirigeait vers la porte, elle hurla :

— Dans tes rêves, Whiskey !

Il regarda par-dessus son épaule pour voir qu'elle avait les yeux enflammés de fureur.

— Je vais rêver, d'accord, de tes mains sur cette chatte.

Dare se retourna pour partir et faillit percuter son père. Il avait les bras croisés sur sa veste en cuir et ses yeux sombres étaient fixés sur Dare. Manny Mancini n'était pas un grand homme, mais sa lignée italienne lui donnait une présence autoritaire, avec des traits forts, une peau bronzée, des cheveux courts poivre et sel, et des sourcils noirs, qui donnaient à ses yeux sombres un regard menaçant.

— Qu'est-ce que tu viens de dire à ma fille ?

Dare n'avait que du respect pour son compagnon des Dark Knight, qui avait été comme un second père pour lui tout au long de sa vie, mais il n'était pas prêt à enjoliver quoi que ce soit.

— Manny, je lui ai demandé de faire quelque chose avec moi demain mais elle a dit qu'elle ne pouvait pas parce qu'elle devait donner un *bain* à sa *chatte*.

Le regard de Manny se posa sur Billie, puis sur Dare.

— Elle n'*a pas* de chatte.

— Sans déconner. Elle est allergique depuis que nous

sommes enfants.

Dare posa une main sur l'épaule de Manny.

— Tu as élevé une dure à cuire et je ne fais que lui rendre la monnaie de sa pièce. Il n'y a pas de mal, il n'y a pas de soucis. Allez, on va à l'église.

LE CLUB DES DARK KNIGHTS était situé dans une ancienne caserne de pompiers à la périphérie de la ville. Ils avaient rénové une travée pour agrandir l'espace de réunion, et Rebel louait l'autre travée pour son entreprise de restauration de voitures classiques. Lorsque le père de Dare avait fondé le club il y avait plus de trente ans de cela, il avait acheté la caserne dans l'espoir que son jeune frère, Axel, mécanicien, s'installe à Hope Valley et utilise la baie que Rebel louait à présent. Mais Axel avait l'âme vagabonde et le cœur bien accroché. Il avait fini par s'installer dans leur ville natale, près de Biggs. Ce dernier et lui avaient dirigé ensemble la section Peaceful Harbor du club, et Axel y avait tenu un garage automobile avant d'être emporté par un cancer, il y avait un peu plus de dix ans. Biggs continuait à diriger le chapitre Peaceful Harbor des Dark Knights, et les cousins de Dare géraient désormais le garage.

Dare était assis à une table avec Cowboy, Doc, Rebel et Hyde, entouré d'une salle remplie d'hommes robustes, que Dare connaissait pour la plupart depuis des dizaines d'années. Certains étaient tatoués et barbus, d'autres rasés de près, sans la moindre trace de tatouage, et tous portaient des blousons de cuir noir arborant fièrement les écussons des Dark Knights. Il regarda les visages burinés par le soleil de ses compagnons bikers, dont beaucoup travaillaient au ranch – Ezra, Dwight, Hyde, Taz et une poignée d'autres ouvriers du ranch – mais aussi des hommes dont des membres de la famille y travaillaient, comme Pep, le père d'Ezra, et Otto, dont la femme, Colleen, était thérapeute au ranch, et il ressentit la chaleur familière de cette communauté. Beaucoup de ces hommes avaient été là pour lui lorsqu'il avait connu des années difficiles à l'université et lorsqu'ils avaient perdu Eddie. Le père d'Eddie n'était pas un Dark Knight, mais tout le club était venu à ses funérailles, parce qu'Eddie avait été comme un fils pour Tiny et Manny, ce qui faisait des Baker une famille pour tout le club. Dare donnerait sa vie pour n'importe lequel des hommes présents dans cette pièce et il savait que tous feraient de même pour lui.

L'attention de tous était rivée sur son père et Manny, assis à la table d'honneur, en train de discuter des affaires du club. Son père était un leader fort, et les hommes dans cette pièce, ainsi que dans la communauté, le tenaient en haute estime pour ses efforts novateurs visant à aider les autres. Non seulement leur chapitre assurait la sécurité des habitants et des entreprises de Hope Valley en patrouillant dans certains quartiers et en restant à l'affût des opérations minables liées à des activités louches, mais ils s'étaient également donné pour mission de sensibiliser le public aux problèmes de santé mentale et à la prévention de la toxicomanie et du suicide.

En temps normal, Dare se serait concentré sur chaque mot prononcé à l'église, mais ce soir, il avait l'esprit tourné vers la beauté têtue aux cheveux noirs qui avait essayé de le larguer en prétendant avoir une fichue chatte. Pensait-elle vraiment qu'il laisserait tomber aussi facilement ? Comme s'il n'avait pas remarqué la faille dans son armure lorsqu'il avait franchi la porte ? Il avait envie d'enfoncer ses mains dans cette fissure et d'arracher l'armure.

— Le prochain point à l'ordre du jour est le Festival on the Green, qui aura lieu dans deux mois seulement, annonça son père, attirant l'attention de Dare. Comme toujours, le *Ranch Rédemption* aura une table pour faire connaître ses services et collecter des dons, et les Dark Knights auront une table pour informer les gens sur qui nous sommes et ce que nous faisons. Wynnie, Alice et nos filles coordonnent les efforts des bénévoles.

Alice était la mère de Billie.

— Beaucoup d'entre vous se sont déjà inscrits pour se relayer à la table et pour aider à la sécurité de l'événement...

Le Festival on the Green était un événement qui durait une semaine à Allure, avec des concerts dans le parc et des stands d'entreprises et d'artisans. Les entreprises locales organisaient des ventes sur les trottoirs et, à la fin de la semaine, il y avait un grand feu d'artifice. Dare y allait depuis qu'il était enfant, et il s'en réjouissait autant pour s'amuser que pour faire connaître le ranch et le club. Mais cela faisait des années que Billie n'avait pas aidé à coordonner les événements ou n'y avait pas assisté. Elle aimait passer du temps au festival avec Eddie et lui, aider aux tables, visiter les boutiques locales et regarder les feux d'artifice depuis *leur* emplacement sur une colline dans le parc. Ces moments lui manquaient, et avec le festival qui se profilait à l'horizon, il se rendit compte que c'était peut-être le moment idéal pour commencer à lui rappeler à quel point ils s'amusaient ensemble.

— Le dernier point à l'ordre du jour est notre campagne d'automne, Ride Clean. Manny, veux-tu t'en charger ? demanda son père.

Ride Clean était le nom de leur campagne anti-drogue. Chaque année, en septembre, ils lançaient la campagne avec une randonnée et un rallye du club, ainsi qu'une journée pour s'amuser et collecter des fonds pour le ranch, où les enfants pouvaient courir dans le foin, faire des promenades à poney et des randonnées, apprendre à panser les chevaux et à s'en occuper d'une autre manière. Ils pouvaient jouer à des jeux et au paintball. Dare et ses frères et sœurs donnaient des conférences sur leur métier et répondaient aux questions. L'objectif était de montrer aux enfants qu'il existait des moyens de s'amuser correctement et proprement, et de leur faire découvrir le monde des chevaux et les Dark Knights en tant que membres de la communauté vers lesquels ils pouvaient se tourner en cas de problème. Les familles du club fournissaient de la nourriture et des pâtisseries qui étaient vendues lors de l'événement et dont les recettes étaient destinées au financement de la campagne.

— Bien sûr, nos femmes et nos filles coordonneront les bénévoles, les activités et les rafraîchissements pour l'événement. Eh oui, Birdie offre à nouveau des chocolats.

Les applaudissements retentirent.

— Nous recherchons toujours des bénévoles pour intervenir dans les écoles et les associations de jeunes. Les feuilles d'inscription sont disponibles en ligne et ici à la table.

Dare était déjà inscrit. Il aimait faire la fête comme tout le monde. D'accord, peut-être plus. Mais il n'était plus un enfant, et il avait d'autres façons de s'amuser. Il connaissait et respectait ses limites, et il était passionné par l'idée d'aider les gens, en particulier les adolescents, à trouver des moyens plus sains de gérer leurs problèmes et leurs émotions.

Alors que leur père clôturait la réunion, Cowboy lui donna un coup de coude et lui parla à voix basse.

— Tu veux aller au *Roadhouse* après ça ?

— Tu connais la réponse.

Il regarda Doc, Rebel et Hyde.

— Vous voulez boire un verre ?

Rebelle afficha un sourire.

— Quand est-ce que je ne suis *pas* partant pour un verre ?

— Je suis partant tant que vos sœurs n'essaient pas de m'entraîner sur la piste de danse, déclara Hyde.

Il ne dansait pas, mais Birdie et Sasha s'en moquaient, et elles le tiraient toujours sur la piste.

Ils regardèrent tous Doc. Il avait quatre ans de plus que Dare et deux ans de plus que Cowboy. Il avait une personnalité affable, mais il avait toujours été plus réservé que ses frères, et il gardait généralement ses pensées pour lui, c'est pourquoi lorsqu'il exprimait son opinion, elle valait la peine d'être étudiée. Ce soupçon de mystère agaçait parfois Dare, mais il attirait les femmes.

— Je ne peux pas ce soir. Je sors avec Mandy.

— Ce n'est pas la même fille que tu voyais le jour de la Saint-Valentin ? Ça doit être une sorte de record.

Rebel sourit.

Dare et Cowboy échangèrent un regard curieux. Doc était très attentif aux femmes avec lesquelles il sortait, mais il ne les voyait jamais plus de deux ou trois mois, laissant dans son sillage une traînée de cœurs brisés. Dare savait qu'il ne fallait pas donner à quiconque l'espoir d'une véritable relation avec lui. Comment aurait-il pu le faire, alors qu'il les comparait toutes à Billie ?

Doc fixa Cowboy et Dare d'un regard sérieux.

— Ne dites *rien*.

— Qui *nous* ? dit Dare avec une innocence feinte.

— Nous ne dirons jamais qu'elle a dû avoir pitié pour être restée si longtemps dans les parages.

— Ou qu'on avait entendu dire qu'il y avait un pari à Hope Valley. Cinq cents dollars à toute femme capable de tenir quatre mois avec toi sans perdre la tête, ajouta Cowboy.

— On ne ferait jamais ce genre de conneries.

Dare ricana.

Doc leur lança un regard noir.

— Connards.

Dare et Cowboy éclatèrent de rire.

La réunion était terminée et la salle se mit à s'animer, avec des conversations bruyantes et des gars qui s'amusaient à prendre des verres et à jouer au billard. Les téléphones de Dare et de ses frères bourdonnèrent de messages. Dare consulta son téléphone et vit le message de groupe SOS de leur mère. C'est ainsi qu'elle les contactait pendant l'église en cas d'urgence au ranch. Si la réunion se poursuivait, l'un d'entre eux sortait pour la rappeler. Sinon, c'était leur père qui passait l'appel. Ils regardèrent leur père, qui se tenait avec Manny près de la table d'honneur. Il avait déjà le téléphone à l'oreille, les sourcils froncés.

— Rebel, on dirait que tu vas devoir te débrouiller tout seul pour ce verre.

Dare se leva.

— Dis à Billie que je sais qu'elle pense à moi.

Rebel sourit.

— Tu veux dire quand elle ne pense pas à moi ? Cette femme est un *beau* morceau de...

Dare le fit taire d'un regard noir et Rebel leva les mains en signe de reddition, en riant. Dare et ses frères se dirigèrent vers leur père alors qu'il terminait son appel et rangeait son téléphone.

— Qu'est-ce qui se passe ? demanda Dare.

— Un jeune de dix-sept ans a pris la BMW des voisins, et leur fille de quinze ans, pour une balade, dit leur père. Le jeune s'appelle Kenny Graber.

— Merde. Ont-ils été blessés ou ont-ils blessé quelqu'un d'autre ? demanda Cowboy.

Leur père secoua la tête.

— Non, ils ont eu de la chance.

— Il s'est passé quelque chose entre eux ? questionna Doc.

— La fille jure qu'il ne s'est rien passé et que c'est elle qui a eu l'idée de prendre la voiture de ses parents.

— Nous le découvrirons.

Dare ne savait que trop bien comment couvrir les autres. Billie, Eddie et lui avaient l'habitude de le faire tout le temps.

Leur père acquiesça.

— Je sais que vous le ferez. C'est toi qui prends les devants, Dare. Le père du garçon les a convaincus de ne pas porter plainte et de le laisser venir au ranch à la place.

Plusieurs mesures de sécurité avaient été mises en place pour les adolescents. Ils vivaient, prenaient leurs repas et faisaient leurs devoirs dans la maison principale sous les yeux de Dwight, et lorsqu'ils travaillaient au ranch, c'était sous la direction de Dare, de Cowboy ou de l'un des responsables de l'étable. Dare travaillait actuellement avec deux autres adolescents.

— Que sais-tu d'autre sur Kenny ? demanda Cowboy.

— C'est son deuxième délit. Légalement, il a un permis, mais ses parents le lui ont retiré le mois dernier quand il a pris leur voiture à trois heures du matin et qu'il s'est fait arrêter. C'est un garçon intelligent et il se débrouillait bien à l'école avant qu'ils ne déménagent ici, il y a à peu près trois mois pour le travail du père. Environ un mois après le déménagement, ses notes ont baissé et il a commencé à sécher les cours. Ils ne sont pas sûrs de savoir s'il se drogue ou s'il boit, mais ils soupçonnent que c'est le cas, précisa leur père. Ta mère a dit qu'ils ne savaient plus où donner de la tête.

Dare savait ce que c'était que de rendre ses parents fous d'inquiétude.

— Je vais retourner au ranch et prendre la camionnette de la société.

S'ils allaient chercher un enfant dans un centre de détention ou un adulte en prison, les Dark Knights les accompagnaient, mais lorsqu'ils allaient chercher quelqu'un dans un foyer, ils essayaient de ne pas encombrer la famille.

— Où dois-je vous rejoindre ?

— Au coin de Millhouse et Western. Nous te suivrons.

Son père leur donna l'adresse des Graber et leur indiqua que les parents s'appelaient Carol et Roger.

— J'emmène Rebel au cas où le gamin s'enfuirait.

Parfait.

APRÈS AVOIR RÉCUPÉRÉ la camionnette portant le logo du *Ranch Rédemption* sur le côté et la serrure pour enfant sur la porte, Dare alla à la rencontre des autres. Pendant ses années de stage à l'université, il était allé avec ses parents chercher quelques adolescents. À l'époque, il s'était senti comme un imposteur, ce qui était en partie vrai. Il avait fait amende honorable, mais il n'était pas prêt à devenir un modèle, loin s'en faut. Plus il les accompagnait, plus il remarquait de choses, comme le fait que les enfants le regardaient de trois façons différentes. Avec détestation, le suppliant de les sortir de cette situation, ou avec

MELISSA FOSTER

un espoir soigneusement voilé, parce qu'ils s'étaient mis dans une situation dont ils ne pouvaient pas se sortir, même s'ils le voulaient. Il avait été lui-même dans cette situation une fois, et ces regards l'avaient retourné de l'intérieur, l'avaient poussé à remettre en question toutes ses décisions et son avenir. Mais ils lui avaient aussi fait comprendre qu'il était sur la bonne voie. Ils avaient fait naître en lui l'envie de travailler plus dur pour devenir une personne *capable* de renverser la haine et les plaintes, et de gagner le respect et les connaissances nécessaires pour faire fructifier cet espoir.

Ses parents lui avaient dit plus tard qu'ils savaient que soit il céderait à la pression et se rendrait compte qu'il ne voulait pas être la personne qui ramenait ces enfants, soit il se montrerait à la hauteur et deviendrait le modèle et le thérapeute que ces enfants méritaient.

Il se gara à côté de la moto de son père et regarda l'homme qui avait donné de l'amour pur et dur, nettoyé les box avec ses fils tout en leur apprenant ce que cela signifiait de faire partie du *Ranch Rédemption* et, plus important encore, d'être des membres respectés de la communauté, descendre de sa moto et s'approcher de sa vitre. Dare ne pouvait qu'espérer devenir un homme comme son père.

Celui-ci lui posa la main sur l'épaule.

— Tu as tout ce qu'il faut, mon fils. Nous serons juste derrière toi.

L'assurance qui se dégageait de la voix de son père lui procura une bouffée de fierté. Il attendit que ce dernier monte sur sa moto avant de se rendre chez les Graber. Ils se garèrent devant et Rebel se dirigea vers l'arrière de la maison au cas où le gamin essaierait de s'enfuir. Les adolescents pouvaient être rapides, mais Rebel courait à toute allure.

Alors qu'ils se dirigeaient vers l'entrée, une femme jeta un coup d'œil par la fenêtre. Dare reconnut la peur dans ses yeux. Il l'avait vue de nombreuses fois chez des parents espérant un miracle pour leurs enfants en difficulté, des maris, des femmes, des sœurs, des proches et des amis qui avaient appelé le ranch dans un ultime espoir pour aider les personnes qu'ils aimaient.

Dare frappa à la porte, suivi par son père et ses frères. La porte s'ouvrit et les visages inquiets d'une femme d'une quarantaine d'années aux yeux rouges et larmoyants, dont les cheveux blonds effleuraient les épaules de son chemisier, et d'un homme chauve portant une chemise et des lunettes, qui semblait approcher la cinquantaine, apparurent à l'extérieur.

— M. et Mme Graber ?

— Oui, répondit-elle doucement.

Le cœur de Dare se serra.

— Je suis Dare Whiskey du *Ranch Rédemption*. Je crois que vous avez demandé de l'aide pour Kenny.

Son regard parcourut la longueur de son corps, ses traits inquiets s'accentuant.

Dare était habitué à la surprise qui naissait dans ses yeux lorsqu'elle regardait par-dessus son épaule son père et ses frères dans leurs blousons de cuir, leurs jeans et leurs bottes, le bandana rouge de son père fermement en place, les tatouages en évidence. Tout le monde savait que le ranch appartenait au fondateur des Dark Knights, mais le savoir et voir de près une bande de bikers tatoués de plus d'un mètre quatre-vingt-dix étaient deux choses très différentes.

Pour la rassurer, il lança :

— Une partie de ce que nous faisons au ranch est d'éliminer l'idée que les *gens bien* doivent avoir une certaine apparence.

Ce qu'il n'avait pas dit, c'est qu'un peu d'intimidation permettait de gagner le respect des enfants rebelles, et que ceux qui n'étaient pas intimidés avaient tendance à voir en un biker tatoué quelqu'un qui pouvait se permettre d'adopter un comportement plus dur. Dare les remettait toujours dans le droit chemin, mais ce premier contact ne faisait pas de mal. Et les adultes perturbés se fichaient éperdument de leur apparence. Ils étaient soit leur ennemi, soit leur sauveur. Et souvent, ils étaient les deux.

— Je vois. Je vous en prie, entrez.

Elle s'écarta et Dare tendit la main à Roger.

— Dare Whiskey, monsieur.

En lui serrant la main, il désigna les autres.

— Voici mon père, Tiny, et mes frères, Doc et Cowboy.

Alors qu'ils se présentaient, Dare aperçut la valise près de la porte, que leur mère leur avait demandé de préparer pour Kenny, et il vit l'adolescent longiligne assis dans le salon à leur droite, sa jambe remuant nerveusement, les avant-bras posés sur ses jambes, les mains jointes, la tête baissée. Il portait un jean, des baskets hors de prix et un sweat à capuche noir.

— Ça vous dérange si je parle directement à votre fils ? demanda Dare, en ramenant le regard de Kenny vers le sien.

Dare leva le menton, soutenant le regard de Kenny. Le regard du garçon se posa à nouveau sur le sol, sa jambe bondissant plus vite.

— Oui, bien sûr. Nous ne voulions pas qu'il aille en prison et nous ne savions pas quoi faire d'autre, expliqua Roger. Mon amie est avocate et elle nous a suggéré d'essayer le ranch.

— Nous avons essayé d'expliquer pourquoi nous faisions cela… déclara Carol.

— Je n'irai pas dans ce foutu *ranch*, les interrompit Kenny en se levant.

Dare entra dans le salon.

— Bonjour Kenny, je suis Dare. Tu aurais probablement dû y penser avant de voler une voiture, de te mettre en danger, de mettre en danger l'amie que tu as emmenée avec toi, et tous les autres sur la route.

— Je ne l'ai pas *volée*, cracha t-il, débordant de colère et de rage. Nous l'avons *empruntée* et je n'ai blessé personne. Je suis un bon conducteur.

— Tu n'as pas l'autorisation des propriétaires, ce qui en fait un vol. Tu as eu de la chance de ne blesser personne. Si c'était le cas, tu serais en prison à l'heure qu'il est.

— Ce sont des conneries, rétorqua Kenny.

Dare se rapprocha.

— Surveille ton langage, il y a une dame qui est là. Voilà ce qui va se passer ce soir. Nous allons te ramener au *Ranch Rédemption* où tu resteras les prochaines semaines.

— Des *semaines* ?

Il jeta un coup d'œil à ses parents.

— Vous vous moquez de moi ? Et l'école ?

Dare doutait qu'il en ait quelque chose à faire, d'autant plus qu'il ne restait qu'une semaine dans le semestre. Mais les enfants qui avaient été amenés contre leur gré au ranch s'accrochaient souvent au moindre détail pour garder le contrôle de leur vie.

— Tu finiras l'école au ranch cette année.

Au moment où Dare prononçait cette phrase, son père s'interposa entre lui et les parents du garçon, et Doc et Cowboy les conduisirent dans l'autre pièce. Leur mère leur aurait déjà expliqué que c'était ainsi que les choses se passeraient. Rendre les parents indisponibles permettait à leur enfant de comprendre qu'il n'avait plus d'amis dans la pièce et d'établir un contrôle remis au ranch.

— Maman ! *Papa !* cria Kenny.

— Ils ont essayé de t'aider, Kenny, et maintenant ils nous ont demandé de les aider. Ils t'aiment trop pour changer d'avis.

— Je ne veux pas de votre aide, s'emporta-t-il.

— Je comprends, dit Dare. Quand j'avais ton âge, je ne voulais de l'aide de personne non plus, mais comme je le disais, ce soir nous irons au ranch où tu pourras passer une bonne nuit de sommeil. Demain matin, toi et moi, nous pourrons parler de ce qui s'est passé et essayer d'y voir plus clair.

— J'appelle la police ! Vous n'avez pas le droit de faire ça. C'est un *enlèvement.*

Kenny sortit son téléphone de sa poche.

— Vas-y, passe ton coup de fil. Faire un rodéo dans une voiture volée est un crime dans cet état, et une fois que la police est impliquée, la loi est la loi, ils seront obligés de demander une sanction.

Dare croisa les bras et approuva d'un signe de tête.

— Vas-y. Nous attendrons.

Le regard de Kenny se porta sur Tiny.

— Il ment, c'est ça ?

— Les Whiskey ne mentent pas, fiston. Tu peux passer ce coup de fil ou tu peux venir avec nous et nous t'aiderons à traverser cette épreuve.

— Je n'ai pas *besoin* d'aide. Je ne recommencerai pas.

La voix de Kenny se brisa sous l'effet du désespoir.

— Nous allons nous en assurer. Maintenant, nous pouvons rester assis ici et débattre toute la nuit, ou tu peux venir avec nous et faire face à cette situation. Montre à tout le monde ce dont tu es vraiment capable.

Marmonnant de colère plus envers lui-même qu'envers les autres, Kenny se dirigea vers l'entrée et attrapa à contrecœur sa valise.

CHAPITRE QUATRE

DARE AIMAIT profiter au maximum de chaque journée, il se levait régulièrement avant l'aube pour bricoler l'une de ses nombreuses voitures de collection, faire de la moto ou toute autre activité dont il avait envie au réveil. Mais ce matin, il ne pensait qu'à deux choses : entrer dans la tête de Kenny et passer du temps avec Billie. Hier soir, après avoir présenté Kenny à sa famille et au reste du personnel, Dare et ses parents lui avaient expliqué le fonctionnement de leur programme. Kenny s'était montré insolent et réticent, et n'avait pas du tout apprécié de perdre son téléphone portable, mais ils étaient habitués à cela. Il s'est installé dans sa chambre d'un air maussade, mais ils étaient habitués à cela aussi, avec les adolescents.

Il passa les premières heures à prendre des notes sur le déroulement du trajet et à dresser un bref plan d'action pour la thérapie de Kenny. Dare ne passait jamais trop de temps sur les plans d'action initiaux, car il avait besoin d'apprendre à connaître ses patients avant de pouvoir déterminer ce dont ils avaient vraiment besoin et quelles tactiques seraient les plus efficaces pour les aider. Bien qu'il se soit levé tôt, il n'était pas pressé de se rendre à la maison principale. Tous les nouveaux patients pouvaient dormir le premier matin pour s'adapter à leur nouvel environnement, tandis que le personnel et les autres patients étaient déjà occupés à travailler et à suivre une thérapie. Il savoura tranquillement son café en se remémorant ses conversations avec Billie. *Faire prendre un bain à ta chatte, c'est ça.*

Au moment d'aller voir Kenny, il s'arrêta dans l'une des granges et attrapa une paire de bottes de travail supplémentaire pour lui. Il salua son père et conduisit un véhicule tout-terrain loin de l'une des granges de sauvetage, en direction de la clinique vétérinaire de Doc. Ils avaient reçu trois chevaux de sauvetage la semaine dernière, et l'un d'entre eux avait été tellement maltraité qu'il ne pouvait plus marcher. Son père passait le plus de temps possible avec les chevaux de sauvetage, et Dare avait remarqué qu'il était avec celui-là tous les matins avant le lever du soleil. Tous les chevaux qui leur étaient confiés recevaient des soins attentionnés et affectueux et la promesse d'une bonne vie. Lorsqu'ils étaient en bonne santé et remis en liberté, ils repartaient avec une plaque à leur nom pour leur nouveau box. Sasha avait eu cette idée il y avait des années de cela. Elle avait baptisé cette plaque "leur insigne de dignité". Leur famille avait tellement aimé l'idée qu'elle avait créé un objet similaire pour les personnes qui participaient à ses programmes. Ils ne recevaient pas de plaques, mais des cartes dorées à mettre dans leur portefeuille, sur lesquelles on pouvait lire MEMBRE DU RANCH RÉDEMPTION au recto, et EN CAS DE PERTE, RETOURNEZ-LA à l'adresse et le numéro de téléphone du ranch, pour leur rappeler gentiment qu'ils avaient toujours un endroit où ils avaient leur place.

Il se dirigea vers la maison principale et entra par la cuisine. Il aimait avoir l'avis de Dwight sur les nouveaux entrants avant de les voir pour la première fois. Dwight sortait des biscuits du four, un profond V gravé entre ses sourcils. Il était aussi grand que Dare, costaud et athlétique. Son crâne était aussi bien rasé que son visage et, en raison de son attitude sérieuse, il avait tout du sergent instructeur, mais il avait un côté plus doux. Dare l'avait vu après la perte d'Eddie, et après que Billie l'ait repoussé, il avait passé de longues nuits dans cette cuisine à discuter avec Dwight autour d'une bière ou d'une délicieuse boisson qu'il avait concoctée.

— Je me doutais bien que je te verrais passer cette porte.

Dwight posa le plateau sur le dessus de la cuisinière et fit un signe en direction du passage entre la cuisine et la salle à manger.

— Ta mère est avec le nouveau. Il est aussi fermé qu'un jeune premier, mais il avait fait ce que je lui avais demandé : son lit et il s'était douché.

Dare observa sa mère parler à Kenny pendant qu'elle prenait son petit-déjeuner, tandis que le jeune homme regardait fixement la nourriture dans son assiette.

— Est-ce qu'il l'a regardée droit dans les yeux ?

— Non.

— Depuis combien de temps est-il assis là ?

— Quinze minutes environ. Il n'a pas pris une bouchée.

— Alors je dirais qu'il est temps de commencer notre journée.

Dare fourra un biscuit dans sa bouche et en attrapa deux autres en se dirigeant vers la salle à manger.

Sa mère leva les yeux lorsqu'il entra, lui lançant un regard empathique qu'il avait déjà vu à maintes reprises, mais qu'il n'avait reconnu qu'en tant qu'adulte. Un regard qui disait que le pauvre garçon était un peu perdu. Sa mère avait élevé cinq enfants turbulents. Elle pouvait exiger l'obéissance d'une phrase prononcée rapidement ou d'un regard sévère, mais elle aimait faciliter les choses. C'était probablement l'une des choses qui faisaient d'elle une excellente mère et thérapeute. Dare avait beaucoup appris d'elle, mais il avait sa propre façon d'obtenir des adolescents désobéissants qu'ils se conforment à la loi. En tant qu'enfant ayant souvent fait le contraire de ce qu'on lui disait, il savait que les jeunes comme Kenny avaient besoin d'une position plus ferme dès le départ. Il ne cherchait pas à les amadouer ou à leur faciliter la tâche. Il définissait des attentes, les gardait occupés et essayait de comprendre ce qu'ils vivaient. Il n'édulcorait pas les choses, mais il plaisantait quand c'était approprié et leur accordait le respect qu'ils méritaient, quels que soient les problèmes qu'ils avaient eus, et finalement, ils finissaient tous par s'ouvrir à lui.

Sa mère se leva et tapota l'épaule de Kenny.

— Je te verrai plus tard, mon grand. Profite bien de la matinée.

Les yeux de Kenny restèrent rivés sur son assiette.

— Kenny, dit Dare d'un ton sec, attirant sur lui le regard furieux du garçon. Dans cette maison, nous remercions les gens qui prennent le temps de nous parler.

— Qu'est-ce que je suis censé dire ?, s'emporta-t-il.

— Quelque chose de gentil. *Un merci* suffit, ou *Vous aussi*.

Dare posa une main sur le dossier de la chaise de Kenny, l'autre sur la table à côté de lui, et se pencha.

— Plus tu montreras de respect, plus on t'en donnera.

Il regarda la mère de Dare.

— Vous aussi.

— Merci, Kenny. J'en ai bien l'intention.

— Et nous aussi, dit Dare en ramassant son plat et en le portant à la cuisine, lui adressant au passage un sourire approbateur.

Il reporta son attention sur Kenny.

— Tu as cinq minutes pour manger ce repas.

— Je n'ai pas faim.

— Très bien. Emmène ton assiette dans la cuisine, remercie Dwight d'avoir cuisiné, fais ta vaisselle, va aux toilettes et rejoins-moi devant.

Dare se dirigea vers la porte d'entrée sans se retourner, montrant à Kenny qu'il lui faisait confiance pour faire ce qu'on lui demandait. Il croyait qu'il fallait donner assez de leste au gamin pour qu'il s'emmêle, mais pas pour qu'il se pende.

Dare s'avança sur le porche et regarda les chevaux qui broutaient dans les pâturages et les gars qui déchargeaient le foin dans la grange à foin. Sasha promenait un cheval de sauvetage dans l'un des enclos, le soleil embrassant le sol sous leurs pieds. Il ne savait pas comment Birdie pouvait préférer vivre en ville plutôt que d'être entourée de tout *cela*.

Simone Davidson arriva au coin de la maison.

— Bonjour, mon grand. J'ai entendu dire qu'il y avait un nouvel arrivant en ville. Dis-moi si je peux t'aider.

Simone avait suivi une cure de désintoxication à Peaceful Harbor et était venue au ranch, il y avait un an et demi, après que son ex, un trafiquant de drogue, avait représenté une menace trop importante pour qu'elle puisse rester dans le Maryland. Biggs avait pris les dispositions nécessaires et un autre Dark Knight, Diesel Black, qui avait grandi à Hope Valley et qui était comme un frère pour Dare, l'avait emmenée. Elle était nerveuse et affreusement maigre, ce qui avait accentué la cicatrice qui courait sur le côté gauche de son visage, de l'oreille au menton, et qui se terminait juste sous sa lèvre inférieure. Un cadeau de cet enfoiré d'ex. Mais elle s'était épanouie au ranch. Ses yeux étaient brillants, ses joues pleines, et ses cheveux auburn étaient épais et brillants, ses vagues et ses boucles naturelles s'enroulant autour de son visage. Elle suivait même des cours pour devenir conseillère en toxicomanie.

— J'apprécie cela. J'ai entendu dire que tu réussissais très bien tes cours. Nous sommes tous très fiers de toi.

Son téléphone vibra et il le sortit, heureux de voir le SMS de Dwight, indiquant que Kenny l'avait remercié et avait fait sa vaisselle. Dare prit cela comme une victoire, car la moitié des enfants ne faisaient pas cet effort.

— Merci.

Le sourire de Simone était éblouissant.

— Moi aussi, je suis fière de moi. Je te rejoindrai plus tard. J'ai une séance avec Wynnie.

Elle rentra à l'intérieur et Kenny sortit une minute plus tard, les yeux rivés au sol. Dare lui tendit les bottes de travail.

— Mettons-nous en route. Mets-les et laisse tes baskets près de la porte.

— Pourquoi ?

— Parce que ce sont de belles baskets et je ne pense pas que tu veuilles les salir avec du crottin de cheval.

Kenny s'assit sur les marches du porche pour enfiler les bottes.

— Je n'arrive pas à croire que je doive faire ces conneries.

— C'est mieux que d'être enfermé dans un centre pour jeunes délinquants ou d'être jugé comme un adulte et d'être coincé en prison.

Dare étendit les bras sur les côtés, inspirant profondément.

— Tu ne t'en rends peut-être pas compte maintenant, mais tu finiras par te rendre compte de la chance que tu as d'avoir tout ça à portée de main.

Ils grimpèrent dans un 4x4 pour deux personnes, et alors

que Dare s'éloignait de la maison, Kenny se retourna sur son siège.

— C'est un terrain de *paintball* ?

— Oui.

— Je peux l'utiliser ?

— Tu peux gagner le droit de l'utiliser, bien sûr.

Il s'affaissa sur son siège.

— Tu te souviens de ce qu'on a décidé hier soir ? Tu n'es pas en prison. Mais tu ne nous connais pas et nous ne te connaissons pas, alors tant que nous n'aurons pas appris à nous connaître et à nous faire confiance, je pense que nous serons tous les deux prudents. Enfin, tu as volé une voiture. Comment puis-je savoir que tu n'essaieras pas de voler ce quad ?

— Ce truc est nul.

— Il marche très bien autour du ranch.

— Je ne le volerai pas.

— C'est bon à savoir. Que dirais-tu d'un cheval ? demanda-t-il alors qu'ils passaient devant un pâturage.

— Je ne sais même pas comment les monter.

— Alors peut-être que je demanderai à Cowboy de t'apprendre. Mais si tu blesses un cheval, tu seras sur ma liste noire. C'est compris ?

Kenny acquiesça.

— Tu vas essayer de voler mon Quad ?

— Tu en as un ? demanda-t-il presque excité.

Il dut se reprendre car dans le souffle qui suivit, son regard noir revint.

Dare nota sa réaction.

— Oui, plusieurs. Dois-je les mettre sous clé ?

Il leva les yeux au ciel.

— Je suis sérieux, mec. Cet endroit peut être très amusant

ou éreintant, ça dépend de ton attitude. Mais si tu essaies de voler quoi que ce soit dans ce ranch, nous aurons des problèmes.

— Je ne suis pas *stupide*, malgré ce que mes parents vous ont probablement dit.

— En fait, tes parents te trouvent très intelligent, mais j'aime me faire ma propre opinion.

Dare le laissa réfléchir pendant qu'il lui faisait faire le tour de la propriété, puis se gara près d'une des plus petites granges.

— Allons-y.

Il se dirigea vers la remise à outils.

— Prends une brouette et une fourche à fumier.

— C'est quoi une fourche à fumier ?

Dare lui montra les outils et, muni d'une brouette et d'un râteau à fumier, il fit signe à Kenny de le suivre dans la grange.

Kenny lâcha les poignées de la brouette et se couvrit le nez.

— *Beurk.* Ça sent le rance ici.

— C'est l'odeur des chevaux et tu apprendras à l'aimer.

— Pas dans cette vie.

— Je suppose que je n'ai pas besoin de te demander si tu as déjà nettoyé un box.

Dare posa sa brouette à côté de la première stalle et montra du doigt la stalle voisine.

— Mets ta brouette devant cette stalle. Nous allons les nettoyer.

— Je croyais que tu avais dit que cet endroit était amusant.

Il déposa la brouette et regarda à l'intérieur du box.

— C'est dégueulasse. C'est *nul*.

— C'est beaucoup plus amusant que d'être enfermé dans un centre pour jeunes délinquants. Maintenant, occupe-toi de remplir cette brouette, comme ça.

Dare lui montra comment mettre le fumier et la paille souillée dans la brouette.

Kenny lui emboîta le pas.

— Quel est le but de tout cela ? Pour me montrer que je ne vaux rien ?

— Mec, je nettoie le box à côté de toi, et je vaux bien plus que de la merde.

— Ouais, à ce propos. Quel genre de thérapeute ramasse de la merde ?

— Le genre qui ne veut pas rester assis dans un bureau toute la journée.

Dare se fichait que Kenny essaie de le rabaisser. Il était juste content qu'il parle.

— Nous sauvons des chevaux de toutes sortes de situations difficiles et j'aime aider à prendre soin d'eux. Ils comptent sur nous pour les protéger et les maintenir en bonne santé. Un box sale peut entraîner plusieurs types de problèmes de santé.

— Je doute qu'il soit sain de leur donner du foin par terre avec leur urine.

— C'est de la paille, pas du foin, et elle est utilisée comme litière, pas comme nourriture. Une épaisse couche de paille aide à maintenir le niveau d'humidité et agit comme une barrière protectrice entre le cheval et l'urine.

— Comment ?

Dare se réjouit de son intérêt, ou du moins de sa curiosité.

— L'urine s'infiltre à travers et se dépose sur le sol.

Il resta bref dans son explication, voulant lui donner assez d'informations pour qu'il apprenne, sans trop se détourner des conversations qui comptaient le plus.

— As-tu déjà eu un vrai travail ?

— Non. Mes parents ont de l'argent. Je n'ai pas besoin de travailler.

Dare le regarda.

— Ça doit être bien. Et après tes dix-huit ans ? Tu veux aller à l'université ?

— Pas question. Je déteste l'école.

— Alors, que vas-tu faire pour gagner ta vie ? Ou tes parents vont-ils financer le reste de ta vie ?

Il haussa les épaules.

— Je me débrouillerai.

Il jeta du fumier dans la brouette, manquant de la renverser, mais attrapa la poignée.

— Besoin d'un coup de main ?

— *Non.*

Il chargea la fourche et y jeta une autre charge de paille et de fumier, manquant de la renverser à nouveau.

Dare saisit le manche avant qu'il ne bascule.

— C'est normal de demander de l'aide.

— J'aurais pu l'attraper.

— C'est vrai, mais si tu le jettes, tu le nettoies. Ou tu peux demander de l'aide. Je m'en fiche. Essaie de ne pas tout empiler d'un côté comme ça. Il faut que ce soit régulier et ce sera plus difficile de basculer.

Ils travaillèrent en silence pendant quelques minutes.

— Qu'est-ce que tu aimes faire ?

— Conduire vite.

Il jeta la fourche pleine de fumier dans la brouette.

— Mais je suppose que vous le savez.

— J'aime aussi rouler vite, quand c'est légal.

— Peu importe. Vous avez été en prison ? C'est là que vous vous êtes fait tatouer ? Cet aigle sur votre cou doit faire mal.

— C'est un phénix et je n'ai jamais été en prison, mais si quelqu'un n'était pas intervenu et ne m'avait pas remis les idées en place, j'aurais certainement pu finir là-bas.

— Qu'est-ce que vous avez fait ? demanda Kenny.

— Ce que je voulais et c'était stupide.

— C'est ce que disent tous les vieux.

Dare haussa un sourcil.

— Je n'ai que vingt-neuf ans.

— C'est vieux. Vous avez presque trente ans.

Dare ricana et jeta une autre charge dans la brouette.

— Je suppose que pour toi, ça l'est. Si tu as de la chance, la vie est *longue*, Kenny, et tu peux avoir l'impression que chaque jour est une peine de prison, ou que chaque jour est une nouvelle chance de prendre du plaisir à faire ce que tu fais. Continue à voler des voitures, et ta vie deviendra littéralement une peine de prison.

— Peu importe.

— Tu dis ça souvent. Mais ce n'est pas *n'importe quoi*. C'est ta vie, et l'année prochaine, tu seras assez grand pour en faire ce que tu veux.

— J'ai hâte.

Kenny jeta plus de paille et de fumier dans la brouette.

— Quels sont tes projets ?

— Foutre le camp de Hope Valley.

— Tu détestes tellement cet endroit, hein ? C'est pour ça que tu as pris la voiture de tes parents peu après avoir déménagé ? Pour retourner là où tu avais l'habitude de vivre ?

Kenny serra les dents en travaillant.

Dare prit cela pour un oui.

— Je parie que tes amis te manquent. Tu avais une copine là-bas ?

Il enfonça davantage la fourche à fumier dans la paille et laissa tomber la charge dans la brouette sans répondre.

Encore un oui. Les choses commençaient à s'éclaircir.

— Et la fille que tu as emmenée avec toi lors de la balade ? C'est ta nouvelle copine ?

— Non. C'est juste une amie. Elle s'ennuyait et voulait s'amuser.

— Et tu as proposé de prendre la voiture de ses parents pour faire un tour ?

— *Non. Elle* a dit qu'on devrait la prendre et elle n'arrêtait pas de me pousser à le faire, alors je l'ai fait.

— Pour qu'elle ne te trouve pas ennuyeux ?

Il haussa les épaules.

— Mais tu l'as fait en début de soirée. Tu devais savoir que tu te ferais prendre.

Kenny ne répondit pas et mit une autre charge dans la brouette.

— Attends un peu. Il faut qu'on les jette dans le tas de compost à l'arrière.

Ils posèrent leurs fourches et sortirent le fumier de la grange.

— Combien de temps devons-nous faire cela ? lui demanda Kenny. Je transpire.

— Ouais, je peux te sentir d'ici, le taquina Dare, ce qui lui valut un sourire réticent. Nous le ferons aussi longtemps qu'il le faudra pour éliminer toute la boue qui s'est accumulée dans les fissures, jusqu'à ce que nous puissions nous frayer un chemin pour repartir du bon pied.

BILLIE ÉTAIT prête à en découdre.

Elle avait couru, lavé sa camionnette et nettoyé toute la

maison pour essayer de chasser Dare de son esprit, mais *rien* n'y faisait, c'est pourquoi elle avait lavé la terrasse à fond. Elle pensait que le nettoyage au jet et la disparition de la saleté pourraient faire l'affaire. Mais ses vêtements étaient trempés, et elle *n'arrêtait pas* de penser à lui, de l'entendre l'appeler par son nom alors qu'il sautait en parachute, de voir ce grand sourire sur son visage la nuit dernière au bar, de l'entendre jubiler en se réjouissant. *Tu ne m'as pas jeté des regards furtifs quand je suis entré.* Elle commençait à comprendre comment les toxicomanes perdaient pied des années après avoir suivi une cure de désin-toxication. Le fait de l'avoir laissé entrer pour une courte période au parc lui avait fait regretter leur amitié, il *lui* avait manqué, férocement.

La musique retentit dans ses écouteurs alors qu'elle rangeait le nettoyeur haute pression. Elle n'arrivait toujours pas à croire qu'elle lui avait dit la vérité sur le jour où Eddie était mort. Elle pensait avoir enfermé cette vérité si profondément qu'elle l'emporterait dans sa tombe. Mais elle ne s'attendait pas à ce que Dare soit si différent. Il n'avait jamais eu l'habitude de *faire face aux problèmes.* Il était tout simplement plus orgueilleux qu'eux. Il les repoussait en les intimidant, en les préparant jusqu'à ce qu'elle se croie indestructible et meilleure que ce qu'elle combattait, en faisant en sorte qu'elle puisse aller de l'avant sans crainte.

Elle se dirigea vers l'intérieur, essayant de le comprendre. Il avait toujours ce côté tranchant qu'elle aimait, la défiant sans hésitation, la faisant *réfléchir*, *ressentir* et s'enflammer intérieu-rement. Mais il était plus réfléchi maintenant. Il savait écouter *et* parler. Quand cela était-il arrivé ? Était-ce nouveau, ou était-elle devenue si habile à ne pas vraiment le voir qu'elle ne l'avait jamais remarqué ? L'ancien Dare l'aurait suivie chez elle le dimanche matin après sa course, essayant de la convaincre de dîner avec lui.

Même si elle détestait l'admettre, une petite partie d'elle aurait aimé qu'il le fasse.

Elle avala un verre d'eau et alla prendre une douche.

Elle resta sous le jet chaud, pensant à la certitude qu'elle avait eue que Dare se présenterait au bar lundi soir pour essayer de la convaincre de sortir à nouveau avec lui. Même si elle détestait l'admettre, elle avait surveillé la porte toute la nuit, *espérant* qu'il entrerait. Mais elle n'avait rien entendu jusqu'à ce qu'il fasse irruption dans le bar hier soir et qu'il fasse ce fichu saut périlleux arrière.

D'accord, elle avait secrètement trouvé ça génial, parce que ça faisait très *Dare* et c'était ça le problème. Elle avait toujours aimé ce qu'il était, et cette nouvelle partie de lui, celle qui écoutait calmement et attentivement, le rendait encore plus attirant. Elle imaginait son visage rude tandis qu'elle se lavait, la chaleur dans ses yeux lorsqu'il l'avait tenue sur le bar le week-end dernier, son corps dur se frottant contre elle. Il s'était senti si bien, elle ferma les yeux en se rappelant la sensation de ses cuisses épaisses et celle du monstre dans son pantalon pressé contre elle. Elle pouvait encore sentir son odeur sauvage, sentir la chaleur de son torse nu qui brûlait à travers son tee-shirt. Sa voix gronda dans son oreille. *Je vois une bien meilleure façon de mouiller ta chatte.* Imaginant ses mains à la place des siennes, ses doigts glissèrent entre ses jambes. Elle repensa à l'été qui avait suivi la fin du lycée, à ses doigts épais qui opéraient leur magie tandis qu'ils se dévoraient mutuellement la bouche. Elle pouvait encore le goûter. Ses doigts s'accélérèrent, de la même façon que les siens, et elle prit son sein avec son autre main, faisant rouler son mamelon entre son doigt et son pouce, prétendant que c'était sa bouche qui le prenait. Elle pouvait encore entendre les sons gutturaux et appréciatifs qui s'étaient échappés de ses lèvres lorsqu'il l'avait fait jouir, elle pouvait encore sentir son sexe épais et chaud dans sa main. Ses hanches et ses mains bougeaient en synchronisation, sa respiration s'accélérait, et derrière ses yeux fermés, c'était le visage de Dare qu'elle voyait tandis que son nom sortait de la bouche de la jeune femme comme une malédiction. Elle continua la torture, se hissant sur ses orteils et pressant une main sur le carrelage froid et humide, les yeux étroitement fermés en imaginant Dare sur ses genoux, sa bouche entre ses jambes, s'envoyant à nouveau en l'air.

— *Dare !*

Elle appuya son front contre le carrelage lisse, l'eau chaude ruisselant sur son dos, son corps tremblant alors qu'elle redescendait de l'état d'euphorie et que la luxure disparaissait lentement de son cerveau.

Ce *satané* Dare. Il était comme une tique, qui grossissait et devenait de plus en plus agaçante jusqu'à ce qu'elle doive faire quelque chose.

Elle finit de se doucher et se sécha, s'enveloppant d'une serviette et jurant que c'était la *dernière* fois qu'elle pensait à Dare Whiskey.

Elle s'était juré la même chose toute sa vie.

Se maudissant elle-même, elle ouvrit la porte de la salle de bains et se heurta à un coffre de pierre dans le couloir. Elle hurla et, par réflexe, donna un coup de poing, se heurtant à une mâchoire alors que sa serviette tombait au sol… et que le visage de Dare apparaissait au grand jour.

— Qu'est-ce que tu fais là, tu m'as fait peur ? cria-t-elle.

Elle se précipita sur sa serviette tandis que son regard parcourait son corps, la chaleur montant dans ses yeux, enflammant la charge électrique qui vibrait toujours entre eux.

Il se frotta la mâchoire.

— Apparemment, tu as raté beaucoup de choses amusantes. *Deux fois*, hein ? Je suppose que tu ne plaisantais pas sur le fait de faire prendre un bain à ta...

— Ne *t'avise pas* de prononcer ce mot, fulmina-t-elle avec autant de colère que d'embarras.

Elle le dépassa pour se rendre dans sa chambre à coucher. Pourquoi ne pouvaient-ils pas vivre dans une maison avec une grande salle de bain ?

Il la suivit.

— Si ça peut te rassurer, quand je m'amuse *en solo*, c'est ton visage que je vois et c'est à ta bouche que je pense. Et maintenant que je sais ce qu'il y a sous cette serviette. *Mmmm.* Je vais penser à bien plus qu'à ta bouche.

— Oh mon Dieu. *Ferme-la !*

Non seulement il avait donné à Billie son premier orgasme cet été-là, mais elle était sur le point de lui faire une fellation quand ils avaient été interrompus. *Génial.* Maintenant, elle pensait de nouveau à son sexe. Elle se renfrogna.

— Pourquoi es-tu chez moi ?

— La porte était ouverte. Je me suis dit que tu m'attendais, et quand je t'ai entendu...

Elle le fit taire d'un regard noir.

Il leva les mains en signe de reddition.

— J'allais justement dire que lorsque je t'ai entendu dans la douche...

Elle expira de soulagement.

— Crier mon nom dans les affres de la passion.

— *Dare !*

Elle repoussa ses fesses en riant, mais il lui attrapa le poignet, l'attirant contre lui, et *mon Dieu*, il se sentait bon.

— *Deux fois.*

Elle savait bien qu'il n'arrêterait jamais de parler de ça.

— *Oublie* que tu as entendu ça.

— Pas question, ma belle.

Il baissa la voix, son regard affamé se plantant dans le sien.

— J'aime savoir que tu as pensé à nos relations inachevées autant que moi.

— Nous *n'avons pas* d'affaires à régler.

Tu pensais à moi ?

— Allez, Mancini, j'ai entendu ce plaidoyer dans ta voix. Tu pensais à *mes* mains sur ton corps.

Il lui palpa les fesses et elle sursauta de surprise, la chaleur l'envahissant.

— *Ma* bouche qui te fait plaisir, mon *c…*

— Devlin Whiskey, *ne* m'oblige *pas* à prendre mon arme.

Que Dieu me pardonne. Elle aimerait mettre la main sur son *engin à lui.* Non. Non, elle ne le ferait pas.

Il ricana, mais cela n'atténua en rien la chaleur qui régnait entre eux lorsqu'il lui pressa durement les fesses et recula.

— Habille-toi, Annie Oakley. Nous avons des projets.

Son corps traître réclamait son contact et elle essaya de se soumettre à ce besoin.

— Non, nous n'avons rien de prévu.

Il mit la main sur son cœur.

— Ah, Mancini, ça pique. Tu as déjà oublié notre rendez-vous ?

Elle sourit malgré elle. Qu'il soit maudit, lui et ses charmantes manigances.

— Je n'ai jamais dit que j'irais.

— Allez, ma belle. Tu sais que tu dois remplir ta réserve

avec des pensées de moi.

Son sourire ridicule la fit sourire encore plus.

— T'es con.

— Sans déconner, mon chou. Mais la vérité a été dévoilée. Tu *aimes bien* mes fesses.

Elle leva les yeux au ciel.

— Arrête de te prendre la tête.

— Tu sais que tu veux jouir. Oh, attends, tu l'as déjà fait.

Elle lui lança un regard impassible.

— Tu sais, je me sens un peu en retard sur la ligne d'arrivée. On devrait peut-être passer la journée ici pour me rattraper.

Il saisit sa ceinture.

— *D'accord*, je viens. Mais arrête de parler de *ça*.

Elle le poussa vers la porte de la chambre et la referma derrière lui, se demandant comment elle allait affronter la journée.

CHAPITRE CINQ

APRÈS UNE HEURE et demie passée à écouter Dare chanter à la radio et plaisanter sur le fait que Billie avait perdu sa serviette, sa gêne avait disparu depuis longtemps. Ils firent un arrêt dans un café au bord de la route pour déjeuner, et lorsqu'ils remontèrent dans le camion, Dare la fit rire si fort qu'elle en eut mal aux côtes. Du moins jusqu'à ce qu'ils gravissent une montagne pour se rendre au Cliffside Thrill and Aerial Adventure Park, un des lieux préférés de leur enfance et de celle d'Eddie. Ses nerfs s'enflammèrent.

Ils avaient l'habitude de supplier leurs parents de les y emmener, mais comme la route était longue et l'entrée chère, ils n'y allaient que rarement. Une fois leur permis de conduire en poche, Dare, Eddie et elle avaient économisé leur argent et y étaient allés ensemble, juste tous les trois. Ils restaient toute la journée à parcourir d'énormes tyroliennes, des montagnes russes insondables, une terrifiante balançoire dans le canyon, des karts surpuissants et à conquérir un parcours d'aventures aériennes.

Son estomac se noua lorsqu'ils suivirent une foule à travers les portes. Les enfants suppliaient leurs parents de les laisser monter dans les manèges, tiraient leur main et parlaient de tout ce qu'ils voulaient faire. Elle jeta un coup d'œil à Dare, se rappelant le mignon garçon en âge d'aller à l'école qui avait l'attitude arrogante typique des adolescents, qui dégageait presque autant de testostérone que l'homme à côté d'elle, ce qui fit remonter des années de souvenirs en flèche. De *bons* souvenirs. Des souvenirs que Billie ne voulait pas oublier, mais elle avait laissé derrière elle ce style de vie à la recherche de sensations fortes pour une raison bien précise.

— Tu aimes ce que tu vois, ma belle ?

Elle se rendit compte qu'elle le fixait. Il était toujours aussi imbu de sa personne, ce qui aurait dû être repoussant, mais ce n'était pas le cas.

— J'essaie de décider si j'ai envie de te gifler ou de te serrer dans mes bras.

— Vu ce que j'ai entendu quand je suis entré chez toi, je dirais que tu veux faire plus que me serrer dans tes bras, et je ne suis pas du genre à te gifler, mais si c'est ton truc...

Elle leva les yeux au ciel mais ne put s'empêcher de sourire.

— La ferme. Je n'arrive pas à croire que tu aies fait tout ce chemin alors que tu sais que je ne monterai pas dans les attractions.

— Je n'en sais rien, et qui a dit que je voulais y aller, de toute façon ? Je pensais qu'on se promènerait et qu'on parlerait du bon vieux temps.

— C'est *faux*.

Il rit et passa un bras autour de ses épaules, l'attirant plus près de lui alors qu'ils marchaient dans le parc bondé, comme au bon vieux temps.

— Tu as raison, Mancini. Est-ce si grave d'avoir espéré que tu fasses un tour de manège avec moi et que tu te souviennes que la vie ne se résume pas toujours au bar ?

— Ma vie ne se résume pas au bar.

Qui est l'imposteur maintenant ?

— Vraiment ? Je suis tout ouï. Parle-moi de tes hobbies.

— J'en ai beaucoup. Le plus important est de t'éviter, dit-elle avec insolence.

— Eh bien, tu es nulle pour ça, alors il est temps d'en trouver un nouveau. Sérieusement, qu'est-ce que tu fais pour t'amuser ces jours-ci ?

— Rien que tu ne puisses trouver excitant.

— Essaie pour voir, parce que je pense que ta douche était plutôt excitante.

— *Dare.*

Elle essaya de se dégager de son bras, mais il resserra son emprise sur elle, la guidant en direction des karts.

— J'arrêterai de te faire chier avec ça.

— Non, tu n'arrêteras pas.

— Oui, probablement pas. Mais à quoi tu t'attends ? C'était le point culminant de mon année.

Il l'entraîna sur un chemin à leur droite qui, elle le savait, menait à la zone d'aventures aériennes.

— Tu as dû avoir une année plutôt nulle jusqu'à présent.

— Bien essayé. *Tes passe-temps*, Mancini. Dis-moi ce que tu fais.

— Je fais beaucoup de choses. Je vais courir, je passe du temps avec Bobbie et je regarde des films.

Dare simula un bâillement.

— Tu veux bien arrêter ? J'aime ma vie telle qu'elle est.

— Si c'est vrai, j'en suis heureux. Mais je ne peux pas m'imaginer laisser tout ce que j'aime derrière moi comme tu l'as fait. Tous les plaisirs que nous partagions tous les trois ne te manquent-ils pas ?

— Bien sûr que ça me manque.

Elle fut agréablement surprise de voir qu'il n'en demandait

pas plus alors qu'ils se dirigeaient vers le parcours d'aventures aériennes. La simple vue des énormes cordes épaisses, des filets de chargement et des ponts de Birmanie qui s'étendaient sur des hectares de terrain et à des hauteurs inimaginables lui donnait un coup de fouet.

Un défi se dessina dans les yeux de Dare.

— Si je me souviens bien, je t'ai battue la dernière fois que nous avons couru à travers les structures.

Les multi-vignes étaient des parcours de câbles et de cordes entre deux plates-formes où l'on marchait sur un câble à plus de trente pieds au-dessus du sol, en utilisant uniquement des cordes suspendues stratégiquement espacées pour se soutenir.

— Tu m'as battu de *deux* secondes, lui rappela-t-elle.

Il haussa une épaule.

— C'est quand même une victoire.

— Pas vraiment.

— Je crois me souvenir que tu as bien insisté sur ma défaite quand tu m'as battu d'une seconde sur les montagnes russes alpines.

Elle sourit.

— C'était assez impressionnant, et je détiens toujours ce record.

— Tu veux qu'on refasse un test sur les multi-vignes ? Ou est-ce que ce petit parcours de cordes compte comme une attraction à laquelle tu ne vas pas participer ? Nous pouvons commencer par les cordes pour enfants jusqu'à ce que tu sois habituée à utiliser tes muscles à nouveau.

— Tais-toi. Mes muscles vont très bien.

— Je ne sais pas. Les exercices sous la douche ne sollicitent pas tous les muscles comme le fait l'escalade.

Il rit et elle lui donna une petite gifle.

— Assez de blabla, Whiskey, passons aux actes. Vingt dollars que je vais te battre.

Il mit sa main devant sa bouche et lui parla à l'oreille.

— Tu entends ça, ma petite ? Ma meilleure amie est de retour, alors tu ferais mieux de te méfier.

— Tu es un imbécile, dit-elle alors qu'ils allaient chercher leur équipement.

Ils portèrent des casques et tout l'équipement de sécurité nécessaire, et alors qu'ils se dirigeaient vers le parcours, Dare lança :

— Je veux y aller doucement, sur la toile d'araignée.

— Pourquoi ?

— Je n'ai pas grimpé depuis longtemps et je veux prendre mes marques. Tu vas m'enquiquiner avec ça ?

Non, parce que je sais que tu le fais pour me protéger.

— J'ai toujours su que tu étais un poil douillet.

Il lui donna un coup de pied aux fesses, elle cria puis s'élança en courant vers le parcours. Il était sur ses talons, mais elle se précipita pour s'accrocher à la corde d'assurage.

Avant que leurs parents n'acceptent de les emmener au parc pour la première fois, le père de Dare avait construit un petit parcours d'escalade dans les bois du ranch pour qu'ils puissent s'entraîner. Billie, Dare et Eddie avaient utilisé ce parcours tous les jours pendant des mois, et ils avaient imaginé toutes sortes de plans pour l'agrandir, mais ils étaient toujours trop occupés pour y donner suite.

Billie éprouva un moment de malaise lorsqu'ils commencèrent à escalader l'énorme toile d'araignée, en équilibre sur des cordes qui se balançaient. Elle savait que c'était simplement parce qu'elle s'était mis en tête qu'elle ne ferait plus *jamais* ce genre de choses.

— Ça va, Mancini ? demanda Dare.

— *Oui*, lâcha-t-elle, en colère contre elle-même pour son malaise.

Tout autour d'eux, des enfants et des adultes grimpaient et se balançaient. Elle se sentit ridicule d'avoir hésité et commença à se remonter le moral. Mais Dare se déplaça derrière elle, l'enfermant de son grand corps. Son odeur âpre s'infiltra dans ses sens et tous ces muscles magnifiques se pressèrent contre son dos.

— Tu me fais *quoi* là ?

Et pourquoi cela doit-il être si bon ?

— Je m'assure que tu ne tombes pas.

Son souffle chaud glissa sur sa joue, provoquant des picotements sous sa peau.

— Je n'ai pas *besoin* que tu sois derrière moi.

— Est-ce une invitation à venir *en toi* ?

Tout son corps s'embrasa. Elle lutta contre cette délicieuse pensée et réussit à dire :

— Quand es-tu devenu si vulgaire ?

Et pourquoi dois-je aimer autant cela ?

— J'ai toujours été ainsi, ma belle. C'est juste que tu ne m'as jamais laissé m'approcher suffisamment pour faire fondre cette couche de glace que tu arbores depuis bien trop longtemps.

— Eh bien, *arrête* ça ! Tu me donnes chaud.

Il baissa le visage, sa barbe effleurant sa joue, envoyant des sensations chatoyantes le long de son corps.

— J'ai l'image de ton corps nu gravée dans mon cerveau. Tu es sûre de vouloir parler de *te donner chaud* ?

Il se pencha sur elle et sa température monta en flèche.

— Ou bien vas-tu bouger ce beau petit cul et commencer à grimper ?

— Si *tu* bouges, *je* bouge.

— D'accord, mais je ne suis pas sûr que ce soit l'endroit pour ça.

Il remua les hanches.

— *Dare !* Oh mon Dieu ! Arrête !

Elle sentait ses joues brûler, mais ce n'était rien comparé au brasier qu'il provoquait en elle.

— Je croyais que tu me demandais de te faire penser à autre chose.

Son cœur s'emballait, son corps était en feu et elle avait l'impression qu'elle ne penserait *à rien d'autre* qu'au plaisir qu'il lui procurait pour le reste de la journée.

— Éloigne-toi de moi !

— Ce n'est pas quelque chose que j'entends souvent, mais si tu insistes.

Il s'installa à côté d'elle, un sourire en coin plaqué sur son visage trop beau.

Elle se renfrogna, sa nervosité étouffée par la frustration, et se concentra sur le fait de lui botter les fesses jusqu'au sommet. Alors qu'elle escaladait l'enchevêtrement de cordes, sa frustration alimentait sa détermination, la poussant dans cette zone séculaire dans laquelle elle avait l'habitude de disparaître lorsqu'elle grimpait. Elle avait oublié à quel point il était libérateur d'être suspendue au-dessus du sol, les doigts agrippés à la corde rugueuse, le cœur battant à tout rompre dans sa poitrine. Dare grimpait juste à côté d'elle, se calquant sur son rythme lorsqu'elle grimpait plus vite ou ralentissait pour trouver sa prise. L'adrénaline l'envahit à mesure qu'ils approchaient du sommet. Elle se força à grimper plus vite, et le pied de Dare glissa, le ralentissant suffisamment pour qu'elle puisse attraper la corde supérieure en premier.

Un bonheur qu'elle n'avait pas ressenti depuis des années la traversa de part en part.

— Oui ! hurla-t-elle en levant un poing vers le ciel tandis qu'il grimpait au sommet à côté d'elle.

— Bravo, Mancini !

— C'était *trop* marrant !

Elle se reprit et le fixa du regard.

— Même si tu m'as laissée gagner.

Il rit.

— Tu me connais beaucoup mieux que ça.

Non, elle le connaissait *particulièrement* sous cet angle.

— On redescend, c'est parti !

Ils firent la course sur tout le parcours de cordes, conquérant les passerelles, les filets tubulaires, les plates-formes oscillantes, les ponts de Birmanie, et grimpant sur, en haut, au-dessus, à travers et dans des dizaines de filets de charge. Ils s'attachèrent aux cordes multivoies, mais là encore, Billie était sûre que c'était uniquement l'œuvre de Dare. Il aurait probablement pu la battre à plates coutures. Il était grand et musclé, mais il était rapide comme l'éclair. Il l'avait toujours été. Ils s'encourageaient mutuellement en passant d'un parcours à l'autre. Pour leur grand final, ils s'étaient lancés dans le simulateur de chute libre et en étaient ressortis fous de joie. Billie était exaltée. Elle se sentait plus jeune et plus légère qu'elle ne l'avait été depuis des années.

— J'avais oublié à quel point c'était incroyable, dit-elle à bout de souffle, en s'appuyant sur l'épaule de Dare.

— Tomber d'une plate-forme ? plaisanta-t-il.

— Tout cela.

L'air crépite, je respire plus fort et j'ai mal aux joues à force de sourire ! Elle garda ces détails pour elle.

— De l'escalade à la course en passant par le simple fait d'être avec toi et de s'amuser.

Il passa un bras en travers de ses épaules, l'attirant contre lui.

— Tu m'as manqué aussi, Mancini.

Pourquoi était-ce si bon à entendre ?

Ils sortirent du parc bras dessus bras dessous, suivant la foule jusqu'aux montagnes russes alpines, et se tinrent à la rambarde en bois, regardant les véhicules décoller. Le pouls de Billie s'accéléra au souvenir de ce manège endiablé. Plus de mille mètres de sensations fortes. Contrairement aux montagnes russes normales, les wagonnets étaient fixés à la piste, conçus pour descendre les pentes et les virages en épingle à cheveux à une vitesse vertigineuse. La piste était construite sur les flancs de la montagne et chaque voiture était séparée. Les pilotes pouvaient y aller seuls ou avec quelqu'un assis devant eux, et le pilote contrôlait la vitesse de sa voiture à l'aide de l'accélérateur. Dare et elle avaient l'habitude d'aller aussi vite qu'ils le pouvaient et de comparer leurs temps une fois qu'ils avaient terminé. Tandis qu'elle regardait les amateurs de sensations fortes monter dans les voitures, la jeune fille qu'elle avait été se battait contre la femme qu'elle était devenue, l'encourageant, tout comme Dare et elle le faisaient auparavant.

— Tu te souviens de la première fois que tu es montée dans ce truc ?

— En quelque sorte.

Elle ne savait pas pourquoi elle avait dit cela. Elle ne pourrait jamais oublier ce jour-là. Ils avaient neuf ans et leurs familles étaient venues ensemble au parc. Les parents d'Eddie n'avaient pas pu venir, alors il était monté avec sa famille. Lorsque leurs pères avaient réalisé que certaines parties de la piste étaient construites sur le flanc de la montagne, ils avaient essayé de les dissuader d'y aller, mais ils savaient déjà que rien n'arrêterait les Casse-Cous. Eddie avait décidé de rester en retrait et de regarder les deux premières fois que Billie et Dare avaient dévalé la piste. Une autre chose que Billie avait toujours appréciée chez Dare, c'est que même lorsqu'elle était enfant, il n'avait pas fait en sorte qu'Eddie se sente mal de ne pas vouloir faire quelque chose d'effrayant. Il savait qu'elle voulait *vraiment* le faire et qu'il était normal de l'encourager *elle*, mais pas de faire la même chose à Eddie, comme le feraient la plupart des garçons. Au lieu de cela, il avait encouragé Eddie et lui avait dit qu'il avait bien fait d'aller voir ce qui se passait. Lorsque Dare et elle avaient fait la queue, elle avait été aussi nerveuse qu'excitée. Dare avait remarqué cette nervosité et lui avait pris la main en lui disant : *Tu es la fille la plus courageuse que je connaisse. Merci de faire ça avec moi.* Il n'en fallait pas plus pour renforcer sa confiance.

Il était fort possible qu'elle l'ait aimé même à ce moment-là, car en repensant à ce jour, elle se souvenait qu'un autre type de nervosité s'était installé après qu'il ait prononcé ces mots.

Des papillons dans le ventre.

Le bruit des montagnes russes et les cris de peur et de joie des passagers qui passaient à toute vitesse la tirèrent de ses souvenirs.

Dare lui prit la main, comme il l'avait fait toutes ces années auparavant.

— Tu as été la plus cool ce jour-là, faisant comme si tu n'avais pas peur alors que tu devais être prête à te pisser dessus.

Il s'appuya sur la rambarde, tenant toujours sa main, la forçant à faire de même.

C'était *celui* que Dare avait toujours été. L'ami qui prenait soin d'elle, qui présumait qu'elle voulait lui tenir la main, et qui savait quand elle en avait besoin, même si elle ne se l'avouait jamais à elle-même. Ces aspects de sa personnalité lui avaient tellement manqué qu'elle en ressentit une vague d'émotion inattendue.

Un peu plus tard, il sortit son téléphone et envoya un message.

— Un rendez-vous galant ce soir ?

Elle le dit de manière taquine pour cacher la pointe de jalousie qu'elle avait essayé d'ignorer presque tous les jours de sa vie.

— Oui, c'est ça. Je suis avec toi, n'est-ce pas ?

Il lui fit un clin d'œil.

Un frisson la parcourut et elle se dit qu'il ne fallait pas en arriver là. Elle ne pouvait pas se permettre de s'empêtrer dans la culpabilité *qui* en résulterait. Son téléphone sonna, il lut le message, puis le rangea avec une expression pincée et s'appuya à nouveau sur la balustrade.

— Tout va bien ? demanda-t-elle avec précaution.

— Oui, tout va bien. On a un nouveau gamin qui habite au ranch. Je voulais juste prendre de ses nouvelles. C'est son premier jour.

— Il va bien ?

— D'après Cowboy, il est très remonté, ce qui est normal. Le gamin a du cran. Je pense qu'il est dans une situation difficile. Il vient d'arriver en ville et a peut-être laissé quelqu'un de spécial derrière lui.

— C'est dur. Pourquoi est-il là ? La drogue ?

Dare secoua la tête.

— Je ne suis pas encore allé aussi loin, mais je doute qu'il ait fait plus que boire et peut-être fumer de l'herbe. Il a juste des problèmes et ses parents veulent le remettre dans le droit chemin.

— C'est ce que vous faites au ranch ? Remettre les enfants

dans le droit chemin ?

Elle savait que le ranch était connu pour cela mais elle était curieuse de connaître Dare et ce qu'il faisait pour les gens qui venaient ici.

— Ce n'est pas mon travail de les remettre sur le droit chemin. Ils sont les seuls à pouvoir le faire. Je leur parle et j'espère trouver les bonnes clés pour déverrouiller les chaînes qui les relient à leurs démons. Si j'ai la chance d'y parvenir, j'ouvre une porte et je leur montre comment y accéder pour qu'ils puissent laisser ces monstres derrière eux. Mais c'est à eux de trouver le courage d'aller *jusqu'à* la porte, de la franchir et de ne pas reculer.

Il étudia son visage d'un air pensif.

— Tu as trouvé ces clés pour moi.

Elle fut choquée.

— *Moi ?* Quand ?

— Quand j'étais sur la voie rapide de l'enfer pendant mes deux premières années d'université.

Il sourit.

— J'ai gardé de bonnes notes, cependant.

— Tu as toujours su jouer pour gagner. Mais je ne comprends pas ce que tu veux dire. Quelles clés ai-je trouvées ?

— Celles qui comptent. Tu as dit que tu ne savais plus qui j'étais et que je n'avais pas ce qu'il fallait pour devenir un Dark Knight. Je ne sais pas laquelle de ces deux choses m'a le plus piqué, mais tu as toujours été la seule qui savait comment me faire comprendre les choses.

Il soutint son regard pendant une seconde avant de regarder les montagnes russes qui défilaient, la laissant réfléchir à ce qu'il venait de dire.

— C'est ce que j'essaie d'être pour mes patients. J'essaie de voir au-delà de ce qu'ils veulent que je voie et d'enlever suffisamment de couches pour que nous puissions aller au cœur de leurs problèmes et trouver ce qui fera la différence.

Elle imaginait parfaitement bien cette version de lui parlant calmement pour aider les gens à creuser leurs problèmes et à trouver un moyen d'aller de l'avant.

— Cet endroit a fait tout la différence, tout comme le trio que nous formions.

— Je comprends la référence à nous trois. Enfin, nous ne faisions qu'un. Mais pourquoi cet endroit ?

— C'est comme si nos parents nous avaient enfin fait assez confiance pour dépenser l'argent nécessaire pour nous emmener ici. Tu te souviens de l'importance de l'événement ?

— Je m'en souviens. Je me demande s'ils l'ont regretté quand Eddie a vomi sur la nacelle dans le canyon la première fois qu'il y est monté.

Elle rit.

— C'était vraiment dégoûtant. Heureusement que ta mère avait prévu des vêtements supplémentaires pour toi. Elle a toujours pensé à tout.

Elle aimait ses parents comme les siens. Tiny était plus bourru que son père, et il n'était pas particulièrement chaleureux, mais son amour transparaissait sous d'autres aspects. Comme la façon dont il protégeait ses enfants et soutenait leurs rêves. En vérité, c'est ce qu'il avait fait pour eux trois. Ce qui manquait à Tiny en termes de chaleur, Wynnie le compensait largement. Dare n'aurait pas été la tête de mule bienveillante, chaleureuse et protectrice qu'il était sans un père dur comme Tiny et une mère aimante comme Wynnie, et pour cela, Billie lui serait toujours reconnaissante.

Ils écoutèrent les cris et regardèrent les enfants qui descendaient du manège, se congratulant et riant aux éclats, comme ils avaient l'habitude de le faire tous les trois. Billie avait la chair de poule en se souvenant de la peur et de l'anticipation avant le manège et de l'euphorie à la sortie.

— Qu'en dis-tu, Mancini ? Tu viens faire un tour avec moi ? Je monterai dans ta voiture, comme ça tu ne seras pas seule.

— Je n'ai pas *peur* d'y aller seule.

— Alors pourquoi as-tu dit que tu ne monterais pas dans les manèges ?

— Parce que j'ai abandonné toute cette recherche de sensations fortes quand nous avons perdu Eddie.

— Je sais, ma belle. Mais *pourquoi* ? N'oublie pas que je ne savais absolument pas ce qui se passait dans ta tête à l'époque.

— Parce qu'une seconde, il était là avec nous, et la suivante, il n'était plus là.

L'aveu suscita un déferlement d'émotions et elle se dégagea de la balustrade, libérant sa main.

— C'est *ce* qui m'a fait peur, pas les cascades ou ce genre de manèges. C'est la réalité de la rapidité avec laquelle la mort peut survenir.

— C'est une peur légitime, dit Dare avec compassion. C'était dévastateur pour nous tous. J'aurais aimé que tu ne m'exclues pas pour que nous puissions traverser cette épreuve ensemble, mais nous avons tous notre propre façon de faire notre deuil, et je suppose que tu avais besoin d'être seule.

Il l'attira dans ses bras pour la serrer rapidement.

— Mais je suis vraiment heureux que tu sois ici avec moi maintenant.

Il lui embrassa le haut de la tête et recula, tandis qu'elle essayait d'empêcher ses émotions de l'engloutir tout entière.

— Pouvons-nous ne pas parler de cela ? Je ne veux pas gâcher notre journée.

— Bien sûr. Une autre fois.

Un sourire enjoué illumina ses yeux.

— Je comprends tout à fait que tu aies peur des cascades dangereuses. Mais je te *vois* regarder ces montagnes russes, Mancini, et je peux *sentir* à quel point tu as envie d'y monter.

Il désigna d'un signe de tête un groupe d'enfants qui sortaient du manège et ses lèvres se retroussèrent.

— Je suis presque sûr que nous sommes en sécurité sur celui-ci, mais si tu préfères ne pas le faire, je n'insisterai pas.

— Comme si ce regard n'était pas une incitation ?

— Quel regard ?

— Ce regard qui dit : *Allez, Mancini. Tu sais que tu en as envie.*

Ses mots fusèrent, emplis de frustration, et plus honnêtes que jamais.

— Et *oui*, j'en ai envie ! Mais tu *sais* comment je suis. Si je fais ça, ce n'est que le début. On va faire toutes les attractions de cet endroit, et puis toi et moi on va s'affronter, ce qui ne fera qu'augmenter le plaisir, et ensuite je serai complètement foutue.

Il rit.

— C'est ce sur quoi je compte.

— Mon Dieu, tu es *si* pénible. Personne d'autre ne m'a *jamais* poussée de la sorte.

— Parce que personne ne te connaît comme je te connais.

Son regard toujours aussi sûr de lui l'énerva car il savait qu'il avait raison, et elle aussi.

— *Grr.* Pourquoi m'as-tu emmenée ici ? Tu savais que je voudrais faire ces stupides montagnes russes. Comment puis-je les regarder et *ne pas* en avoir envie ?

Elle saisit sa main et l'entraîna vers la file d'attente.

— Allons-y, gros crétin. Mais juste pour que tu saches, on fait ce parc et c'est tout, alors ne crois pas que tu me feras sauter d'un avion ou courir avec les taureaux.

— Je n'y songerais jamais.

— Tu es le pire menteur que j'aie jamais connu.

DARE N'ÉTAIT PAS D'ACCORD. Il avait prouvé qu'il était le meilleur des menteurs il y avait des années de cela, quand elle l'avait mis à la porte et qu'il avait agi comme s'il n'en avait rien à faire. Mais il n'allait pas s'attarder sur ce sujet alors qu'elle émergeait enfin de l'obscurité. Il avait du mal à croire qu'elle s'était ouverte à lui autant qu'elle l'avait fait et il espérait qu'un jour, elle lui ferait suffisamment confiance pour qu'ils puissent parler de tout cela.

L'après-midi passa très vite, tandis qu'ils s'élançaient sur le grand huit à une vitesse vertigineuse. Billie perdit la première fois, ce qui l'énerva, et elle insista pour recommencer, faisant frissonner Dare. Elle perdit et exigea une autre course. Cette fois, la course se termina à égalité, et il fut choqué de voir qu'elle était d'accord avec cela, mais elle l'entraîna dans un autre tour de manège.

Ils montèrent sur des montagnes russes avec des tonneaux à 360 degrés, des tire-bouchons et des chutes libres parmi les plus abruptes des États-Unis. Au fur et à mesure que la journée avançait, Billie devenait moins combative, moins réservée et beaucoup plus comme avant, s'accrochant à Dare entre les manèges et lui faisant vivre un enfer de la manière ludique et sexy qu'elle avait toujours eue, libérant ainsi la chaleur qui grésillait entre eux. C'était l'enfer d'essayer de se maîtriser, surtout lorsqu'elle criait son nom, que cela résonnait dans son esprit et le fait de devoir la regarder dans cette tenue décontractée et sa chemise moulante noire et grise. Ce fichu truc était lacé sur le devant, révélant la taille de ses seins et un soupçon de soutien-gorge en dentelle noire, ce qui rendait encore plus sexy le tour de cou noir qu'elle portait. Il avait toujours senti cette flamme entre eux, mais il n'avait jamais su à quel point elle était profonde chez elle jusqu'à aujourd'hui. Depuis combien de temps le désirait-elle ainsi ? Il se posait cette question alors qu'ils volaient sur des tyroliennes et se balançaient au-dessus d'une falaise sur l'immense balancier du canyon, passant presque à la verticale à une hauteur de cinq cents mètres au-dessus du sol.

Ils y restèrent toute la journée. Le soleil commençait à se coucher alors qu'ils faisaient la queue pour les karts. Elle s'accrochait à son bras, ses courbes douces se frottaient contre lui, ses yeux magnifiques brillaient d'excitation tandis qu'elle parlait à tout bout de champ du bon vieux temps. C'était aussi facile entre eux que cela l'avait toujours été, et c'était une véritable torture. Il essayait bien de prêter attention à ce qu'elle disait au lieu de l'attirer dans le baiser qu'il mourait d'envie de lui donner.

Quand vint leur tour de monter sur les karts, ils firent un tour de piste à toute allure, coude à coude. Billie lui jeta un coup d'œil : elle était tellement belle avec le vent qui soufflait dans ses cheveux noirs, lui jetant ce regard séduisant qu'elle avait appris à maîtriser au lycée. Mais bon sang, c'était encore plus chaud maintenant, plus puissant que n'importe quel regard qu'il avait jamais vu. Il voulait le voir lorsqu'elle serait allongée sous lui et qu'il serait enfoui profondément en elle, provoquant ces cris désespérés.

Son rire brisa sa rêverie et il réalisa qu'elle avait mis le moteur en marche et qu'elle fonçait à toute allure.

Punaise.

Il appuya sur l'accélérateur, contournant les autres karts, jusqu'à ce qu'il soit à ses trousses. Chaque fois qu'il essayait de la dépasser, elle se mettait en travers de sa route. Elle leva une main, lui faisant un doigt d'honneur, et il se mit à rire. Son amie était définitivement de retour et rien ne pouvait le rendre plus heureux.

Lorsqu'ils sortirent de leurs karts, on annonça que le parc allait bientôt fermer. Billie se dirigea vers lui et passa son bras dans le sien, s'accrochant à lui alors qu'ils s'éloignaient du manège.

— Je suppose que tu as perdu la main après toutes ces années, Whiskey.

— Ne te fais pas d'illusions. J'étais juste distrait.

— Hum-hum. *Distrait.*

Elle ricana.

— On peut prendre un corn dog en sortant ? Je suis affamée, et ils ont les *meilleurs* corn-dogs.

— J'ai un corn dog que tu peux manger.

— Tout doux, Casanova.

Elle le heurta avec son corps, souriant comme si elle ne pouvait pas s'arrêter, et bon sang que ça lui allait bien.

— Ça a été une journée géniale. Merci de m'avoir poussée à m'amuser.

— Tu en veux encore ?

Il haussa les sourcils.

— Tu repousses toujours les frontières.

— Chérie, je repousse les limites, pas les frontières. J'ai

quelque chose à te montrer quand on rentrera à la maison.

— C'est dans ton pantalon ?

Il arqua un sourcil.

— Tu veux que ce soit le cas ?

— Tais-toi.

Elle l'entraîna vers un stand de corn dogs près de la sortie, lui jetant un regard amusé tandis qu'elle s'adressait au vendeur.

— Je prendrai *le plus gros* que vous avez et il prendra le plus petit.

Qu'est-ce que tu mijotes, Mancini ?

Elle sortit un billet de vingt dollars de sa poche arrière.

— Range ton argent, Mancini. Tu es mon invitée aujourd'hui.

Il paya le vendeur, et alors qu'ils se dirigeaient vers le pick-up, elle prit une bouchée du corn dog, gémissant comme si c'était la meilleure chose qu'elle ait jamais mangée. Le son sensuel le transperça et il mangea la moitié de son corn dog en une seule bouchée. Elle recommença et il s'arrêta dans son élan, poussant un juron.

— Qu'est-ce qui ne va pas ?

Elle lécha le dessus de la saucisse en émettant un autre son d'appréciation.

Il lui jeta un regard noir.

— Si tu n'arrêtes pas ces conneries, tu vas avoir des ennuis.

Il mangea le reste de son corn dog en une seule bouchée et se remit à marcher.

Elle écarquilla les yeux comme si elle n'avait pas réalisé ce qu'elle était en train de lui faire, mais ce regard de surprise se transforma rapidement en défi.

— Qui n'aime pas les corn-dogs *épais et salés* ?

Elle passa sa langue le long de ce qui restait.

Il serra les dents alors qu'ils approchaient du véhicule.

L'amusement monta dans ses yeux et elle soutint son regard, abaissant sa bouche sur lui, gémissant plus fort. Ses yeux se fermèrent et elle passa sa main sur sa poitrine, ses mamelons se pressant contre son T-shirt moulant, tandis qu'elle faisait entrer et sortir le reste du corn dog de sa bouche.

Bordel de merde. Il la saisit par les bras, la plaquant contre son pick-up. Un rire s'échappa de ses lèvres tandis qu'il lui arrachait la saucisse des mains.

— Attache ta ceinture, ma petite, parce que Big Daddy Dare ne joue pas.

— Big Daddy c'est ça, espèce de crétin.

Elle rit.

— Ce n'est pas ce que tu as dit le soir où tu étais sur moi. Je crois que c'était *Oh, Dare, tu es si bien monté.*

— J'ai *menti.*

Elle sourit.

Bien essayé, chérie, mais tes beaux yeux te trahissent.

Soutenant son regard, il fit glisser sa langue autour du bord de son corn-dog, puis en tapota le centre rapidement et continuellement, tout en pressant ses hanches contre elle. Elle se sentait si bien, et il savait qu'elle aimait ça aussi, parce que le désir couvait dans ses yeux et qu'elle déglutissait difficilement. Il pressa sa poitrine contre la sienne et grogna dans son oreille.

— Tu aimes les dents *et* la langue, Mancini ? Parce que je sais à quel point tu aimes les doigts.

— J'aime tout, dit-elle d'un ton hautain. Mais je préfère les petits amis à piles qui ne répondent pas.

Elle afficha un sourire victorieux.

Il avait attendu si longtemps pour la voir heureuse et ressentir la connexion dont il avait besoin comme une drogue que la combinaison était comme un aphrodisiaque. Il sentit son cœur battre plus vite, presque aussi fort que l'électricité qui circulait entre eux. Ses lèvres n'étaient qu'à un souffle de lui, ses yeux magnifiques le regardaient avec avidité et *confiance*. Tout son être avait envie de l'embrasser. Mais il venait à peine de la retrouver et il ne voulait pas tout gâcher. Il lutta donc contre l'envie.

— Heureusement pour toi, je considère les jouets comme des coéquipiers, pas comme des concurrents, grommela-t-il.

Ses yeux s'enflammèrent et un rire nerveux s'échappa.

Ah, ma copine aime cette idée.

Dans la seconde qui suivit, ses yeux se rétrécirent.

— Ne te fais pas trop d'illusions, Whiskey.

— Je ne sais pas, Mancini. Deux célibataires sexy et la nuit ne fait que commencer. Pose tes belles fesses dans mon pick-up. On est attendus quelque part.

CHAPITRE SIX

ILS NE REVINRENT à Hope Valley que vers neuf heures et demie. Billie ne se souvenait pas de la dernière fois où elle s'était autant amusée, mais elle était contente qu'il fasse nuit, parce que ses nerfs étaient à vif et elle ne voulait pas que Dare, avec son œil de lynx, s'en aperçoive. Qu'est-ce qui lui avait pris de flirter avec lui ? Elle avait tenu bon pendant six longues années, gardant ses distances pour maintenir sa culpabilité – et leur connexion ridiculement puissante – à distance et, en *un seul* après-midi, elle avait tout gâché. *C'était* l'une des raisons pour lesquelles elle l'avait exclu de sa vie. Elle était accro à l'adrénaline depuis qu'elle était toute petite et Dare lui donnait l'impression de pouvoir faire n'importe quoi. Ce dernier l'entraînait toujours dans une course effrénée et leur énergie explosive alimentait chaque parcelle de son corps – son cerveau, ses désirs, son *cœur*. Lorsqu'ils étaient ensemble, ses sens étaient plus aiguisés, sa volonté et sa détermination plus fortes, et son bonheur était à son comble, même lorsqu'il se montrait têtu. Elle savait qu'elle pouvait être tout aussi ennuyeuse avec lui. Ils étaient faits du même bois.

Sauf que la mort d'Eddie avait prouvé qu'ils avaient leurs différences.

Elle avait essayé d'enterrer son besoin d'adrénaline, tandis que Dare avait trouvé de nouvelles limites à repousser. Il avait immédiatement commencé à s'entraîner à des cascades à moto défiant la mort : sauter par-dessus des bus et escalader le Mur de la mort. Dare avait sauté par-dessus *cinq* bus et, d'après ce que Billie avait entendu, il s'entraînait à en sauter encore plus. Le Mur de la mort était tout aussi dangereux: il s'agissait de rouler à grande vitesse, parallèlement au sol, le long de la paroi verticale en planches de bois d'un cylindre en forme de tonneau. Dans les deux cascades, la moindre erreur de jugement pouvait entraîner des blessures graves ou la mort, et Dare voulait battre *tous* les records existants. La plupart des gens montaient sur le Mur de la mort à une vitesse d'environ soixante-cinq km/h pour les spectacles de carnaval et les divertissements. Mais ce n'était pas une limite suffisante pour Dare. Il voulait battre le champion en titre qui atteignait une vitesse de soixante-dix-huit kilomètres par heure. Pour cela, il s'était rendu au Royaume-Uni pour s'entraîner avec les meilleurs et trois ans auparavant, il s'était rendu au Buffalo Chip de Sturgis et avait battu le record du monde. Billie pensait avoir fait taire ses sentiments pour Dare à l'époque, mais elle avait eu l'impression de ne pas avoir respiré une seule fois pendant qu'il s'entraînait et avait failli perdre la tête lorsqu'il était allé à Sturgis. Le fait que ses sentiments pour lui soient inébranlables l'avait rendue encore plus déterminée à garder ses distances.

Et maintenant, elle était là, assise dans son pick-up, portant le chapeau de cow-boy qu'il avait laissé sur son siège, pensant à lui en train de donner un coup de langue à ce maudit corn-dog alors qu'il quittait la route principale et entrait dans le *Ranch Rédemption*.

Le ranch était comme une seconde maison pour elle. Elle avait souvent pris ses repas avec Dare et sa famille, le personnel et leurs patients, avait assisté à tous les événements et avait passé les vacances à aller d'une maison à l'autre avec Dare et Eddie. Mais après l'accident d'Eddie, elle était restée à l'écart pendant deux années entières, jusqu'à ce que son père la persuade d'assister aux événements organisés par les Whiskey, parce que *cette famille t'aime et qu'on ne tourne pas le dos à l'amour.*

Seulement, elle *avait* renoncé à l'amour. Plus d'une fois.

Elle se redressa lorsqu'ils passèrent sous la poutre en bois surmontée d'un *RR* en fer – le premier R était à l'envers.

— Qu'est-ce qu'on fait ici ?

— Je veux te montrer quelque chose chez moi.

Elle n'était pas allée au chalet de Dare depuis avant la mort d'Eddie. Il avait toujours eu des vues sur cette maison confortable avec trois chambres à coucher, située à l'écart des autres, près de l'aire d'escalade que son père avait construite. Il y avait un énorme pâturage à l'arrière, où ils avaient l'habitude de courir. Mais chaque fois qu'il avait demandé à son père s'il pouvait y vivre quand il serait plus âgé, Tiny avait répondu qu'il avait peur de mettre Dare dans un endroit où il ne pourrait pas le voir.

— Si tu crois que je vais tripoter ton *corn dog*, tu peux rêver.

Il sourit.

— Je t'ai dans mon véhicule pour la première fois depuis des années. Je me considère déjà comme chanceux.

Cette remarque gentille la prit au dépourvu et ébranla sa détermination à essayer de rétablir un minimum d'espace entre eux. Il lui fit un clin d'œil et elle regarda par la fenêtre tandis qu'ils passaient devant les pâturages et les enclos dans lesquels ils avaient grandi en faisant la course et en se cachant, et devant la grange où elle avait reçu son premier baiser.

Elle se souvenait de ce moment comme si c'était hier. Ils

avaient six ans et Eddie venait de rentrer à la maison. Dare et elle étaient accroupis dans un box à chevaux, se cachant de Doc et Cowboy, qui la cherchaient parce que sa mère était venue la chercher. Dare avait chuchoté sans cesse et ne voulait pas s'arrêter, alors elle lui avait donné un baiser pour qu'il se taise. Il l'avait regardée comme si elle avait perdu la tête et s'était écrié : *C'était quoi ça ?* Elle avait répondu : *Un baiser, crétin.* Il avait grimacé en ajoutant: *Non, c'est pas vrai. Pourquoi m'as-tu embrassée ?* Ce à quoi elle avait répondu : *J'en avais envie.* Il lui avait alors demandé si elle avait embrassé Eddie, ce à quoi elle avait répliqué, *Non. Je t'ai embrassé, andouille.* Il avait essuyé sa bouche avec son avant-bras et avait conclu : *Eh bien, ne recommence pas.* Elle n'avait jamais aimé qu'on lui dise quoi faire, alors elle l'avait embrassé à nouveau, avait levé les mains comme des griffes et s'était écriée : *Je suis le monstre des baisers !* Il s'était élancé hors de la grange et elle l'avait poursuivie. Doc et Cowboy étaient sur leurs talons jusqu'à la maison principale. Ce souvenir lui fit chaud au cœur.

— Mon chapeau te va à ravir.

Elle jeta un coup d'œil par-dessus son épaule et découvrit un sourire timide qui lui donna des frissons. Cette attirance manifeste qu'il exerçait sur elle était nouvelle. Il lui avait déjà tenu la main et passé son bras autour d'elle, mais il ne s'était jamais montré aussi ouvertement attiré par elle. Elle aimait cela. Trop. *Je ne flirterai pas avec Dare et je ne le toucherai pas.* Elle se répétait cette phrase comme un mantra, se demandant comment elle avait pu passer de l'éloignement à la nécessité de se rappeler de ne pas le toucher.

Il traversa la propriété, passant devant les autres maisons dont les lumières des porches brillaient dans l'obscurité et devant la maison en cèdre de ses parents qui était située sur une colline. Il s'engagea sur le chemin de gravier qu'ils avaient emprunté des centaines de fois lorsqu'ils étaient enfants pour se rendre au parcours d'escalade. Un sentiment de nostalgie l'envahit. Elle pouvait encore les entendre courir tous les trois sur le gravier, préparant leur prochain coup d'éclat. Elle se sentait nostalgique de cette époque insouciante, quand la vie était facile et qu'Eddie était encore en vie.

Les phares éclairèrent au loin un énorme garage à quatre travées, avec deux quads garés devant.

— Waouh, c'est nouveau. C'est à qui ?

— A moi.

— J'ai entendu dire que tu bricolais encore des voitures classiques, mais tu pourrais y mettre toute une salle d'exposition.

Il avait toujours aimé les classiques. Son grand-père lui avait légué sa camionnette Ford F100 de 1958 et, à l'adolescence, Dare avait économisé l'argent qu'il gagnait en travaillant au ranch et avait acheté une vieille Chevelle, qui avait été le théâtre de leurs ébats d'adolescents éméchés. Elle avait été surprise de le voir passer du pick-up de son grand-père à celui, plus récent, qu'il avait acheté il y avait quelques années de cela. Elle s'était demandé si le véhicule de son grand-père était finalement hors d'usage, ce qui l'aurait rendu triste pour lui, parce qu'il l'avait chéri. Mais pour garder ses distances, elle ne s'autorisait pas à poser des questions aux autres sur Dare ou sur ce qu'il faisait.

Le chalet rustique en rondins apparut de l'autre côté du garage. La lumière du porche jetait un halo doré sur le profond porche d'entrée, qui n'était qu'à quelques centimètres du sol et n'avait jamais eu de balustrades. Elle aimait qu'il ne les ait pas ajoutées et l'imaginait assis sur l'une des deux chaises en bois, sirotant une bière ou son café du matin. Mais Dare n'était pas du genre à s'asseoir pour siroter quoi que ce soit, et elle chassa rapidement cette image.

Lorsqu'il se gara devant sa maison, elle remarqua que la cheminée en pierre n'avait pas changé. Elle avait l'habitude de glisser des fleurs entre les pierres, mais Dare les arrachait en disant que c'était stupide. Quand ils étaient jeunes, les gens allaient et venaient dans toutes les chalets du ranch au fur et à mesure qu'ils les rénovaient. À la mort d'Eddie, elle avait souhaité avoir un endroit éloigné où elle aurait pu aller pour guérir. Mais même si elle l'avait fait, son cœur était attaché à l'homme qui se trouvait à ses côtés, et elle savait qu'elle n'aurait pas quitté Hope Valley. Elle n'aurait peut-être pas pu être proche de lui, mais elle aimait savoir qu'il n'était pas loin.

— Comment as-tu convaincu ton père de te laisser vivre ici ?

— Je suppose qu'il s'est rendu compte que je posais plus de problèmes que ce que je valais, et qu'il était plus facile de me mettre à l'abri des regards.

Elle ouvrit sa portière.

— J'aurais pu le lui dire.

Dare s'élança sur le siège, mais elle sauta hors du véhicule avant qu'il ne puisse l'attraper. Elle tourna sur elle-même, riant et repoussant son chapeau sur sa tête alors qu'il sortait, un sourire de loup se dessinant sur ses lèvres.

— Tu ralentis avec l'âge, Whiskey.

— Pas du tout. Sois sympa et je te montrerai *mes* jouets.

Il lui fit un clin d'œil.

Elle resta immobile, le pouls battant la chamade.

— Ils ne sont pas aussi amusants que les tiens, mais je pense qu'ils te plairont.

Il se dirigea vers le garage.

Elle se dépêcha de le rattraper et le bouscula, mais son sens de l'humour lui avait manqué et elle en appréciait chaque seconde.

— Je n'arrive pas à croire que tu aies démoli le joli atelier qui se trouvait ici. J'adorais cet endroit.

— Je sais que tu l'aimais. Je ne l'ai pas démoli. Il est derrière.

Il ouvrit l'une des travées et, lorsqu'il alluma les lumières, elle eut le souffle coupé à la vue des voitures, motos et camionnettes classiques rutilantes et d'un éventail de vieux véhicules usés par le temps.

— *Waouh*, tu as fait bien plus que du bricolage. Quand as-tu le temps de travailler sur ces véhicules ? À part trouver de nouvelles façons de risquer ta vie, je pensais que tu passais ton temps libre à te mettre dans le lit de n'importe quelle femme consentante de la ville.

Il plissa les yeux.

— C'est *ce que* tu penses de moi ?

Elle haussa les épaules, ne voulant pas y penser, et encore moins en parler.

— Tu n'as pas tout à fait tort, mais je ne suis pas un séducteur. Tu sais à quel point j'ai toujours voulu faire ce genre de choses. Quand j'ai obtenu mon master, j'avais besoin de quelque chose pour m'occuper et éviter les ennuis, alors j'ai commencé par les deux qui avaient le plus de valeur sentimentale.

Il pointa du doigt, à travers le garage, ce qu'elle réalisa être le pick-up bicolore bleu et blanc de son grand-père, entièrement restauré.

— Tu as enfin réussi !

Elle avança, admirant la beauté de l'objet. Elle tendit la

main vers la poignée de la porte.

— Je peux ?

Il acquiesça.

Elle ouvrit la porte et s'installa sur le siège du conducteur. L'intérieur était brillant et impeccable.

— Dare, c'est magnifique. Les sièges étaient déchirés et le tableau de bord fissuré. Maintenant, il a l'air tout neuf. Tu as fait tout ça toi-même ?

— En grande partie. J'ai reconstruit le moteur avec Rebel chez lui.

— Je n'arrive pas à voir la différence. Je parie que ta mère a été époustouflée de voir le véhicule de son père aussi bien entretenu.

— Oui, elle est heureuse à chaque fois qu'elle le voit. C'était mon premier projet, et celui-là était mon deuxième.

Il désigna la Chevelle noire de l'autre côté du garage.

Les papillons se bousculèrent dans la poitrine de la jeune femme. Cette voiture était-elle spéciale parce que c'était sa première voiture de collection ou parce que c'était là qu'ils avaient passé l'été avant qu'il ne parte à l'université ? C'était idiot. Il avait probablement embrassé des dizaines de filles dans cette voiture.

Elle passa à côté de la vitre et y jeta un coup d'œil, se rappelant la nuit de la fête chez ses parents. Elle avait entendu des filles se vanter d'avoir embrassé Dare tout au long du lycée, et elle avait été horriblement jalouse. Elle avait pensé que cet été serait peut-être la dernière fois qu'elle essaierait de l'embrasser et elle l'avait entraîné à l'écart des autres jeunes présents à la fête, sous prétexte de lui montrer quelque chose. Une fois seuls, elle s'était penchée vers lui comme si elle allait lui révéler un secret et l'avait embrassé comme elle en rêvait depuis ce qui lui avait semblé être une éternité. Dare n'avait pas hésité, comme s'il attendait lui aussi de *l'*embrasser, et à ce moment-là, elle s'était perdue dans ce fantasme, oubliant les autres filles et toutes les rumeurs qu'elle avait entendues. Ils avaient trébuché jusqu'à sa Chevelle au bord de la route et avaient pratiquement plongé sur la banquette arrière, embuant les fenêtres tandis qu'ils s'embrassaient comme s'ils n'en avaient jamais assez. Il l'avait embrassée et le frottement de son érection contre elle l'avait fait tressaillir et brûler de désir. Il l'avait couverte de ses mains, mais elle en avait voulu *plus*. C'est elle qui avait déboutonné son short et elle n'oublierait jamais la façon dont leurs regards s'étaient croisés, le désir débordant dans son regard, à l'image de ce qu'elle avait ressenti. Il avait réclamé sa bouche avec autant d'ardeur et de possessivité que sa main s'était enfoncée dans sa culotte et avait revendiqué cette partie. Elle frissonna au souvenir de son contact électrisant. Il avait su *exactement* comment la faire se sentir comme le grand final d'un feu d'artifice, et à ce jour, personne ne l'avait jamais fait se sentir aussi bien. Elle pouvait encore entendre le désir dans sa voix lorsqu'il avait dit : *Je veux ta bouche sur moi.* Elle pouvait encore sentir l'excitation qui la traversait à sa confession. Elle avait ouvert son jean et avait palpé son érection juste au moment où l'on avait frappé à la fenêtre de la voiture et où la voix furieuse de Cowboy avait coupé court à son état d'ébriété et de luxure. Dare s'était déplacé rapidement, la cachant de la vue de Cowboy pendant qu'elle remettait son short en place. Lorsqu'ils étaient descendus du véhicule, la réalité l'avait frappée de plein fouet. Elle était sur le point de devenir une autre conquête de Dare, et d'après le regard de mort que Cowboy lui avait jeté, il l'avait su lui aussi.

Et me voilà, plus d'une décennie plus tard, et mon cœur stupide est toujours emballé par le même homme.

— Elle s'en est bien sortie, n'est-ce pas ?

Billie sursauta quand il arriva derrière elle et elle essaya de repousser ces souvenirs, mais c'était comme pousser de l'eau à travers une passoire.

— Elle est magnifique. Vraiment magnifique.

Il se pencha si près d'elle qu'elle sentit la chaleur de sa poitrine contre l'arrière de son épaule, son pouls s'accélérant.

— On a créé de beaux souvenirs avec elle, n'est-ce pas, Mancini ?

— Tu parles de toutes les fois où nous sommes sortis tous les trois dans cette voiture ? Ou de la nuit où j'ai brisé mon propre cœur ?

— Tu veux faire un tour avec elle ? lui demanda-t-il d'un ton railleur.

Ses nerfs flambèrent, des émotions contradictoires tourbillonnèrent en elle comme un essaim d'abeilles. Elle savait que si elle montait dans cette voiture avec lui, ces souvenirs la consumeraient, et elle voudrait sentir ses mains sur elle et la férocité de ses baisers, et elle savait qu'ils seraient encore plus puissants maintenant qu'il était devenu un homme. Combien de fois avait-elle revécu ces moments, souhaitant ne jamais l'avoir repoussé, puis se rappelant qu'il était parti avec une autre fille quelques minutes plus tard et se détestant d'y avoir pensé ? *C'était* le danger qu'ils représentaient. Le danger d'aimer Dare Whiskey. Il n'y avait pas moyen d'éteindre ces sentiments.

— Non merci, répondit-elle finalement.

— Allez, viens. Tu aimes rouler vite.

J'aime beaucoup de choses mais cela ne signifie pas que je doive les réaliser.

— Peut-être une autre fois. Je devrais probablement…

Elle leva un pouce en direction de la porte ouverte du hangar.

— Pas encore, tu ne devrais pas.

Il passa un bras autour de son épaule.

— J'ai quelque chose à l'arrière que tu devrais voir.

Ils passèrent une porte qui menait directement à l'atelier rustique familier, de type cabane en rondins. Elle sentait encore l'huile, le bois et *l'homme*. Plusieurs motos de cross étaient alignées contre le mur à leur gauche, des outils, des casques et d'autres équipements de sécurité étaient accrochés aux murs derrière eux. À droite, un établi et des étagères contenaient des outils, des pièces de rechange pour les motos et d'autres équipements de sécurité. Un demi-mur séparait l'arrière de l'atelier de l'avant.

— Par ici.

Dare lui prit la main et la conduisit vers l'arrière.

Elle admirait les motos sur leur passage, l'excitation de la conduite l'assaillant comme un corbeau le ferait sur un animal tué sur la route. Ses doigts lui donnaient envie de s'accrocher au guidon, mais son cerveau agitait des drapeaux rouges fluo. Elle détourna son regard des motos et se rendit compte qu'il y avait des photos de Dare, d'Eddie et d'elle accrochées entre les autres objets sur les murs. Elle regarda autour d'elle et trouva des photos d'eux *partout*. Petits, ils faisaient du skateboard, du snowboard et chevauchaient des motos de cross, se penchant pour s'enlacer l'un l'autre, leurs motos à des angles précaires. Leurs visages juvéniles rayonnaient devant l'appareil photo. Les cheveux d'Eddie dépassaient de son casque, les siens tombaient sur ses épaules et dans son dos, et ceux de Dare étaient complètement cachés. Elle prit des photos d'eux adolescents, d'elle sur les épaules de Dare, portant son chapeau de cow-boy, et de

Bobbie sur les épaules d'Eddie, se lançant dans un lac, et de Dare et elle faisant du saut en parachute et de la plongée dans les falaises. Il y avait une photo de Dare et d'elle en train de sauter en parachute, s'approchant du sol, leurs parachutes se déployant derrière eux. Eddie, grand, maigre et aux cheveux hirsutes, se tenait un peu à l'écart et les filmait. Il avait toujours des trépieds et des caméras vidéo supplémentaires avec lui. Il était toujours le mieux préparé et il s'occupait aussi d'eux, apportant des snacks pour Billie et de l'eau pour Dare, qui la vida d'une seule traite.

La gorge serrée, elle regarda à travers la pièce des photos d'elle en tenue de course, prenant l'air sur sa moto-cross et la chevauchant sur une piste, les cheveux emmêlés, son casque posé au centre du guidon, les bras croisés par-dessus, et un énorme sourire sur le visage. Les larmes lui montèrent aux yeux tandis qu'elle regardait les photos de Dare en train de faire du saut extrême et de tous les trois en train de s'amuser et de faire des grimaces à l'appareil photo. Son regard s'attarda sur une capture d'écran de vidéoconférence agrandie et encadrée, la montrant avec Eddie, joue contre joue, et Dare dans la petite case en haut à droite. Elle se souvenait de cet appel. Eddie et elle étaient allés en Californie pour une course pendant sa tournée professionnelle, mais Dare avait dû rester à la maison pour travailler. Elle avait gagné la course et ils l'avaient appelé immédiatement. La fille de ces photos, qui ne portait pas la culpabilité et la colère comme une peinture de guerre, lui manquait.

Dare lui effleura le dos.

— Tu vas bien ?

Elle se rendit compte qu'elle fixait les photos.

— Où as-tu trouvé toutes ces photos ? Certaines datent de

l'époque où tu étais à l'université.

— Je les ai rassemblées au fil du temps. Chaque fois que je rentrais à la maison pendant les vacances scolaires, Eddie me donnait une clé USB avec toutes les photos qu'il avait prises. J'en ai d'autres à l'arrière.

Elle jeta un coup d'œil sur le demi-mur et découvrit une bonne dizaine de photos sur ces derniers, mais son regard était rivé sur une photo d'elle assise sur les genoux d'Eddie près d'un feu de camp avec Dare, Doc et Birdie. Elle avait été prise quelques semaines avant l'accident d'Eddie, lors d'un barbecue des Dark Knights au ranch. Elle se souvenait de cette nuit-là parce qu'elle savait qu'elle devait en finir avec Eddie, mais elle ne voulait pas le blesser. Il la regardait comme si elle était toute sa vie et elle regardait Dare comme *s'il* était la sienne. Elle sentit les murs se refermer sur elle et s'agrippa à la cloison pour se stabiliser, ses yeux se dirigeant vers le sud, derrière le demi-mur, où était garée sa vieille moto de course, rouge pomme et brillante comme si elle était neuve, MANCINI peint en noir le long de la fourche.

Sa poitrine se resserra.

— Comment as-tu eu ma moto ? J'ai dit à mon père de s'en débarrasser.

— Je lui ai demandé. J'ai aussi ton équipement. J'ai pensé que tu pourrais en avoir besoin un jour.

Son esprit s'embrouilla, des émotions contradictoires la submergèrent.

— Eh bien, moi, je n'en veux *pas.*

Elle se précipita vers la sortie mais l'entendit venir derrière elle.

— Billie, *attends.*

Elle se retourna, incapable d'arrêter ses émotions.

— Pourquoi as-tu fait ça ? Tu rends tout tellement plus difficile !

— De quoi tu parles ?

— Ces photos, la moto, le parc, la façon dont tu te pointes à mon travail à l'heure de la fermeture après que les mecs sont des cons.

La confusion se lit sur ses sourcils.

— Je tiens à toi et pour ce qui est de se pointer, je veux juste que tu sois en sécurité.

— Je *sais*.

Elle leva les bras en l'air et fit les cent pas.

— Bon sang, Dare. J'ai été vache avec toi pendant des années et tu es *toujours* là, à revenir, à faire le gentil.

— Je n'essaie *pas* d'être le gentil, Billie, dit-il avec véhémence.

— Sans blague ! C'est *ça* le problème. Tout ce que tu as à faire, c'est d'être *toi* et je perds la tête. Je n'arrive pas à te sortir de ma tête.

Il lui barra la route.

— Pourquoi ? Qu'est-ce que j'ai fait de si impardonnable ?

Des larmes perlèrent dans ses yeux, des années de souffrance et de colère bouillonnaient en elle comme un volcan prêt à exploser.

— Tu rends *impossible* d'aimer quelqu'un d'autre et Eddie ne méritait pas ça. C'était quelqu'un de *tellement* bien et j'ai essayé. J'ai essayé de l'aimer avec tout ce que j'avais et oui, je l'ai *aimé*. Mais j'ai eu beau essayer, je n'arrivais pas à *te* sortir de ma tête. Tu étais toujours là, me rappelant qu'il me manquait quelque chose. Je n'aurais jamais *su* qu'il manquait quelque chose si tu n'avais pas été là.

DARE ESSAYA de donner un sens à ce que Billie venait de dire, mais il lui semblait qu'elle lui reprochait d'être la cause de son impossibilité à aimer Eddie.

Elle se remit à faire les cent pas et il lui attrapa le poignet, l'arrêtant.

— Je n'ai *jamais* essayé de me mettre entre Eddie et toi jusqu'à ce que tu acceptes sa proposition, et j'ai *seulement* dit quelque chose parce que je ne voulais pas te voir faire la plus grosse erreur de ta vie. Mais tu m'as dit l'autre jour que tu avais *déjà* rompu avec lui, alors pourquoi me le reprocher ?

— Tu ne *comprends* pas ? fulmina-t-elle. J'ai rompu avec lui parce que mon stupide cœur *t'a* toujours désiré.

Il resserra sa prise sur son poignet, ses mots se frayant un chemin dans sa poitrine, et parla en serrant les dents.

— Définis *toujours*, parce que la seule fois où nous avons été ensemble, tu m'as foutu à la porte assez rapidement.

— Je ne voulais pas être une conquête de plus ! Et tu ne t'es même pas battu pour moi, alors ne prétends pas que ce n'est pas ce que j'aurais été. Tu n'as pas perdu de temps pour trouver une autre fille avec qui sortir cette nuit-là.

— Qu'est-ce que tu racontes ? Je t'ai *dit* que je n'en avais pas fini avec toi et tu m'as clairement fait comprendre que ce que je voulais n'avait pas d'importance, parce que *tu* en avais fini avec *moi*. J'étais un gamin de dix-huit ans qui avait *enfin* obtenu la *seule* fille qui lui plaisait vraiment, parce que je ne pouvais pas essayer d'être avec toi avant ça. Eddie et moi avions conclu un pacte selon lequel aucun de nous ne ferait un pas vers toi, mais si tu faisais un pas, nous pourrions y aller à fond. Et *toi*, Billie, ma meilleure amie au monde, tu t'es *servie* de moi et tu m'as jeté. Alors tu as bien raison, j'ai trouvé quelqu'un d'autre avec qui être ce soir-là, parce que tu m'as détruit, et c'était ça ou… je ne sais pas ce que j'aurais fait, mais ça n'aurait pas été bon.

Elle secoua la tête.

— Un *pacte* ?

— *Oui* et c'est la chose la plus stupide que j'ai jamais faite.

— Tu peux répéter ? Est-ce qu'il vous est venu à l'esprit, à vous deux, espèce d'idiot, que je pouvais décider moi-même avec qui je voulais être ?

— Je *ne sais pas*, bon sang. C'était il y a une éternité et nous essayions de ne pas nous haïr l'un l'autre parce que nous étions tous les deux attirés par toi. Je voulais me battre avec lui pour toi, mais il ne voulait rien savoir. Pourquoi crois-tu que j'ai sombré après cette nuit-là ? Parce que dans ma tête, tu étais à moi, mais tu ne voulais pas de moi, et je n'avais pas la moindre *idée* de comment gérer ça.

— Je te *désirais*. Je ne voulais pas que ça ne signifie rien pour toi.

— Pourquoi la première personne à laquelle je pense quand je me réveille, la fille provocatrice et chiante qui est aussi folle que moi, la fille sur laquelle je fantasme depuis le jour où je me suis rendu compte que ce qu'il y a là-haut – il se tapa la tête – se traduit par des sensations géniales là en bas – il regarda son entrejambe – ne signifierait rien pour moi ?

Elle rit doucement et hocha la tête.

— Je suis amoureux de toi depuis que nous avons six ans, quand tu m'as embrassé dans la grange et que tu m'as traité d'idiot. Ça a *toujours* été toi, Billie, et je n'ai aucune fichue idée de la raison de notre dispute, mais j'en ai *assez* de perdre mon temps.

Il la serra dans ses bras et écrasa sa bouche contre la sienne, pressant et possessif, espérant qu'elle ne s'éloignerait pas ou qu'elle ne lui donnerait pas un nouveau coup de poing dans la mâchoire.

Elle était là, avec lui, agrippant sa chemise, se hissant sur ses orteils, l'embrassant fiévreusement, libérant des années de désir refoulé. Leurs langues se battaient pour prendre le dessus, comme elles l'avaient fait il y avait des années. Sa férocité était si brûlante qu'il s'était demandé s'il ne l'avait pas enjolivée dans ses souvenirs, mais chaque coup de langue lui donnait envie d'en avoir plus. Il la fit reculer contre la Chevelle, leurs corps se frottant l'un contre l'autre. Il passa une main dans ses cheveux, inclinant sa bouche sous la sienne, poussant le baiser plus loin. Sa bouche était douce, chaude et si parfaite qu'il voulait l'embrasser pour toujours. Elle gémit et se cambra, frottant ses courbes douces contre lui. Il voulait la toucher entièrement en même temps, ses mains descendant le long de ses hanches, passant sur ses seins, produisant d'autres sons délicieux lorsqu'il glissa sa main sous sa chemise, ayant besoin de sentir sa chair brûlante.

Il dégrafa son soutien-gorge et éloigna sa bouche en remontant sa chemise.

— J'ai besoin de ma bouche sur ton corps, grogna-t-il.

Des flammes s'allumèrent dans ses yeux.

— *J'ai* besoin de ta bouche sur moi.

Mon Dieu, il adorait ça. Il taquina son mamelon avec sa langue et ses dents. Puis, elle lui attrapa la tête, le maintenant ainsi tandis qu'il suçait et léchait, produisant des sons addictifs les uns après les autres. Il voulait faire une overdose de ces sons séduisants. Lorsqu'il ouvrit son short, *elle* le baissa. *C'était si sexy.* Il aspira son mamelon jusqu'au fond de sa bouche tandis que ses doigts s'enfonçaient dans la chaleur de son corps. Elle haleta et sa tête tomba en arrière, tellement elle était sexy et sûre d'elle. Il prodigua la même attention à son autre sein, effleurant de ses dents la pointe tendue tandis qu'elle chevauchait ses doigts. Il taquina son clitoris de son pouce, ce qui lui valut des inspirations vives et chargées de plaisir. Elle s'accrocha à lui, gémissant et haletant, chacun de ses sons lui donnant envie d'être en elle. Ses jambes se crispèrent et il accéléra le rythme, ses doigts s'enfonçant en lui alors que son orgasme s'installait et qu'elle criait son nom, son corps palpitant autour de ses doigts. Il se redressa et captura ses cris dans un autre baiser exigeant tandis qu'elle encaissait son orgasme.

Il ralentit le rythme, l'embrassant plus doucement, et la regarda dans les yeux.

— Reprends ton souffle, ma chérie car nous ne sommes pas près d'avoir fini.

Il mit un genou à terre, enleva ses baskets et ses chaussettes, et la déshabilla jusqu'à la taille. Il prit son temps pour embrasser ses jambes tremblantes. Sa peau était soyeuse, chaude et si douce que lorsqu'il atteignit le haut de sa cuisse, son sexe luisant, il embrassa tout autour de ses lèvres sensibles. Elle se tordit et gémit.

— Lèche-moi, susurra-t-elle.

Il fit glisser sa langue le long de la zone humide, la goûtant pour la première fois et bon sang, elle était plus douce que le miel, plus addictive que la vie elle-même. Luttant contre l'envie de la dévorer, il lui arracha sa chemise et son soutien-gorge, la soulevant sur le capot de la Chevelle noire et brillante. Son regard se promena lentement sur elle, la dévorant. Elle ne portait que ce sexy collier noir. Ses cheveux tombaient sur ses seins. Sa peau était rouge, ses lèvres gonflées par leurs baisers rudes, ses mamelons rosis par ses dents. Son regard descendit jusqu'à la douceur de ses jambes.

— Bordel, chérie. Tu es encore plus belle que je ne l'imaginais.

Ses lèvres se relevèrent.

— Qu'est-ce que tu vas faire de moi maintenant que tu m'as ici ?

— Tout ce que je veux.

Il passa ses mains le long de ses cuisses et les serra, son sexe frémissant derrière sa braguette.

Elle attrapa sa ceinture, mais il déplaça ses mains vers sa poitrine.

— Pas encore, chérie. J'ai encore *faim*.

Il étendit ses mains sur le haut de ses cuisses, taquinant son sexe avec ses pouces, l'un au centre, l'autre sur ce faisceau magique de nerfs qui faisait tressaillir sa poitrine avec ses inspirations irrégulières.

— *Dare*, le supplia-t-elle en se penchant vers lui.

— J'ai attendu toute une vie pour te faire ça, *ici même*, et je ne vais *pas* me précipiter.

Sa bouche descendit lentement sur la sienne, l'embrassant sensuellement, la taquinant toujours en bas, ajoutant plus de pression là où elle en avait le plus besoin alors qu'il intensifiait leurs baisers. Il la fit monter en puissance jusqu'à ce qu'elle tremble de désir. Puis il lui mordit la lèvre inférieure, la tira en se retirant.

— Reviens ici.

Elle attrapa sa chemise, l'entraînant dans un autre baiser passionné.

Il n'avait jamais été avec une femme qui pouvait l'exciter

comme elle le faisait avec rien d'autre que son air « Je prends ce que je veux » et sa malice.

Il descendit le long de son cou, passa sur la rondeur de ses seins et s'attarda à taquiner ses mamelons. Elle s'accrocha à ses bras, des sons irrésistibles s'échappant de ses lèvres tandis qu'il embrassait, léchait et suçait son corps. Elle s'appuya sur ses paumes lorsqu'il lui saisit les hanches, en mordillant l'une, puis en embrassant l'autre, et la tira jusqu'au bord du capot. Elle se mit sur les coudes tandis qu'il écartait ses jambes et enfouissait sa bouche entre elles.

— *Seigneur... Oh mon Dieu... Ne t'arrête pas.*

Elle griffa le capot de la voiture.

Elle avait un goût sucré, salé et si bon qu'il ne pouvait s'en passer. Il écarta les jambes de la jeune femme, léchant, *suçant* et se rassasiant. Il effleura son clitoris de ses dents et elle s'inclina sur le capot. Il fit glisser sa langue le long de son sexe, faisant jouer ses doigts tandis qu'il se délectait d'elle, obtenant un plaidoyer après l'autre. Elle se tordit contre sa bouche, s'accrochant au capot de la voiture alors qu'il l'emmenait jusqu'au sommet, puis ralentissait ses efforts, la laissant gémir et supplier pour en avoir plus. Il savait qu'il entendrait ces supplications dans ses rêves et lui donna ce dont elle avait besoin. Il enfonça ses doigts dans sa chaleur et porta sa bouche à son clitoris, la faisant gémir et se balancer avec frénésie. Son nom s'échappa de ses lèvres comme une prière alors qu'elle abandonnait toute retenue, ses hanches se dérobant, son sexe se contractant alors que son orgasme la ravageait. Il resta avec elle, savourant chaque pulsation de son corps, chaque gémissement et chaque balancement de ses hanches. Lorsqu'elle s'effondra sur le dos, il descendit sur elle, la berçant dans ses bras, et l'embrassa à perdre haleine.

— *Bon sang, Dare*, dit-elle en haletant. Tu dois breveter ta bouche.

Il rit.

— Attends d'avoir chevauché mon pénis. Allez, chérie. On va aller à l'intérieur pour cette chevauchée.

Elle appuya sa main sur sa poitrine.

— Donne-moi une seconde. Mes jambes sont encore flageolantes.

— Quand j'en aurai fini avec toi, tu ne te souviendras pas non plus comment parler.

Il la souleva dans ses bras, guida ses jambes autour de sa taille et sortit du garage.

— *Dare*. Je peux marcher.

— Et si tu utilisais ta bouche à meilleur escient ?

Ses lèvres se posèrent avec avidité sur les siennes tandis qu'il l'emmenait dans sa maison rustique de trois chambres, à travers les sols éraflés et usés jusqu'à sa chambre à coucher. Il retira la couverture jusqu'au pied du lit et les fit basculer dans les draps. Leurs bouches fusionnaient, leurs dents claquaient, leurs langues s'affrontaient, leurs corps s'entrechoquaient, le désir palpitait dans l'air autour d'eux. Il devait se déshabiller, mais il ne voulait pas perdre une seconde à l'embrasser et à la toucher. Chaque coup de langue rendait son envie encore plus forte. Chaque bruit sensuel attisait le brasier en lui. Lorsqu'il rompit enfin le baiser, elle le tira en arrière pour en avoir plus. Il avait toujours su qu'ils seraient explosifs ensemble, *mais là…*

La réalité était bien meilleure que le fantasme.

— J'ai besoin d'être en toi, dit-il entre deux baisers voraces.

— Tu dois te *déshabiller* pour moi.

Il plissa les yeux.

— Je veux voir cette danse de bar de très près.

— C'est parti, chérie.

Il se dégagea du matelas, enleva ses chaussures et ses chaussettes, sortit son portefeuille de sa poche arrière et le jeta sur la table de nuit. Il lança ensuite une playlist sur son téléphone qui commençait par "You Can Leave Your Hat On" de Joe Cocker et posa son téléphone à côté de son portefeuille. Ses hanches se balançaient au rythme de la musique tandis qu'il retirait sa chemise et la faisait pivoter au-dessus de sa tête.

— *Wou-hou !*

Billie se redressa toute nue, balançant ses épaules au rythme de la musique tandis qu'il jetait sa chemise par terre.

Il la hissa jusqu'à ses pieds, et leurs yeux se croisèrent – et *brûlèrent*. Il prit sa main, la posa sur le bouton de son short, poussant lentement pendant qu'elle l'ouvrait et le dézippait. Il déplaça ses mains vers ses fesses, la ramenant contre lui, leurs hanches se déplaçant en parfaite synchronisation tandis que leurs bouches se rejoignaient dans un baiser profond et passionné. Ses mains descendirent jusqu'à ses fesses et il s'y accrocha fermement, ce qui lui valut d'autres sons sensuels et avides. Il glissa ses doigts entre ses jambes, intensifiant leurs baisers tandis que ses doigts pénétraient son centre luisant. Son front tomba sur sa poitrine avec un soupir, ses épaules et ses hanches continuant à bouger au rythme de la musique. C'est tellement sexy.

— Ramène ta bouche ici, grogna-t-il.

Elle releva la tête et ses yeux s'enflammèrent. Elle l'embrassa *fougueusement* tandis qu'il la taquinait, l'envoyant avec brio au bord de l'extase. Il maintint sa bouche contre la sienne, ses muscles intérieurs se contractant autour de ses doigts. Son sexe palpitait d'impatience. Lorsque leurs lèvres se séparèrent, elle s'accrocha à lui, haletante, et posa à nouveau son front sur sa poitrine. Il voulait qu'elle s'ouvre à lui depuis si longtemps qu'il avait du mal à croire qu'ils en étaient enfin là. Il lui souleva le menton, l'embrassa doucement et la tint ainsi pour la regarder porter ses doigts luisants à sa bouche et les sucer.

— *Mm-mm…* C'est si bon… Je viens de trouver ma nouvelle friandise préférée.

Il lui donna un nouveau baiser et ne perdit pas une seconde, reprenant son strip-tease alors que la chanson "Somethin' Bad" de Miranda Lambert et Carrie Underwood se mettait en route. Billie resta avec lui, se livrant à des danses coquines alors qu'il se débarrassait de son short et de son caleçon et les balançait à travers la pièce. Elle regarda son sexe avec avidité et ses yeux s'écarquillèrent.

— Bon sang, Whiskey, je pensais avoir imaginé cette glorieuse créature.

Elle saisit ses hanches, embrassant son chemin vers le sud.

Nom d'un chien !

Ses lèvres étaient douces et chaudes lorsqu'elles descendèrent le long de ses abdominaux et elle serra son sexe. Son menton retomba sur sa poitrine, ses yeux se levèrent vers les siens, contenant autant de défi que de désir. Il passa ses doigts dans ses cheveux tandis qu'elle faisait glisser sa langue le long de sa hampe. *Le paradis, putain.* Elle lécha le large gland et ne tarda pas à le prendre dans sa bouche, le serrant avec force et rapidité. Il était grand et épais, et les femmes jouaient généralement avec la tête et peut-être quelques centimètres. Billie le prit au fond de sa gorge et ses hanches se mirent à pousser involontairement.

Elle leva à nouveau son regard, un avertissement y brûlait.

— Désolé, chérie. Tu es si bonne, c'est tout.

Elle sourit et accéléra ses efforts, le travaillant avec sa main et sa bouche en des coups rapides, serrés et *profonds*, l'amenant au bord de la folie. Il serra la mâchoire pour éviter l'orgasme et elle ralentit le rythme, léchant et suçant, jusqu'à ce qu'il ne tienne plus qu'à un fil. Ses poings se serrèrent dans ses cheveux et il ne put s'empêcher de se déhancher, mais elle ne se plaignit pas. Elle ouvrit plus grand la bouche, le prenant incroyablement plus profondément.

— *Nom de Dieu*, ma chérie.

Sa bouche était aussi douce que le velours et aussi chaude que le feu, mais même s'il voulait la marquer de l'intérieur, il avait besoin de la sentir s'enrouler autour de lui, et il en avait besoin *maintenant*. Il la hissa sur ses pieds, l'embrassa avec une intensité inouïe et les fit descendre tous les deux sur le lit. Il se perdit dans sa bouche, l'embrassant rudement et avec appétit, son sexe se frottant à son humidité. *Putain.* C'était de la magie à l'état pur. Il se redressa sur ses genoux pour prendre un préservatif dans son portefeuille, mais il ne put résister à l'envie de la faire jouir une fois de plus. Il fit glisser ses doigts le long de son sexe et les amena à son clitoris.

Elle se tortilla.

— *Whiskey.*

— J'entends ton avertissement, chérie, mais ce n'est pas toi qui mènes la danse. Touche-toi.

Cet avertissement se transforma rapidement et sa main se déplaça entre ses jambes.

— *Touche-toi.*

Mon Dieu, il l'aimait.

— J'en ai bien l'intention.

Il frotta sa main le long de son sexe, le rendant humide, et il serra sa queue, lui donnant quelques coups lents. Ses yeux s'écarquillèrent, puis se rétrécirent, et elle se lécha les lèvres. *Oh oui, ma belle, nos possibilités sont infinies.* Il continua à se caresser et utilisa son autre main sur elle. Elle travailla son clitoris tandis qu'il trouvait ce point magique en elle qui faisait se soulever ses hanches du matelas et faisait jaillir des sons de désir de ses lèvres. Lorsqu'elle bascula dans l'orgasme, il serra la base de son sexe pour éviter qu'elle ne se libère. Elle gémit, essayant de serrer ses jambes l'une contre l'autre, mais ses doigts étaient toujours en elle, se délectant de ses répliques gourmandes.

— Bon sang, ma chérie. Je pourrais jouir rien qu'en te regardant jouir.

Il se retira d'entre ses jambes et descendit au-dessus d'elle, la regardant dans ses yeux ivres de désir tout en peignant son excitation sur sa lèvre inférieure. Il fit glisser sa langue le long de celle-ci et l'aspira dans sa bouche, savourant son goût avant de reprendre sa bouche dans un autre baiser fougueux. Lorsqu'il ne put le supporter une seconde de plus, il prit un préservatif dans son portefeuille, l'ouvrit avec ses dents et le revêtit.

Elle l'attrapa et il joignit leurs doigts, plaçant ses mains de part et d'autre de sa tête. Il y avait un tel mélange d'émotions dans le regard qu'il répondait à toutes les questions qu'elle ne se posait pas.

— Tu es à moi maintenant, Mancini.

— Pour *ce soir*, en tout cas, répondit-elle avec insolence.

Il n'en attendait pas moins de cette fille qui détestait parler de ses sentiments, faisant de son mieux pour garder le contrôle.

— Arrête de te mentir, Tigresse.

Il soutint son regard tandis que leurs corps s'unissaient, lentement et si parfaitement que ses yeux s'écarquillèrent de plaisir. Lorsqu'il fut enfoui jusqu'à la garde, ses muscles intérieurs se resserrèrent comme un étau.

— *Seigneur*, Billie. Pourquoi avons-nous attendu si longtemps pour faire ça ?

— Tais-toi et embrasse-moi.

Leurs baisers furent brutaux et avides tandis qu'ils trouvaient leur rythme. Mais il n'était pas prêt à se laisser aller. Elle se sentait trop bien et il aimait la rendre folle. Il s'enfonça profondément, se retirant avec une lenteur atroce, voulant qu'elle sente chaque centimètre tandis qu'il caressait ce point caché en elle qui lui faisait lever les genoux et lui faisait enfoncer les talons dans le matelas. Il poursuivit son rythme tortueux, serrant les dents contre la pression croissante qui s'exerçait en lui. Il se déhanchait et ses ongles s'enfonçaient dans le dos de ses mains.

Dare sortit comme une supplique, mais il fut suivi d'une demande – *Plus vite* – brisant sa retenue. Il relâcha ses mains et il n'y eut plus de retenue, plus de finesse ou d'assouplissement dans un nouveau rythme. Ils se caressèrent et se griffèrent, se dévorant l'un l'autre tandis que leurs corps prenaient le dessus. Elle enroula ses jambes autour de lui et il poussa un oreiller sous ses hanches, la prenant plus profondément, poussant plus vite, plus fort, ses cris de plaisir le traversant comme un éclair.

— *Ne t'arrête pas*, demanda-t-elle.

Il fit glisser sa bouche sur la sienne, sa langue poussant au même rythme que ses hanches. Ses ongles s'enfonçaient si profondément qu'il était sûr qu'elle le griffait au sang, mais il porterait fièrement ces cicatrices. Le désir se répandit dans ses veines et il se perdit dans le goût de sa bouche, la sensation qu'elle l'enveloppait et le bruit torride de leurs corps se balançant et se frottant l'un à l'autre.

Elle était une tentatrice, une déesse, et elle était enfin à lui.

Il poussa plus vite, plus profondément, *plus fort*, l'embrassant avec avidité. Elle lui rendit la pareille avec fébrilité. Ses jambes se resserrèrent autour de lui et, à la poussée suivante, elle cria au milieu de leurs baisers, son corps se resserrant autour de son sexe de façon si exquise qu'il enfouit son visage dans le creux de son cou, s'abandonnant à son propre relâchement explosif.

Il resta allongé dans ses bras tandis que les dernières secousses grondaient et que leurs respirations se calmaient. Billie avait les yeux fermés et il ne l'avait jamais vue aussi paisible. Il n'y avait plus de combat dans la femme qui se trouvait sous lui. Pas de colère, pas de défi, juste sa meilleure amie. Seulement maintenant, ils étaient enfin *plus*.

Il embrassa sa joue, le bord de sa bouche et effleura ses lèvres.

— Toujours avec moi, chérie ?

Elle poussa un long soupir de satisfaction.

Il ne put s'empêcher de la taquiner.

— Pas de mots ? Mon travail ici est terminé.

Ses yeux s'ouvrirent et un sourire diabolique apparut.

— Rêve, Whiskey. Une fois que tu auras récupéré, ce sera *mon* tour.

CHAPITRE SEPT

BILLIE SE RÉVEILLA avec l'odeur du sexe et de l'homme et quelque chose de dur contre ses fesses. Il lui fallut une minute pour comprendre qu'il s'agissait de l'érection de Dare. Son grand corps était enroulé autour d'elle comme un serpent en rut. Les souvenirs de leur incroyable journée – et de leur insatiable nuit – affluèrent, la renversant à la vitesse d'un train de marchandises. En *une* journée, il avait réveillé l'amatrice de sensations fortes qui sommeillait en elle. Elle sentait cette partie d'elle-même remonter à la surface comme une bête affamée, faisant naître une inquiétude à laquelle elle ne voulait pas penser. Mais le seul autre endroit où son esprit pouvait aller était la sensation incroyable qu'elle ressentait dans les bras de Dare, leurs corps emmêlés dans les affres de la passion. Elle ferma les yeux, revoyant le regard inoubliable du sien lorsqu'il avait dit : *Bon sang, Billie. Pourquoi avons-nous attendu si longtemps pour faire ça ?*

Une multitude de culpabilité l'engloutit à mesure que leurs confessions remontaient à la surface. Comment avait-elle pu lui avouer tous ses secrets les plus sombres et coucher avec lui ? Pourquoi *maintenant*, après tout ce temps ? Il ne lui avait même pas demandé *d'essayer*, et il l'avait débarrassée de ses défenses, réduisant à néant sa capacité à le tenir à distance. Elle ne faisait *jamais* ce genre de choses. Elle pensait s'être débarrassée de son impulsivité. Comment était-elle passée des montagnes russes à *le* chevaucher ?

Merde. Merde, merde, merde.

Elle ne pouvait même pas mettre ça sur le compte de l'alcool cette fois. Ils étaient tous les deux complètement sobres. Elle ferma les yeux pour lutter contre son désarroi, mais rien n'y fit, alors elle ouvrit les yeux et repensa à ce qu'ils s'étaient dit. Eddie et lui avaient passé un pacte ? Il pensait qu'elle n'avait pas voulu de lui ? Il l'*aimait* ? La voix de Dare murmura dans son esprit, comme s'il avait entendu cette question. *Je t'aime depuis que nous avons six ans, quand tu m'as embrassé dans la grange et que tu m'as traité d'idiot. Ça a toujours été toi, Billie.*

Elle reposa sa tête contre sa poitrine, remplie d'un nouveau type de bonheur qu'elle n'avait jamais ressenti auparavant. *Tu m'aimes.*

Mais ils avaient perdu tellement de temps. *Elle* avait perdu tellement de temps. Elle avait blessé Dare toutes ces années et elle avait blessé Eddie en aimant Dare. La culpabilité alourdit son cœur déjà troublé.

C'était trop. Elle avait besoin d'espace pour respirer et réfléchir.

Elle essaya de se glisser sous son bras, mais il resserra son emprise sur elle. Ses poils effleurèrent sa joue, envoyant des sensations alléchantes le long de sa chair. Ses parties les plus sensibles se serrèrent d'impatience. *Reste-là, ma belle.*

— Où crois-tu aller ? demanda-t-il d'un ton rauque, endormi et bien trop sexy.

Tout droit vers l'enfer pour avoir été une traînée. Elle jeta un coup d'œil au réveil. Il n'était que 4h03. Où pensait-il qu'elle allait ?

— Aux toilettes.

Il embrassa son cou, se frottant à ses fesses.

— *Mmm.* Reviens et repose-toi. Tu as besoin de te ressourcer. Je n'en ai pas fini avec toi.

Son cœur s'emballa et son corps tressaillit, mais elle essaya de se calmer lorsqu'il leva le bras et se mit sur le dos. Elle se précipita dans la salle de bain, s'apercevant dans le miroir en fermant la porte. Ses cheveux étaient emmêlés, ses yeux bouffis et elle avait des marques de morsure sur la naissance de son sein et à la base de son cou. Pourquoi, oh pourquoi, cela la mettait-elle dans tous ses états ? Elle essaya de se rappeler où se trouvaient ses vêtements, et ses yeux s'écarquillèrent. *Le garage. Non, noooon. Une nuit avec Dare et je l'ai laissé me mettre sur le capot de sa voiture en guise de buffet.* Elle non plus n'a jamais fait *ce genre* de choses.

Mais elle n'avait jamais été avec quelqu'un comme Dare, qui la faisait se sentir aussi bestiale que lui. Elle ferma la bouche. Dare n'avait pas seulement fait ressortir la quête de risque en elle. Sa langue magique avait brouillé ses sens !

Elle appuya ses paumes sur le lavabo, se regardant dans le miroir en murmurant :

— Qu'est-ce qui *ne va pas* chez toi ?

Apparemment *tout*, car le petit diable avide de sexe sur son épaule ronronnait, *mais c'était si bon*, tandis que la fille culpabilisée ancrée dans son cerveau la réprimandait d'avoir couché avec Dare. Elle utilisa les toilettes et se lava les mains, les yeux rivés sur le lavabo parce qu'elle était incapable de se regarder une seconde de plus.

Elle ouvrit la porte aussi silencieusement que possible et trouva Dare endormi sur le dos. Un bras magnifiquement sculpté et tatoué reposait sur son front, l'autre était posé sur le côté du lit où elle avait dormi, comme s'il l'attendait. Elle savait qu'il l'attendait, et cela libérait à nouveau les palpitations dans son ventre. Le clair de lune scintillait sur son cou tatoué et sa large poitrine. Son regard glissa plus bas, et la chaleur enfla dans sa poitrine au souvenir du plaisir qu'elle avait éprouvé à embrasser ces abdominaux dessinés et à tracer avec sa langue l'encre qui les recouvrait, jusqu'à l'obscénité qui recouvrait les draps. Cet homme était passé maître dans l'art d'aimer son corps. Elle n'avait jamais joui aussi fort, ni autant de fois dans sa vie. L'envie de grimper sur le lit et de le chevaucher comme un bronco[1] était plus forte que son besoin de respirer. Mais si une nuit avec Dare l'avait submergée d'autant d'émotions, rester ne pouvait que lui causer des ennuis. Il était passé d'un tsunami qui la poussait dans ses vagues à une tempête silencieuse, la berçant avec des vents plus doux, gagnant en force sans effort jusqu'à ce qu'elle soit tellement enveloppée par lui qu'elle ne pouvait plus penser à rien d'autre.

Elle ne bougea pas, regardant une dernière fois son beau visage et les lèvres qu'elle voulait embrasser pour toujours. L'énergie dans la pièce passa de la trépidation et de la culpabilité à la nostalgie de ce qu'elle espérait être un jour.

Mais ce n'était pas le cas aujourd'hui, car ce nouveau Dare, malgré toute sa bonté, était encore plus dangereux que celui qu'elle connaissait par cœur. Ce Dare aimait parler et elle savait qu'il voudrait approfondir leurs confessions.

Il y avait une limite à la culpabilité et à la confusion qu'une femme pouvait supporter.

Je suis désolée, Dare.

Elle se hissa sur la pointe des pieds jusqu'à sa chemise, qui

---

[1] Le mot « bronco » désigne, en Amérique du Nord, un cheval indompté.

pendait d'un abat-jour sur la commode où il l'avait jetée pendant son délicieux strip-tease. En l'enfilant, elle remarqua, de l'autre côté de la commode, une photo de Dare, d'Eddie et d'elle lorsqu'ils étaient enfants. Elle avait été prise de dos et ils étaient assis sur une clôture en train de regarder des chevaux. Eddie était à sa gauche et Dare à sa droite. Elle portait le chapeau de cow-boy de Dare et son bras l'entourait. Ses mains étaient posées sur la clôture et celle d'Eddie couvrait l'une des siennes. CASSE-COUS était écrit dans le ciel avec une écriture enfantine. Dare avait dû l'écrire quand ils étaient jeunes. Une boule se logea dans sa gorge.

Dare se tourna sur le côté, lui indiquant qu'il était temps de s'enfuir. Elle se laissa tomber sur le sol et rampa jusqu'à son short, sortant discrètement son trousseau de clés de sa poche, puis sortit de la chambre sur la pointe des pieds. Elle jeta un coup d'œil rapide au salon. Les meubles bon marché qu'il avait utilisés juste après l'université avaient disparu, remplacés par des canapés en cuir, des bibliothèques en bois, des tables basses et des tables d'appoint rustiques. C'était très masculin. Très *Dare*. Elle se faufila par la porte et courut chercher ses chaussures et ses vêtements dans le garage. Elle enfila son short et porta le reste jusqu'à son pick-up, grimaçant en démarrant, espérant ne pas le réveiller, car *c'était* une autre conversation qu'elle n'avait pas envie d'avoir.

Alors qu'elle s'éloignait de sa maison, elle regarda les pâturages, se rappelant toutes les fois où ils s'étaient assis tous les trois sur les clôtures pour parler de leur prochain grand frisson, de ce qu'ils allaient faire ce week-end, ou de ce qu'ils feraient quand ils seraient grands. Elle serait la meilleure pilote de motocross au monde, Eddie serait un cinéaste visionnaire et Dare avait toujours voulu travailler avec les personnes qui participaient aux programmes thérapeutiques du ranch. Enfin, cela *et* défier la mort plus souvent qu'Evel Knievel.[2]

C'était une autre chose qu'elle devait découvrir. Dare serait toujours un amateur de sensations fortes. Pouvait-elle être avec quelqu'un qui tentait le diable à chaque fois qu'il en avait l'occasion ?

DARE EUT L'IMPRESSION d'avoir dormi pendant un mois. Il ne se souvenait pas de la dernière fois qu'il avait dormi aussi longtemps. Souriant en pensant à cette raison, il ouvrit les yeux pour voir sa belle. Billie n'était pas allongée à côté de lui. Il se retourna pour regarder la salle de bain, mais la porte était ouverte et la lumière éteinte. Il sortit du lit et s'étira en sortant de la chambre. Son regard se porta sur le salon, la salle à manger et la cuisine, qui étaient vides.

Qu'est-ce que c'est que ce bordel, Mancini ?

Il ouvrit la porte d'entrée pour voir si elle était sous le porche. Son véhicule n'était plus là. *Putain de merde.*

— Mon pick-up ? *Sérieux ?*

Ce n'était pas ce à quoi il s'attendait.

Il se dirigea vers l'intérieur, se rendant compte qu'il *aurait dû* s'y attendre. Billie n'avait jamais aimé parler de ses sentiments, et entre toutes les choses qu'ils avaient admises hier et leurs incroyables parties de jambes en l'air, elle était probablement à mi-chemin de...

Il lâcha un juron et se dirigea vers la salle de bain pour se

---

[2] Célèbre cascadeur aux Etats Unis.

doucher. Il n'avait aucune idée de l'endroit où elle pouvait aller lorsqu'elle était en colère. Ça le mettait hors de lui.

Vingt minutes plus tard, il s'arrêta devant la maison principale et descendit de sa moto en ruminant sa colère. *Bordel de merde.* Ce n'était pas seulement de la colère. C'était de la peine, de la déception, et tout un tas d'autres choses auxquelles il ne voulait pas penser.

Il passa la porte d'entrée en trombe, heureux que Kenny ait commencé son programme habituel aujourd'hui, travaillant avec Cowboy après le petit-déjeuner et rencontrant Dare plus tard dans l'après-midi.

Son père était assis à la table avec Sasha, Doc, Cowboy, Simone, Kenny – qui prenait son petit-déjeuner cette fois-ci, heureusement – Hyde, Ezra, un certain nombre d'autres employés du ranch, et les hommes et les femmes qui suivaient actuellement le programme.

Cowboy et sa mère entrèrent par la cuisine. Sa mère portait un panier de biscuits et Dare en prit un.

— Bonjour, grommelle-t-il.

— Regardez qui le chat a ramené.

Cowboy leva le menton en direction de Dare.

— Qui as-tu fait chier ?

Dare prit une bouchée de son biscuit.

— De quoi parlez-vous ?

— Je pense qu'il parle de l'ecchymose sur ta joue, dit Sasha. On dirait que tu t'es battu.

Merde, il ne l'avait même pas remarqué.

— Ce n'est rien. J'ai besoin que quelqu'un m'emmène chercher mon pick-up.

— Tu l'as laissé quelque part ? Comment es-tu rentré chez toi ? demanda Doc.

— Je suis rentré avec mais quelqu'un l'a pris.

Il n'allait pas leur dire qui et les laisser lui raconter des conneries sur le vol de son véhicule par Billie.

Kenny leva les mains au ciel.

— Ce n'est pas moi. Je le jure.

Dare sourit.

— Je sais. Ne t'inquiète pas. Hé, Doc, tu peux prendre quelques minutes pour me déposer ?

— Je peux, mon chéri, dit sa mère. J'ai déjà mangé et je dois me rendre en ville de toute façon.

Super. Il ne voulait pas vraiment que sa mère sache qui avait volé son véhicule, mais il avait besoin qu'on l'emmène.

— Merci, maman.

— Tu sais qui l'a volé ? lui demanda son père.

— Oui, je le sais.

Son père sourit.

— Quel est le nom de l'accusée ?

Des rires retentirent autour de la table.

— Une *fille* a volé ton pick-up ? demanda Kenny.

— Elle en a de grosses pour te le piquer, le railla Sasha.

— Elle doit être une sacrée femme pour t'avoir mis si mal à l'aise que tu ne t'es pas réveillé quand elle est partie.

Hyde regarda Dare.

— Je vais prendre son numéro.

Dare lui lança un regard noir, puis à leur père.

— Merci, mon vieux.

Son père rit et Dare secoua la tête.

— Maman, tu es prête à partir d'ici ?

— Je pense que c'est une bonne idée.

Sa mère tapota l'épaule de Kenny.

— J'espère que tu passeras une bonne matinée à travailler

avec Cowboy. J'ai mis un chapeau avec tes bottes pour que tu n'aies pas le soleil sur le visage.

Devant le silence de Kenny, leur père dit :

— Mon grand, c'est ma femme qui te parle. Elle a fait des pieds et des mains pour s'assurer que l'on prenne soin de toi, et j'aimerais que tu lui montres un peu de respect.

Kenny regarda Wynnie, son expression oscillant quelque part entre la réticence et le regret.

— Merci.

— De rien, mon grand. J'espère que tout le monde passera une bonne matinée.

Alors que sa mère faisait le tour de la table pour rejoindre son père, il y eut une série de *Toi aussi*.

Dare fut heureux d'entendre la voix de Kenny au milieu des autres.

— J'ai laissé quelques contrats sur ton bureau pour que tu les regardes.

Sa mère passa la main sur l'épaule de son père et lui embrassa la joue.

— Tu as tout ce qu'il te faut, chérie. Conduis prudemment.

Il jeta un coup d'œil à Dare autour d'elle.

— Y a-t-il quelque chose dans ce véhicule ou sur ton trousseau de clés dont nous devrions nous préoccuper ? Faut-il changer les serrures ?

— Non, papa. Ce n'est pas une criminelle endurcie. Elle a juste pris mon véhicule, dit Dare.

— Dans l'État du Colorado, c'est un crime, lui rappela Kenny.

Une nouvelle salve de rires retentit et sa mère lui jeta ce regard qu'elle l'avait vu lancer à son père un million de fois.

— Peut-être que tu devrais l'amener au ranch et lui donner

une leçon, suggéra Kenny.

— J'en ai bien l'intention, répondit Dare qui suivit sa mère jusqu'à la porte.

Une fois sur le parking, elle lui proposa :

— Tu veux en parler ?

— Je préfère me crever les yeux avec une cuillère.

— Oh, chéri. Ne sois pas si dramatique.

Ils montèrent dans la voiture.

— Où es-tu parti hier ? Tu nous as manqué au dîner.

— Je suis sorti avec un ami.

— Le même ami qui a volé ton camion ? demanda-t-elle avec plus qu'une pointe d'amusement.

Il enleva son chapeau et se passa une main sur le visage, la mâchoire serrée.

Elle sourit timidement.

— Tu veux me dire où je t'emmène ?

— La maison de Billie.

Elle haussa les sourcils.

— Je l'ai emmenée au parc d'attractions et une chose en a entraîné une autre.

Son expression devint pensive.

— Et elle s'est enfuie pendant que tu dormais encore ?

— C'est à peu près ça, je suppose.

— Je suis désolée, mon chéri. Ça fait mal, n'est-ce pas ?

— Ce n'est certainement pas une raison pour se réjouir.

Elle lui serra doucement l'avant-bras.

— Chéri, tu sais que Billie n'a jamais eu de mal à gérer ses émotions mais je pense qu'elle fuit ses sentiments pour toi depuis que vous êtes enfants. Tu devrais peut-être lui laisser un peu de temps avant d'exiger des réponses.

— Qu'est-ce qui te fait penser qu'elle est à fond sur moi

depuis si longtemps ?

— Les mères savent ce genre de choses. De la même façon que je sais que la voir avec Eddie t'a déchiré de l'intérieur.

Sa mâchoire se serra. Sa mère et lui avaient souvent parlé de la mort d'Eddie et du fait que Billie l'avait exclu de sa vie, mais il ne lui avait jamais parlé de ses véritables sentiments pour Billie.

— J'aimais Eddie. Tu le *sais bien*. Je voulais qu'il soit heureux.

Il regarda par la fenêtre.

— Mais pas avec ma copine.

— Ce n'était pas ta copine, mon cœur, et ne crois pas que je minimise ta perte en disant cela, mais alors que tu as perdu l'un de tes amis les plus proches et les plus chers, Billie a perdu un meilleur ami *et* un amoureux. C'est plus compliqué pour elle.

— Je sais. Je comprends, dit-il trop brusquement. J'aurais aimé que tu lui parles après l'accident d'Eddie. J'aurais aimé que *quelqu'un* lui parle.

— Nous aurions tous aimé que ce soit le cas. Tu n'étais pas le seul à me supplier de lui parler à l'époque. Alice est l'une de mes amies les plus proches. Manny et elle auraient tout donné pour que Billie s'ouvre à quelqu'un. Je ne peux pas te dire combien de fois Bobbie est venue me demander la même chose. J'ai essayé tellement de fois, et je sais que tu as essayé aussi.

— Je n'ai jamais arrêté.

— C'est clair.

Elle sourit en tournant dans la rue de Billie.

— Billie et toi êtes de la même trempe. Quand tu as traversé cette phase de rébellion à l'université, tu n'écoutais, ni ne parlais à personne, toi non plus.

Elle se gara sur le trottoir derrière le pick-up de Dare et sa poitrine se contracta en pensant à Billie qui avait tellement envie de partir qu'elle s'était éclipsée. "Merci de m'avoir raccompagné."

Alors qu'il ouvrait la porte, sa mère lui toucha la main.

— Dare, vas-y doucement avec elle. Il t'a fallu beaucoup de temps pour comprendre *comment* prendre du recul par rapport à tes sentiments et essayer de les comprendre. Si l'on considère que Billie t'a laissé revenir dans sa vie, même si ce n'est que pour une nuit, elle se trouve peut-être au bord d'un précipice assez effrayant en ce moment. Elle a besoin que tu l'aides à trouver comment descendre, pas que tu l'effraies pour qu'elle saute.

Il avait perdu Billie à l'adolescence en la prenant au mot, et il avait passé les dernières années à la laisser essayer de comprendre les choses par elle-même. S'il avait appris une chose de ses confessions, c'était que le cœur de Billie Mancini risquait de se noyer dans un océan de culpabilité et d'amour – à cause de lui *et* pour lui. Il n'était pas question qu'il la laisse essayer de remonter seule à la surface.

Mais sa mère n'avait pas besoin d'entendre cela. Il acquiesça sèchement et se dirigea vers la maison pour mettre les choses au clair.

La porte était entrouverte et lorsqu'il frappa, elle s'ouvrit. Bobbie regarda d'où elle était assise à la table de la cuisine dans une jolie robe à fleurs, les cheveux et le maquillage fraîchement faits. Elle allait probablement bientôt partir au travail, ce qui lui convenait parfaitement.

— Hé, Dare.

Le regard de Bobbie parcourut la cuisine.

Il comprit à son expression pincée et au léger hochement de tête que Billie et elle étaient en train de parler secrètement entre filles. Il entra à grands pas dans la maison et trouva Billie debout, les fesses contre le comptoir, tenant un bol de céréales. Elle se figea, la cuillère à mi-chemin de sa bouche. Elle portait *son* T-shirt. Ses jambes étaient nues, un pied reposant sur l'autre, un genou légèrement plié. Il avait embrassé chaque centimètre de ces jambes magnifiques la nuit dernière, et il pouvait encore les sentir s'enrouler autour de lui alors qu'il était enfoui profondément en elle.

Bon sang de bonsoir. Cela n'arrangeait pas son état d'esprit.

— Jolie chemise, Mancini. Tu l'as achetée au même endroit que le pick-up que tu as dérobé devant chez toi ?

Bobbie étouffa un rire.

Les yeux de Billie se plissèrent.

— J'ai *emprunté* ton pick-up.

— Je ferais mieux de me mettre au travail.

Bobbie posa son assiette dans l'évier et attrapa un sac fourre-tout sur le comptoir.

— A moins que tu n'aies besoin d'un arbitre ?

Billie lui adressa un regard noir et Bobbie leva les mains.

— C'est juste une question. Je ne voudrais pas que Dare se retrouve avec un coquard cette fois-ci.

Elle gloussa en quittant la maison.

— C'est quoi ce *bordel*, Billie ? Après tout ce qu'on s'est dit, tout ce qu'on *a partagé*, tu t'éclipses comme si je n'étais qu'un rencard de pacotille ?

Il réduisit la distance entre eux, son cœur refusant de se taire.

— Tu es enfin *à moi*, Mancini, et je sais que tu as beaucoup de problèmes dans ta belle tête à cause de moi, ou de nous, mais je ne te laisserai plus nous fuir.

Elle releva le menton, ses yeux orageux et *douloureux* le regardant.

— Ce n'est pas parce qu'on a fait l'amour que je *t'appartiens*.

— Je *ne veux pas* te posséder, mais je ne veux surtout pas te perdre à nouveau, alors au moins donne-moi des indices et dis-moi pourquoi tu es partie.

— Parce qu'en te gardant à distance, j'ai tenu à distance tout ce à quoi je ne voulais pas penser, dit-elle avec colère en posant son bol. C'était génial d'être avec toi et je le voulais autant que toi, mais maintenant tout ce qu'on a fait et dit *est là* – elle passa sa main devant son visage – devant et au centre de mon esprit.

— Je ne vois pas en quoi c'est mauvais, ma chérie.

Il posa ses mains sur ses hanches, sentant la tension qui la traversait.

— Nous le voulons tous les deux.

— Je sais, mais j'ai *blessé* Eddie parce que je le voulais.

— Et c'est une sacrée chose que d'essayer de gérer toute seule.

Elle détourna le regard et il sut qu'elle était en train de fouiller dans le grenier de son cerveau, rassemblant la culpabilité comme des parents rassemblent des souvenirs. Il fallait qu'elle revienne au présent et il opta pour la légèreté.

— Je sais que tu ne veux pas en parler, mais mettons les choses en perspective. Tu étais jeune et tu essayais de te convaincre que tu *ne* voulais *pas* de tout ça.

Il recula et fit un geste vers son corps, juste pour obtenir un sourire, ce qu'il fit, ne serait-ce que pendant quelques secondes. Il l'attira dans ses bras et plongea son regard dans ses yeux troublés.

— Sérieusement, Mancini. Eddie aurait voulu que nous soyons heureux.

Elle secoua la tête.

— Il était tellement en colère quand j'ai rompu avec lui. Il a lancé « C'est Dare, n'est-ce pas ? Ça a toujours été lui ».

Elle haussa les épaules sans enthousiasme.

— Qu'est-ce que je suis censée faire de *ça* ? Je n'ai jamais eu l'occasion de lui expliquer.

La douleur dans sa voix amena ses bras autour d'elle. Il la serra contre lui, son cœur se brisant pour elle et pour Eddie.

— Tu ne vois pas, chérie ? Cela signifie qu'il a vu ce que nous étions trop stupides et têtus pour admettre.

— *Exactement.*

— Ma belle, ça ne veut pas dire que c'était une condamnation à mort pour lui ou un moyen de pénitence pour toi, mais c'est un sacré poids à porter pour toi.

Elle baissa les yeux.

— Regarde-moi, ma chérie.

Sa tristesse le transperça.

— Nous connaissions Eddie mieux que quiconque. C'était une personne réfléchie et rationnelle, et je ne doute pas que s'il avait vécu, nous nous serions disputés et nous serions ressortis de ce conflit aussi soudés que nous l'étions auparavant. Il aurait peut-être fallu un peu de temps pour que la douleur s'estompe, mais il n'y a pas de lien plus fort que celui que nous partagions tous les trois.

— Je veux bien le croire.

— C'est un début. Tu sais qu'il n'a pas cherché à se tuer, n'est-ce pas ?

Elle acquiesça.

— Il n'aurait jamais fait ça.

— Bien, parce qu'il n'aurait jamais fait exprès de blesser quelqu'un, et je pense qu'il aurait beaucoup de mal en sachant que tu t'es torturée pendant toutes ces années.

— J'y pense souvent, dit-elle doucement.

— Tu peux en être sûre. Il détestait quand tu étais triste ou en colère.

Elle sourit un peu.

— C'est vrai, n'est-ce pas ?

Il était tellement content de la voir sourire que cela le fit sourire lui aussi.

— Tu te souviens de la fois où tu as été en retenue et qu'il t'a accompagnée ?

— Oui. Tu étais furieux qu'aucun de nous ne s'assoie avec toi quand tu as été collé.

Elle rit doucement.

— Tu as toujours été si compétitif.

— Dit la femme qui n'a jamais reculé devant un défi. Je pense que la meilleure chose que nous puissions faire pour honorer Eddie est de vivre pleinement notre vie. C'est ce qu'il aurait voulu et il aurait eu beaucoup à dire sur le fait que tu abandonnes le motocross. Il était tellement fier de toi. Nous l'étions tous les deux. Je le suis toujours.

— Il était mon plus grand supporter quand tu étais loin à l'université et j'étais le sien, faisant tout ce qu'il demandait pour ses vidéos et l'encourageant quand il parlait du film *inoubliable* qu'il avait toujours voulu faire. Avant chaque course, il me disait : *Qu'est-ce que tu attends, Billie ? Vas-y et montre au monde entier ce que tu as dans le ventre, comme si j'avais déjà hésité.*

Les émotions surgirent à l'intérieur de lui.

— C'était un homme bon.

— Le bon vieux *Roc Eddie*.

La tristesse gagna son visage.

— Il était toujours si sûr et prudent avant ce jour.

— Je pense que tu as oublié le nombre de fois où il a fait des cascades qui le dépassaient parce qu'il était en colère contre moi ou qu'il avait un problème à régler. Tu te souviens de la fois où il voulait absolument faire un saut périlleux sur le snowboard ?

Dare secoua la tête.

— J'ai pensé que ça allait se terminer bien plus mal qu'avec un bras cassé.

— Moi aussi.

— Tu ne peux donc pas t'en vouloir pour sa dernière cascade. Comme je l'ai déjà dit, les gars font des trucs stupides pour des raisons encore plus stupides. Ce que tu dois retenir, c'est qu'Eddie était un ami incroyable, et que tu es une femme incroyable. Je suis heureux qu'il ait pu découvrir ce que c'était que d'être aimé par toi. Parce que je suis sûre que c'était bien mieux que n'importe quoi d'autre dans ce monde de fous.

Ses yeux s'humidifièrent et elle serra ses lèvres l'une contre l'autre.

— Je ne peux pas parler de ça maintenant.

— D'accord.

Il la serra dans ses bras et l'embrassa sur le dessus de la tête.

— Merci d'avoir essayé de m'aider. Je suis désolée d'être partie avec ton pick-up.

Il lui pressa les fesses.

— Et ma chemise.

— Je garde la chemise.

Elle releva le visage et il fut heureux de voir disparaître une partie des ombres.

— J'ai juste besoin d'un peu d'espace pour surmonter cette épreuve.

— J'ai entendu dire qu'il y avait de très bons thérapeutes au *Ranch Rédemption*. Je pourrais probablement te mettre en contact avec l'un d'entre eux.

— Merci, mais je ne suis pas comme toi. Je ne peux pas parler de tout ça.

— Si tu as besoin de rentrer dans ta coquille pour comprendre, c'est bien. Mais sache-le. Si tu mets trop de temps, je reviendrai à la charge.

Il baissa ses lèvres vers les siennes, souhaitant qu'elle lui demande de rester pour en parler, mais ce côté fort et têtu était profondément ancré chez la fille à la queue de cheval dont il était tombé amoureux, et il n'avait fait que s'amplifier au cours des années qui s'étaient écoulées depuis. Il ne voulait pas la changer. Il voulait l'aider à trouver la paix, avec ou sans lui. Mais dans son cœur têtu, il savait que lorsque cette paix viendrait, les chevaux sauvages ne seraient pas capables de retenir les sentiments dont il avait eu plus qu'un aperçu la nuit dernière.

— La prochaine fois, prends la Chevelle. Elle est presque aussi belle que toi.

Cela lui valut un sourire sincère.

— Où sont mes clés, ma belle ?

Elle désigna un bol sur le comptoir où se trouvaient leurs deux trousseaux de clés. Il prit ses clés et jeta un dernier coup d'œil à la femme qui était plus forte que n'importe qui d'autre. Il avait fallu qu'elle le soit pour traverser toutes ces années en gardant tant de blessures.

— Pour mémoire, Mancini. Il est impossible d'aimer quelqu'un d'autre à cause de toi.

CHAPITRE HUIT

LES GROSSES FOULÉES DE BILLIE rivalisaient avec le chaos qui régnait dans son esprit alors qu'elle terminait sa course le vendredi matin et ralentissait pour marcher à la fin du sentier.

Elle se dirigea vers son véhicule, plus irritée que lorsqu'elle était partie. Elle avait eu la folle idée que Dare ne lui laisserait pas d'espace, mais il ne s'était pas montré au bar hier soir. Elle s'attendait à moitié, et peut-être même espérait-elle, qu'il tomberait à nouveau du ciel pendant sa course, mais pas de chance. Elle devrait être reconnaissante qu'il ait appris à s'éloigner, mais elle ne pouvait s'empêcher de penser aux choses qu'il avait dites. Elle n'arrêtait pas non plus de penser à l'embrasser et à toutes les choses délicieusement coquines qu'ils avaient faites. Lorsqu'elle était dans ses bras, le monde s'était évanoui, comme au parc. Il avait toujours eu la capacité de donner l'impression qu'ils étaient les deux – ou trois – seules personnes sur terre, même lorsqu'ils étaient entourés de dizaines d'autres. Mais rien n'était comparable à la façon dont elle avait disparu en lui mercredi soir.

Elle monta dans son véhicule, trop excitée pour rentrer chez elle et se dirigea vers l'endroit qui l'aidait toujours à se vider la tête. Le *Roadhouse*.

Lorsqu'elle se gara sur le parking vide, elle pensa au nombre de fois où Dare avait été là lorsqu'elle avait quitté le travail, chevauchant sa moto ou faisant des cabrioles dans le parking. Il n'avait pas seulement été là pour elle en tant qu'adulte. Il était venu à l'heure de la fermeture quand elle travaillait là, adolescente, aussi. Elle repensa à ce qu'il avait dit à propos des types qui l'avaient suivie jusque chez elle, et elle se rendit compte qu'il avait veillé sur elle, même quand elle n'en avait pas eu conscience. Elle se sentait bien.

Elle se dirigea vers l'intérieur, sa voix lui chuchotant à l'oreille. *Je t'aime depuis que nous avons six ans, quand tu m'as embrassé dans la grange et que tu m'as traité d'idiot.*

Elle ferma la porte derrière elle et prit le temps d'observer le bar. Son grand-père avait déménagé et donné le bar à son père avant sa naissance et ses parents l'avaient tenu aussi longtemps qu'elle s'en souvenait. Elle en avait pris la direction il y avait quelques années de cela, mais son père tenait toujours les comptes. Ses parents lui donnaient un coup de main quand elle était à court de personnel et venaient parfois y passer du temps, mais c'était avant tout le domaine de Billie.

D'une certaine manière, il l'avait toujours été. Elle se voyait encore, Dare, Eddie et elle, gamins, assis au bar, buvant des sodas avant l'ouverture de la journée, pendant que ses parents travaillaient au bureau ou prenaient une livraison à l'arrière. Ils faisaient exploser le juke-box et dansaient ou s'asseyaient sur le taureau mécanique et faisaient semblant de monter à cheval. Elle avait eu *la plus belle* des enfances.

Elle se dirigea vers le juke-box en pensant à toutes les fois où elle avait entraîné Dare et Eddie sur la piste de danse lorsqu'ils étaient adolescents. Qui aurait cru que Dare deviendrait un si grand danseur ? Il avait des mouvements à faire rougir une strip-teaseuse.

Elle mit "I Like It. I Love It", suivie d'un certain nombre d'autres chansons qu'ils avaient aimées. Au fur et à mesure que la chanson retentissait, elle ferma les yeux, laissant la musique pénétrer dans son âme. Elle s'imagina les trois adolescents et laissa son corps prendre le dessus, se déplaçant aussi librement qu'à l'époque, sans se soucier de qui la voyait ou de ce à quoi elle ressemblait. Son cœur battait la chamade lorsqu'elle dansait à travers la salle, tournait autour des tables et se faufilait dans l'arène avec le taureau mécanique. Elle passa la main sur la selle en cuir lisse. Elle adorait *monter cet engin*. Elle n'était pas aussi douée que Birdie, et elle n'avait aucune idée de la façon dont une personne aussi petite pouvait monter aussi bien, mais elle pouvait tenir son rang. Elle y avait renoncé en même temps qu'à tout ce qui faisait battre son cœur. *Y compris* Dare.

Elle dansa autour du taureau mécanique, chantant les paroles, une chanson après l'autre, essayant de surmonter les émotions et les souvenirs qui l'assaillaient. Elle dansait plus fort et chantait plus fort, mais ils refusaient de bouger. La chanson "Angel Eyes" de Love and Theft retentit, apportant avec elle l'image de Dare debout près du taureau mécanique, l'encourageant à continuer. *Cette chanson est pour toi, Mancini. Monte là-haut et montre à ces cow-boys boiteux comment on fait.* Elle se sentit sourire, sa vieille fibre compétitive se réveilla. Elle regarda autour d'elle et même si elle savait qu'elle était seule, elle se hissa sur le taureau. Ses jambes se serrèrent sans réfléchir et le haut de son corps se détendit. Elle se balança au rythme de la musique, mais l'attraction était trop forte. Elle leva la main et décolla ses fesses de la selle, balançant son bras comme si elle chevauchait, laissant échapper un "*Wou-hou !*" retentissant.

— Tu veux que je mette ce truc en marche pour que tu puisses faire un tour ?

Elle tourna la tête sur le côté et vit son père s'approcher, ses yeux sombres souriant sous ses sourcils noirs. Il avait dû entrer par la porte de derrière. Il portait un jean, une chemise à boutons et une expression pleine d'espoir. Elle descendit du taureau, un peu gênée.

— Tu fais une petite fête, ma Casse-Cou ?

Son cœur se serra.

— Tu ne m'as pas appelée comme ça depuis une éternité.

— Je ne t'ai pas vue sur ce taureau depuis très longtemps.

Il passa un bras autour d'elle, la serrant contre lui et lui embrassant la tête.

— C'est agréable de te voir monter à nouveau.

— Je ne *montais* pas.

Elle partit éteindre le juke-box. Elle aimait toute sa famille, mais c'est avec son père qu'elle avait toujours été la plus proche. Sa mère la considérait comme une enfant sauvage, et Bobbie était si équilibrée que la plupart du temps, elle ne savait pas quoi penser de sa sœur aînée. Mais son père ne se laissait pas faire. Il comprenait le feu qui l'animait autant que son besoin de solitude. Cela ne voulait pas dire qu'il aimait la façon dont elle tenait tout le monde à distance, surtout ces dernières années, mais au moins il semblait comprendre son besoin de solitude.

— Ça va, mon cœur ?

— Oui, je réfléchis.

— La plupart des gens font péter la musique et se mettent au taureau pour *ne pas* penser.

Il fit le tour du bar et ouvrit le frigo sous le comptoir.

— J'ai l'impression que c'est le moment de la bière.

Il posa deux canettes sur le bar.

— *Papa…*

La root beer au bar a toujours été leur truc. Quand les canettes sortaient, elle savait qu'elle avait toute son attention, et il semblait toujours savoir quand ces moments étaient nécessaires.

Il fit un signe de tête vers un tabouret.

— Viens par ici et parle à ton vieux père.

Elle monta sur le tabouret et il s'assit à côté d'elle.

— Comment s'est passée ta course ce matin ?

— Bien, mais difficile. J'étais fatiguée.

— Tu ne dors pas beaucoup ?

Il ouvrit les canettes et en posa une devant elle.

Elle secoua la tête et but une gorgée. C'était amusant de voir à quel point le fait d'être assise avec son père et le goût familier de cette boisson apaisaient sa tension.

— Je peux faire quelque chose pour t'aider ?

— Tu es doué pour démêler les nœuds ?

Elle pouvait lui parler de tout, mais elle ne lui avait jamais dit la vérité sur ce qui s'était passé entre Eddie et elle ce jour fatidique. C'était un fardeau qu'elle devait porter seule… jusqu'à ce que Dare se fraye un chemin dans sa vie. Dans son cœur.

— Physique ou émotionnel ? Avec une fille qui avait insisté pour apprendre tous les nœuds existants à l'âge de huit ans et une autre qui me demandait toujours de faire des choses impossibles, comme des hamacs pour ses poupées, je dirais que je suis plutôt doué pour le côté physique. Et puis, vivre avec trois femmes apprend à un homme une chose ou deux sur l'aspect émotionnel.

Son expression devint sérieuse.

— Qu'est-ce qui t'arrive, mon cœur ?

— *Dare*, voilà ce qu'il se passe. Depuis quand est-il si bavard ?

Son père rit.

— Cela fait un moment que tu n'as pas passé du temps avec lui. Cela fait un moment qu'il utilise son éducation à bon escient et qu'il aide beaucoup de gens. J'en déduis qu'il a enfin attiré ton attention ?

— On peut dire ça. Nous avons passé la journée à Cliffside et, papa, il m'a fait monter sur les attractions.

Son visage s'éclaira.

— Eh bien, je vais être maudit.

— Je sais, hein ? *Fichu* Dare.

— Comment a-t-il fait pour que tu y ailles ?

— Justement. Je n'en ai *aucune* idée. Une minute, j'étais sur mes gardes, j'étais Billie la méchante, je prenais soin de moi, et la minute d'après, Dare se tenait dans ma maison et me disait de monter dans son pick-up. Et j'y suis *allée*.

— On dirait qu'il en a eu marre que tu le snobes, mais tu es une fille forte, Billie. Une partie de toi a dû vouloir y aller.

— C'est *le cas*. Il m'a manqué.

— C'est un homme bien, ma chérie. Il t'a soutenue contre vents et marées, et je ne parle pas seulement de ces dernières années. Je suis surpris qu'il ait mis autant de temps. Il n'a jamais aimé te laisser mijoter. Je ne sais pas si tu t'en souviens, mais quand tu avais huit ans, tu t'es mise en colère et tu lui as dit que tu ne voulais plus être son amie parce qu'il t'avait traitée de fille stupide.

— Je ne m'en souviens pas.

— Peut-être parce que ça n'a pas duré longtemps. Cette nuit-là, il a volé le quad de son père et est venu ici. Il a utilisé un canif pour faire un trou dans la moustiquaire de ta fenêtre et est entré dans ta chambre. Ce garçon t'a réveillée et t'a dit qu'il ne partirait pas tant que tu ne serais pas redevenue son amie.

Elle rit.

— Attends, je me souviens *de ça*, mais pas de la raison pour laquelle il avait agi de la sorte. Il avait apporté un sac à dos rempli d'Oreos, de chips barbecue et de Capri Suns, c'est ça ?

Les en-cas des Casse-Cous. Son en-cas préféré était les Oreos, celui de Dare les chips barbecue et celui d'Eddie les Capri Suns. Ils avaient vécu grâce à eux et leurs parents avaient toujours gardé les trois à portée de main.

— C'est sûr, et son chapeau de cow-boy préféré que tu volais dès que tu en avais l'occasion. Il a dit qu'il te le donnerait si tu redevenais son amie, il s'est même excusé d'avoir dit que tu étais stupide.

— Je me souviens de ses excuses. Il avait dit qu'il était désolé de m'avoir traitée de stupide mais que je serais toujours une fille et qu'il n'y avait rien que je puisse y faire.

Elle sourit.

— Il était vraiment bizarre.

— Peut-être, mais quand tu as coupé les ponts avec lui et tout le monde, cet énergumène s'est pointé tous les jours, semaine après semaine, mois après mois, nous suppliant de te parler et de te convaincre de lui parler. Il a dit qu'il ferait tout ce qu'il fallait. Il travaillerait gratuitement au bar pour le reste de sa vie si nous pouvions te convaincre de lui parler. Et tu connais Dare, je suis sûr qu'il l'aurait fait aussi.

— Maman m'a dit qu'il était venu, mais elle ne m'a jamais dit qu'il avait proposé de travailler gratuitement.

— Je suis presque sûr qu'il aurait fait n'importe quoi pour t'avoir à ses côtés. Je ne sais toujours pas comment ou pourquoi tu as rompu ce lien, mais je me suis dit que c'étaient tes affaires et que tu me ferais savoir si tu voulais en parler.

Sa poitrine lui faisait mal en pensant au nombre de fois où son père avait essayé de l'amener à s'ouvrir, mais elle était trop brisée. Ou peut-être avait-elle le cœur trop brisé.

— Je détestais garder mes distances avec lui, mais j'avais peur de ne pas le faire.

Elle traça les lettres sur sa canette.

— De quoi avais-tu peur ?

Les larmes lui brûlaient les yeux, et elle ne savait pas d'où elles venaient. Elle prit un verre, les chassant, et força les mots difficiles à sortir de ses poumons.

— Que la vérité sorte.

— La vérité ?

Il haussa les sourcils.

— Il y a beaucoup de choses que tu ne sais pas, papa. J'ai rompu avec Eddie le jour où il est mort, et je l'ai fait parce que j'avais des sentiments pour Dare. Je ne l'ai pas dit à Eddie. J'ai juste dit que je ne l'aimais pas comme je le devais pour l'épouser. J'ai essayé de lui rendre la bague, mais il n'a pas voulu la prendre, et il a dit…

Elle essuya les larmes qui s'étaient libérées, essayant d'en empêcher d'autres de couler.

— *C'est Dare, n'est-ce pas ?* Ça a toujours été Dare. C'est *pour ça* qu'il est parti en moto au lieu de nous filmer comme il l'avait prévu. Il était tellement en colère, et puis il *nous a quittés*, et je n'ai jamais pu m'expliquer ou dire que j'étais désolée. Dare et moi sommes sortis ensemble après le parc, et maintenant je me sens tellement coupable d'être avec lui, je ne sais pas quoi faire.

Son père se leva, l'entoura de ses bras, et dans la sécurité de ceux-ci, elle se laissa aller aux larmes et au chagrin d'amour qui semblait s'être logé dans son corps.

— Laisse-toi aller, ma chérie. C'est bon.

— Je suis horrible, n'est-ce pas ?

— Non, ma chérie.

Elle hocha la tête contre sa poitrine.

— Si, je le suis.

Il la prit par les épaules, avec un regard des plus sérieux.

— Pourquoi diable penses-tu cela ? Sais-tu combien de personnes sont mariées à des conjoints qu'elles n'aiment pas ? Si tu avais épousé Eddie, *cela* m'aurait fait réfléchir. Mais pour être honnête, Billie, je ne m'attendais pas à ce que tu acceptes sa proposition et lui non plus.

Il lui fournit une serviette pour s'essuyer les yeux et ils se rassirent.

— Tu savais qu'il allait te demander en mariage ?

Elle n'attendit pas de réponse.

— Comment ça, *il* ne pensait pas que j'accepterais ? Et si *tu* pensais que je n'accepterais pas, pourquoi l'as-tu laissé me le demander ?

— Je ne pensais pas qu'il irait jusqu'au bout. Je pensais qu'il se comporterait en homme et qu'il mettrait fin à sa relation avec toi.

— *Se comporter en homme et mettre fin à notre relation ?* Il était malheureux ?

Comment aurait-il pu être malheureux sans qu'elle le sache ?

— Non, il n'était pas malheureux. Il était troublé. Il est venu me voir quelques jours avant de faire sa demande. Son amour pour toi était grand, ma puce. Il savait que tu l'aimais, alors ne remets jamais ça en question. Mais il savait aussi que ce n'était pas aussi fort qu'il t'aimait. J'ai suggéré que vous fassiez une pause, mais il a dit qu'il ne pouvait pas s'éloigner de toi. Il avait besoin de savoir où vous en étiez. Vous n'en avez *jamais* parlé ?

Son estomac se contracta.

— Tu sais que je ne suis pas très bavarde. Il me demandait si j'étais heureuse et je disais que oui, parce que c'était vrai. C'est difficile à expliquer. Je l'aimais, j'étais heureuse avec lui, mais il me manquait toujours quelque chose. J'aurais dû le lui dire, mais je n'ai pas pu.

— On dirait que vous aviez tous les deux vos secrets. Il se doutait que les choses n'allaient pas bien, et tu avais des sentiments secrets pour Dare.

— Mais pourquoi *faire une demande en mariage* ? Pourquoi ne pas me demander directement si je l'aimais comme il m'aimait ?

— Je soupçonne que c'est pour la même raison que tu ne lui as pas dit que tu avais des sentiments pour Dare. À vous trois, vous formiez un triangle amoureux qui ne demandait qu'à se former. Je ne peux pas vous dire combien de conversations avec les parents de Dare et d'Eddie ont tourné autour de ce sujet au fil des ans.

— *Génial*, dit-elle d'un ton sarcastique.

— Chérie, un amour à un si jeune âge n'est jamais facile. Eddie avait déjà acheté la bague et pris sa décision. Il voulait juste ma bénédiction. Il a dit que si tu le rejetais, il serait dévasté, mais qu'il serait capable de s'éloigner. Alors je dois te poser une question, Billie. Pourquoi as-tu accepté en premier lieu ?

— Je ne *sais* pas. Je l'aimais tellement et il a essayé si fort d'être un bon petit ami. Et il a réussi. Il était un super petit ami. Je voulais l'aimer comme il m'aimait, mais ça ne s'est jamais produit, et puis il s'est agenouillé, tenant une bague de fiançailles qu'il avait choisie juste pour moi, et il était déterminé.

— Qu'est-ce que ça veut dire ? La détermination ?

Elle haussa les épaules.

— Je ne sais même plus. Cela remonte à l'époque où nous étions adolescents.

Elle n'allait pas lui parler de la mauvaise communication entre Dare et elle après qu'ils se soient embrassés à l'adolescence.

— Accepter sa demande en mariage était une erreur et j'aimerais pouvoir revenir en arrière.

— Je comprends ce que tu ressens, mais tu dois voir les choses telles qu'elles sont. Cette demande était une tentative désespérée d'Eddie pour s'accrocher à la fille qu'il aimait. C'est simple et clair. C'est merveilleux d'avoir été aimé à ce point, et tu ne devrais *pas* te sentir coupable de ne pas l'aimer en retour de la même manière. Nous ne pouvons pas choisir de qui nous tombons amoureux. C'est la beauté de l'amour. Il se faufile quand on ne le regarde pas, et quand il est réel, il ne nous lâche jamais. Mais pour *la plupart* des gens, cet amour profond et désespéré n'est pas réciproque.

— Comme celui d'Eddie.

— Le sien n'était pas sans contrepartie. Tu l'aimais. C'est quelque chose et il le savait, ma chérie.

— J'aurais aimé que tu me préviennes qu'il allait me demander en mariage. Peut-être aurions-*nous* pu parler comme ça, et tu aurais pu me dire de refuser. Je n'aurais pas été choquée et je n'aurais pas pris la mauvaise décision.

— Cela semble être une solution facile, n'est-ce pas ? Mais il n'y a pas de bien ou de mal quand il s'agit d'amour. Tu as fait ce que ton cœur te dictait à ce moment-là. Et ce n'est pas grave. Tu dois arrêter d'essayer d'être responsable de ce qui s'est passé. Eddie était comme un fils pour moi. Nous avons tous perdu un grand ami, mais ce n'est la faute de personne. Pas même la sienne. Il ne savait pas ce qui allait se passer. On dirait qu'il était tellement excité qu'il croyait pouvoir réussir.

— C'est ce que Dare a dit, qu'il voulait prouver qu'il était toujours un homme et que je ne l'avais pas brisé.

— Dare est un type intelligent et je pense qu'il a raison. Mais pour que les choses soient claires, je suis ton père, ma chérie, mais tu étais adulte, et tu n'es pas une fille facile. Si tu ne voulais pas l'épouser, je savais que tu le lui dirais. Mais si je t'avais mise en garde, tu l'aurais peut-être épousé pour me montrer que tu étais *Billie la dure à cuire* et que tu pouvais faire ce que tu voulais.

Elle leva les yeux au ciel.

— Tu peux lever les yeux tant que tu veux, mais tu sais comment tu es.

Il sourit.

— Être parent n'est pas facile et je ne sais jamais si je fais ce qu'il faut. Je fais juste ce qui me semble juste à ce moment-là, et ça n'a jamais été à moi de changer le cours de la vie de mes filles. Je n'ai jamais essayé de changer votre goût pour les choses scandaleuses, ni de vous dire de trouver une meilleure carrière que de tenir un bar, ni de vous interdire de porter des pantalons en cuir ou de montrer votre ventre, parce que ce sont vos choix, et que toutes ces choses ont contribué à faire de vous ce que vous êtes. Mais j'ai essayé de vous faire savoir que j'étais là pour vous et que vous pouviez toujours me parler.

— Tu es un père formidable et j'ai toujours su que je pouvais venir te voir. Je regrette juste de ne pas l'avoir fait à l'époque.

— Nous ne pouvons pas revenir en arrière, ma chérie, mais je vais te dire ceci. Je t'ai élevée pour que tu prennes les bonnes décisions *pour toi* et que tu assumes les répercussions qui en découlent. Mais je n'ai jamais anticipé cette situation. Avec le recul, j'aurais aimé avoir une boule de cristal. Je t'aurais arrêtée *avant* que tu ne dises oui, mais pas parce que je pense que cela aurait changé ce qui est arrivé à Eddie. Tu sais que je crois que l'univers donne et reprend, et que nous n'avons aucun contrôle sur *le quand* et *le comment* de tout cela. Mais je t'aurais arrêtée pour que tu ne t'en veuilles pas, parce qu'Eddie *a choisi* de tenter ce coup. Il *a choisi* de faire sa demande en sachant que tu dirais probablement non. Tu dois te débarrasser de cette culpabilité, et peut-être que la meilleure façon d'y parvenir est de faire exactement ce que tu es en train de faire.

— Devenir folle ?

— Tu ne deviens pas folle, chérie. Tu laisses lentement les gens revenir dans ta vie, et cela suscite de nouvelles émotions en plus de la culpabilité et d'une centaine d'autres émotions que tu as refoulées pendant des années. S'il y a une chose que j'ai apprise en thérapie, c'est que les choses empirent avant de s'améliorer, et même quand tu penses que tout va bien, ça te retombe dessus. Mais avec un peu de chance, d'ici là, tu nous permettras enfin de nous laisser te venir en aide quand la seule chose que tu veux faire, c'est te fermer à nous.

Elle espérait pouvoir le faire parce que c'était *dur* et un acte solitaire de rester derrière ces portes fermées, et même si elle ouvrait lentement ces portes, elle savait que la vie à l'extérieur était bien meilleure.

— Je ne savais pas que tu suivais une thérapie.

— Ta mère et moi l'avons fait parce que nous n'avons pas seulement perdu Eddie, nous avons aussi perdu une grande partie de toi, et aucun de nous n'était équipé pour gérer cela. Mais Colleen, au ranch, était là pour nous et nous avons surmonté cette épreuve.

Son cœur se serra.

— Je suis désolée, papa. Je ne savais pas que mes humeurs

vous affectaient autant, maman et toi.

— Vous êtes nos cœurs et nos âmes. Si vous êtes tristes ou en colère, nous le sommes aussi. Mais vous n'avez pas à vous excuser auprès de moi. Je suis votre père, et cela va de soi. Je ne suis pas non plus celui qui a le plus souffert. C'est la jeune femme que tu vois dans le miroir tous les matins.

Sa gorge se noua.

— Et pour ce qui est de Dare, il ne t'a pas privé de *Billie la dure à cuire* en t'obligeant à aller au parc avec lui. Il a donné un coup de pied aux fesses à cette fille au caractère bien trempé, et ça t'a rendue encore plus forte. Il faut beaucoup de courage pour affronter les choses qui vous font peur.

Il se rapprocha, baissant la voix.

— On sait tous les deux que je ne parle pas des attractions.

Son téléphone vibra et elle le sortit de son brassard. Il y avait un message de Dare. Son pouls s'accéléra lorsqu'elle le lut. *Hé, Tigresse. Te donner de l'espace, c'est nul. Je préfère quand tu es là. J'espère que ça t'aide.* Comment un simple message pouvait-il la faire se sentir si bien ? Elle aurait voulu répondre par "Tu me manques aussi", mais même après tout ce que son père lui avait dit et le soulagement que cela lui avait procuré, pouvoir mettre ses sentiments par écrit lui paraissait encore hors de portée.

— Tout va bien ? demanda son père.

Elle hocha la tête.

— Tu m'as donné matière à réflexion, papa, alors j'espère que ça ira. Mais j'ai l'impression que faire le tri dans tous ces sentiments va être plus difficile que n'importe quelle course ou cascade que j'ai jamais entreprise.

— C'est parce que tu es la plus féroce compétitrice que je connaisse, et que tu te bats contre toi-même. Mais nous savons tous les deux qu'une fois qu'on s'est lancé dans quelque chose, rien ne peut nous arrêter.

Il ne pouvait pas savoir à quel point elle espérait que ce soit vrai.

— C'EST BEAUCOUP mieux que de ramasser de la merde à la pelle.

Kenny arracha la dernière vis du poteau de clôture en bois qu'ils étaient en train de réparer et la jeta dans le seau, plissant ses yeux un peu moins rongés par le soleil de l'après-midi. Il n'aimait pas porter le chapeau que la mère de Dare lui avait offert. Il disait qu'il lui chauffait la tête.

Cela faisait quarante minutes qu'ils réparaient des clôtures et Kenny s'était révélé être un travailleur acharné.

— Il y a toujours des corvées à faire au ranch. Certaines sont nulles, d'autres le sont un peu moins. Mais si nous nous relâchons, les chevaux peuvent se blesser.

Dare déplaça le seau où il avait jeté des vis du poteau opposé, regardant Kenny sortir le nouveau rail de clôture du camion.

— Alors pourquoi travailler ici alors que tu pourrais t'asseoir dans un bureau ?

Dare lui passa la perceuse électrique et alla tenir l'autre extrémité du rail.

— Je n'aime pas être confiné.

Ce qu'il ne disait pas, c'est qu'il était aussi plus facile d'amener des enfants comme lui à s'ouvrir s'ils étaient distraits par d'autres choses. Il n'y a rien de pire que de se sentir comme la première partie d'un spectacle, et pour Dare, qui s'était présenté dans le bureau de sa mère des dizaines de fois après la mort d'Eddie pour essayer de lui soutirer des informations, c'est à cela que ressemblait une thérapie individuelle normale dans un bureau. Sa mère avait suggéré qu'ils aillent se promener, et cela avait rendu mille fois plus facile le fait de parler de ses sentiments et de ses peurs. La question *As-tu le temps de te promener ?* était devenue un code pour dire *Je passe une sale journée et j'ai vraiment besoin d'aide*. Lorsqu'il avait commencé à travailler avec des patients, il s'était rendu compte que le fait de parler avec ses clients à l'extérieur lui permettait de se faire une idée plus précise de qui ils étaient, et c'était une très bonne chose. Mais aujourd'hui, la distraction aidait aussi Dare. Il avait envoyé un message à Billie il y a plusieurs heures et n'avait toujours pas eu de nouvelles. Il devait prendre sur lui pour ne pas se rendre sur place et découvrir ce qui se passait dans *la tête* de la jeune femme.

— Moi aussi. Je déteste rester assis.

Kenny *posa* les vis, comme Dare le lui avait appris, et s'attela à visser le rail au poteau. Lorsqu'il eut terminé, il donna la perceuse à Dare.

— Quand est-ce que je pourrai récupérer mon téléphone ?

— Quand je penserai que tu es prêt. Qui veux-tu appeler ?

Il haussa les épaules, regardant Dare visser la balustrade dans le poteau.

Dare regarda le garçon qui pensait que le monde était son ennemi, se rappelant à quel point c'est difficile à cet âge. Le besoin d'être cool et accepté était presque aussi fort que les hormones qui circulaient dans ses veines. La séance d'hier s'était plutôt bien passée. Kenny n'était pas un grand bavard, mais Dare était habitué à cela, et il avait obtenu quelques bribes d'information sur la colère qu'il éprouvait à l'idée d'avoir déménagé loin de ses amis.

— Comment vais-je le mériter ? Qu'est-ce qui te fera penser que je suis prêt ?

— Continue à faire ce que tu fais. Travaille, parle, surveille ton comportement et ensemble, nous essaierons de comprendre ce qui te fait vibrer et comment t'empêcher de vouloir voler une voiture.

Kenny se moqua pendant qu'ils mettaient les outils et les seaux dans le camion.

— Je sais ce qui me fait vibrer.

— Ah oui ?

Dare aperçut Cowboy qui se dirigeait vers eux sur Sunshine, une douce palomino qu'ils avaient sauvée il y avait quelques années de cela. C'était l'une des préférées de Cowboy, même s'il en avait beaucoup.

— Dis-moi trois choses sur toi.

Kenny recula, les yeux pleins de peur, tandis que Cowboy s'approchait.

— Je n'aime pas les chevaux.

Cowboy passa de Kenny à Dare.

— Tout va bien ?

— Il n'aime pas les chevaux, dit Dare en haussant les épaules.

— Pourquoi ? Tu as eu une mauvaise expérience avec l'un d'entre eux ? demanda Cowboy.

— Non, mais ils me font peur. Ils sont énormes et ils vous regardent comme s'ils savaient ce que vous pensez.

Kenny se rapprocha du camion.

— Ils te regardent comme ça parce qu'ils ne parlent pas notre langue. Ils cherchent des indices sur ce que tu penses et ce que tu attends d'eux.

Cowboy caressa Sunshine.

— Les chevaux sont des créatures affectueuses.

Dare se rapprocha de la tête de Sunshine et fit des bruits de baisers. Elle pencha la tête, pressant son museau contre sa poitrine, et il embrassa sa tête et gratta sa mâchoire.

— Tu vois, c'est comme ça qu'ils font des câlins. Il faut gagner leur confiance, mais une fois que c'est fait, ils te traitent avec le même amour et le même respect que tu leur témoignes.

— Monter à cheval est bien plus amusant que de conduire une voiture, ajouta Cowboy.

Kenny secoua la tête.

— Je ne sais pas ce qu'il en est de tout cela, mais ils me font toujours peur.

Dare et Cowboy échangèrent un regard complice.

— Souviens-toi de ce que je vais te dire, Kenny, dit Cowboy. Nous ferons de toi un cow-boy.

— Où vas-tu ? demanda Dare.

— Je vais à la maison principale pour parler à Maya, mais il fait si beau que j'ai décidé de prendre le chemin le plus long. La clôture a l'air bien.

— Merci. Kenny fait du bon travail. On va aller réparer l'autre clôture maintenant.

— Très bien. Je vous retrouve plus tard.

Alors que Cowboy s'éloignait, Kenny poussa un soupir de soulagement.

Dare montra la camionnette et alors qu'ils montaient à bord, il dit :

— Tu es sûr que tu n'as jamais eu d'accrochage avec un cheval avant ?

— Oui. Je n'en ai jamais côtoyé.

— Peut-être qu'on peut travailler à t'acclimater lentement et voir si on peut faire disparaître cette peur.

— Peu importe.

Il regarda par la fenêtre.

Alors qu'ils se rendaient dans un autre pâturage pour réparer un autre rail cassé, Dare revint sur ses pas pour terminer leur conversation sur les motivations de Kenny.

— Tu disais que tu savais ce qui te faisait vibrer. Peux-tu me dire deux choses de plus sur toi ?

— Je ne sais pas, dit-il sans regarder Dare. C'est *stupide*.

— Pourquoi est-ce stupide de vouloir mieux te connaître ?

— Parce que ça n'a pas d'importance.

— Bien sûr que si. Je veux t'aider à dépasser le vol de voitures pour que tu ne commettes pas de crimes plus graves. Le monde est immense, Kenny. Peut-être que nous pourrons trouver où est ta place.

Kenny resta silencieux pendant qu'ils traversaient la propriété et Dare le laissa mijoter, prenant des notes mentales sur les choses qui le faisaient se taire. Lorsqu'ils atteignirent la clôture brisée, ils allèrent à l'arrière du camion pour sortir les outils.

— Allez, Kenny. Trouve-moi quelque chose. Qu'est-ce que tu aimes ou n'aimes pas d'autre ?

Kenny haussa les épaules en sortant un seau de la benne du camion.

— Et les filles ? Tu les aimes bien ?

— Oui, mais elles mentent.

— Les mecs aussi, malheureusement. Quelle fille a pu te mentir pour te faire croire qu'elles mentent toutes ?

Il donna un coup de pied dans l'herbe.

— Ça n'a pas d'importance.

— Tu fais ça souvent. Tu dis que les choses qui ont un impact sur tes sentiments n'ont pas d'importance. Mais ils en ont, Kenny. Tes sentiments sont importants pour moi, pour tes parents, pour tes amis.

— C'est des *conneries*. Mes parents n'en ont rien à faire *de moi*.

Sa voix monta d'un cran.

— Ils m'ont éloigné de tout ce que je connaissais. Ils se fichaient que je perde mes amis et ma petite amie. Et pour quoi faire ? Pour que mon père puisse faire un boulot minable ?

Ses mains se crispèrent sur ses flancs.

— Alors, ne me dis pas que mes sentiments comptent pour mes parents *ou* ma copine, parce qu'elle a fini par se taper mon meilleur ami.

Il tourna le dos à Dare, ses épaules se soulevant au rythme de ses respirations furieuses.

C'était une pilule difficile à avaler pour n'importe qui et pas facile à dépasser.

— Eh bien, ça craint. Je suis désolé que tu aies eu à vivre ça.

— Sans déconner, ça craint, et ne me demande pas ce que je ressens.

— Pourquoi le ferais-je, alors que je peux voir à quel point tu es bouleversé ?

Il contourna Kenny pour pouvoir voir son visage et comme il s'en doutait, il y avait une guerre qui faisait rage dans ses yeux, mais cette guerre était engloutie de tristesse.

Kenny se renfrogna.

— *Quoi ?*

— Je me sens mal pour toi. Je sais ce que c'est que d'aimer quelqu'un et de le voir choisir quelqu'un d'autre.

— Oui, bien sûr, grogna-t-il en se détournant.

— C'est comme si tu avais été poignardée dans la poitrine. Trahi par les personnes en qui tu avais le plus confiance. Ça te fait tout remettre en question et douter de tout. Cela ronge la confiance que tu accordes aux autres et te donne envie de construire un maudit mur autour de toi pour que personne ne puisse te faire du mal.

Kenny le regarda avec circonspection.

— Je t'ai dit que j'étais passé par là.

— Ne me raconte pas les conneries que tout le monde dit sur le fait que ma meilleure amie n'est pas une vraie amie ou qu'elle et moi ne sommes pas faits l'un pour l'autre.

— Je ne ferai pas ça, parce que je ne crois pas que toutes les situations soient les mêmes.

Il maintint le regard de Kenny.

— Je n'en sais pas assez sur votre relation pour donner mon avis. Peut-être que vous n'étiez pas faits l'un pour l'autre, ou peut-être que tu as fait le con avec elle, ou qu'elle n'était pas bien pour toi. Je ne peux pas me prononcer sur ces questions. Je ne sais même pas combien de temps vous vous êtes vus ou comment les choses se passaient entre vous deux quand tu as déménagé.

— Six mois, rétorqua-t-il.

— C'est une longue période. Tu l'aimais ?

Kenny acquiesça, la mâchoire serrée.

— Elle a dit qu'elle attendrait. J'allais trouver un travail et économiser de l'argent pour prendre le train et aller la voir pendant l'été.

— C'est un projet solide et réfléchi.

— Ça m'a fait beaucoup de bien. Trois semaines plus tard, j'ai reçu un message disant qu'elle ne pouvait pas attendre et qu'elle rompait avec moi.

— La vache, c'est dur.

Et ça expliquait beaucoup de choses.

— Je ne veux pas en parler.

Je ne le voudrais pas non plus, mais un jour nous le ferons.

— D'accord, alors dis-moi autre chose sur toi.

— Je déteste qu'on me dise ce que je dois faire.

— C'est une bonne réponse, et ce n'était pas si difficile, n'est-ce pas ?

Dare sortit le reste des outils du camion et les transporta jusqu'à la clôture.

— La plupart des gens n'aiment pas qu'on leur dise ce qu'ils doivent faire. Qu'est-ce qui te dérange le plus ?

— Je ne sais pas. *Tout.* Les professeurs nous parlent comme si nous étions des idiots. Mes parents me regardent comme si j'étais une sorte d'extraterrestre, et ils parlent comme si c'était le bon vieux temps. Ils disent toujours des trucs comme "*Quand j'étais à l'école*". Eh bien, devine quoi, mon vieux. C'était il y a cent ans.

— Les gens ont tendance à s'inspirer de ce qu'ils savent, et c'est généralement tiré de leurs propres expériences. On ne peut pas leur reprocher ça.

— Mais ils ne *comprennent* pas. Je leur ai dit un million de fois que l'école *n'est plus* ce qu'elle était quand ils avaient mon âge.

Dare savait que les notes de Kenny étaient bonnes avant qu'il ne déménage, mais s'il avait appris une chose importante en travaillant avec des adolescents, c'était que lorsqu'ils abordaient un sujet, il y avait une raison.

— As-tu essayé de leur expliquer *pourquoi* ce n'est pas le cas ?

— Comment ça ? Tout simplement parce que ce n'est pas le cas.

— Il doit y avoir des raisons. Beaucoup de parents ont l'impression de ne pas connaître leurs adolescents et les enfants ont l'impression que leurs parents ne les comprendront jamais…

— Je sais que *les miens* ne le feront pas.

— Ils ne peuvent pas si tu ne communiques pas efficacement avec eux. Quand j'avais ton âge, si mes parents me parlaient, je pensais à la prochaine chose que je voulais faire, comme voir mes amis ou faire de la moto tout terrain.

Ses yeux s'illuminèrent.

— Tu as fait de la moto ?

— Oui, mais ce n'est pas le sujet.

— Mais c'est *cool*.

— Oui, ça l'est, et nous pourrons en parler une autre fois. Le fait est que si ton père était là à essayer de te parler, même si tu es sur le point de réparer une autre clôture, tu es probablement en train de penser à faire tes devoirs pour que Dwight ne soit pas sur ton dos et à jouer à des jeux vidéo ce soir.

— Non. Je pense aux motos tout terrain.

Dare rit, ce qui lui valut un sourire sincère de la part de Kenny.

— J'aime ton honnêteté, mais voilà le problème. Quand tes parents essaient de te parler, il se peut que ton esprit s'égare, alors tu leur donnes probablement des réponses guindées, comme si ce *n'était pas la même chose*. Mais tes parents ne sont probablement pas distraits. Ils se concentrent uniquement sur toi, donc pendant que tu te désoles que l'école soit *différente*, ils cherchent des réponses à propos du fils qu'ils aiment et essaient de trouver comment t'aider.

— Ce n'est pas en posant cent fois les mêmes questions stupides qu'ils vont m'aider.

— Crois-le ou non, tu as le contrôle de ça.

— Non, c'est *faux*, martela-t-il.

— Écoute-moi bien. C'est à tes parents de poser les bonnes questions et d'écouter ce que tu as à dire, n'est-ce pas ?

— Oui, et… ?

— C'est là que le contrôle entre en jeu. C'est à toi d'essayer de leur expliquer en leur donnant plus qu'une réponse superficielle, pour qu'ils comprennent bien où tu veux en venir. Je vais te donner un exemple. Tu échoues à un examen et tes parents te disent que tu n'étudies pas assez, en s'appuyant sur leur propre expérience et en disant qu'ils avaient l'habitude d'étudier pendant des heures.

— Ils disent ça *tout* le temps.

— Et quelle est ta réponse ?

— Je leur dis que j'étudie suffisamment, puis nous nous disputons parce qu'ils ne *comprennent* pas. L'école est *plus difficile* ici que chez nous.

— Alors il faut le leur dire.

— Ils me diront simplement d'étudier plus longtemps.

— Peut-être que oui. Mais si tu as l'impression que cela ne va pas t'aider, tu peux répondre à leur commentaire sur le temps d'étude en donnant des raisons, comme le fait qu'Internet a facilité la recherche et l'apprentissage de différentes matières, ce qui fait que cela prend moins de temps. Mais il faut *aussi* leur dire que les cours sont plus difficiles et que tu as besoin d'une aide supplémentaire.

— Je ne veux pas de *leur* aide.

— Pourquoi ?

— Parce qu'ils me traitent avec mépris. Ils me traitent comme si j'étais stupide.

— Je suis désolé que tu ressentes cela. Malheureusement, beaucoup de parents ne se rendent pas compte de la façon dont les choses sont perçues par les enfants, et vice versa.

Il pensa à sa mauvaise communication avec Billie lorsqu'ils étaient adolescents et regretta de ne pas avoir su ce qu'il savait maintenant.

— On peut y remédier ensemble en trouvant une façon respectueuse de leur dire ce que tu ressens.

Kenny lui jeta un coup d'œil, comme s'il y réfléchissait, mais ne dit rien.

— Dans le feu de l'action avec les amis, les parents et les professeurs, l'instinct nous pousse à nous défendre de toutes les manières possibles, aussi vite que possible. Mais si tu prends quelques secondes avant de répondre pour réfléchir à ce que l'autre personne a vraiment besoin de savoir pour comprendre ton point de vue, et qu'au lieu d'argumenter par *oui, d'accord*, ou *non, pas question*, tu ne fais pas, tu communiques sur les vraies questions, les choses pourraient bien tourner en ta faveur. Tout n'a pas besoin d'être une dispute. Mais si tu veux qu'ils respectent tes opinions, tu dois communiquer efficacement et leur montrer du respect aussi.

Kenny baissa les yeux.

— Montrer du respect, c'est d'abord regarder les gens qui vous parlent, même quand c'est difficile.

Kenny croisa son regard.

Dare approuva d'un hochement de tête sec.

— Tes parents méritent le respect. Je sais que tu as l'impression qu'ils ont pris des décisions juste pour te contrarier, mais déménager n'a pas été une décision facile pour eux.

— Comment le sais-tu ?

— Parce que j'ai parlé avec eux l'autre jour quand ils ont appelé pour s'assurer que tu allais bien.

Il lut dans les yeux de Kenny quelque chose qui ressemblait beaucoup à la joie qu'il éprouvait à ce qu'ils aient pris de ses nouvelles.

— Tu savais que ton père avait essayé pendant des mois de trouver du travail plus près de ton ancienne maison après avoir été licencié ?

Kenny secoua la tête.

— Je ne savais pas qu'il avait été licencié.

— Ce n'est pas surprenant. Le travail de ton père est de prendre soin de sa famille, et il ne pouvait pas le faire là où tu vivais, alors il a fait ce qu'il fallait. Je sais que ça craint, surtout après ce qui s'est passé entre ta copine et toi, mais j'espère que si tu deviens père un jour, tu feras en sorte de pouvoir subvenir aux besoins de ta famille aussi.

— Je trouverais un autre moyen. Je n'obligerais jamais mon enfant à s'éloigner de tous ses amis.

Dare comprenait son point de vue, mais il connaissait aussi la dure réalité : la vie ne se déroule pas toujours comme on l'espère. Un jour, Kenny le comprendrait aussi.

— Tu as parlé à cette fille depuis que vous avez rompu ? Comment s'appelait-elle ?

— Katie. Elle ne veut pas me parler.

— J'imagine que c'est pour ça que tu as volé la voiture la première fois ?

— Je voulais juste la voir pour lui *parler*, répondit-il avec colère.

— Tu pensais que tu pourrais la reconquérir ?

Il haussa les épaules.

— Nous pourrons en parler plus longuement quand tu seras prêt et peut-être qu'une fois que tu auras compris certaines choses, tu pourras l'appeler pour que tu puisses tourner la page.

Ses sourcils se plissèrent.

— Tu me laisserais faire ça ?

— Quand tu seras prêt.

— Je suis *prêt*, dit-il avec espoir.

— Doucement, mon pote. Je veux dire quand je pense que tu es prêt.

Kenny leva les yeux au ciel.

— Crois-moi, tu voudras être prêt pour cet appel. Ce ne sera probablement pas facile et perdre ton sang-froid ne te rendra pas service.

— Perdre mon sang-froid avec toi ou avec elle ?

— Les deux. Mais ne t'inquiète pas, j'ai confiance en toi. Nous trouverons de meilleurs moyens de communiquer et des voies plus sûres pour toute cette fureur que tu portes en toi.

Kenny saisit le seau.

— On peut réparer la clôture maintenant ?

— Absolument.

Pendant qu'ils s'affairaient à retirer les vieilles vis et à enlever le rail, Dare ajouta :

— Tu as fini l'école cette année, mais à l'automne, si tu as encore des problèmes, ce sera à toi de demander de l'aide. Tu es trop intelligent pour ne pas essayer. Si tu ne veux pas demander à tes parents, tu peux demander de l'aide à ton professeur à midi ou après l'école, ou demander à un ami de te donner un coup de main, ou demander à tes parents de te trouver un tuteur.

Kenny ne dit rien jusqu'à ce qu'ils aient fini de réparer la rampe.

— Le travail scolaire n'est pas trop dur, chuchota-t-il.

C'est ce que je me suis dit.

— Non ? Alors pourquoi tes notes ont-elles chuté ?

— A cause de ce qui s'est passé avec Katie. Je n'arrivais pas à me concentrer.

Dare avait envie de lever le poing sur cette découverte. Il

voulait l'approfondir, mais il savait attendre son heure, il garda alors son sang-froid.

— C'est compréhensible. Nous pourrons peut-être en parler demain.

— On a *fini* ?

— Bien sûr. A moins que tu ne veuilles encore parler ?

— Bien sûr que non. Dwight et Simone préparent des brioches à la cannelle pour le goûter d'aujourd'hui et je suis affamé.

— Des brioches à la cannelle ? Qu'est-ce qu'on attend ? Sortons d'ici.

Quand ils arrivèrent à la maison principale, Kenny descendit du camion et regarda Dare avant de fermer la porte.

— Merci.

— Pour quoi ?

— Pour ne pas avoir dit à mes parents que j'étais un con quand je l'étais.

— Je ne suis pas là pour que tu te sentes mal dans ta peau. Je suis de ton côté.

— Tu m'apprendras à faire de la moto ?

— C'est à toi de voir.

Les sourcils de Kenny se froncèrent en signe de concentration, et il fit un signe de tête sec, qu'il avait sans doute appris de Dare, et se dirigea vers l'intérieur. Le thérapeute était fier de lui. Il avait partagé des choses difficiles aujourd'hui. Ils avaient encore un long chemin à parcourir, mais au moins, ils étaient sur la bonne voie. Dare se dirigea vers les granges inférieures, où il devait retrouver Darcy pour sa séance. Son téléphone vibra et il vit le nom de Billie sur l'écran.

— Enfin !

Il s'arrêta pour lire son message. *La distance m'a aidée.*

— Franchement, Mancini ? Grommela-t-il. Je n'ai pas de nouvelles de toi pendant vingt-quatre heures et je reçois deux mots ?

Une autre bulle de texte apparut. *En quelque sorte.*

En souriant, il envoya : *Je te manque, n'est-ce pas, Mancini ?*

Sa réponse fut immédiate : un émoji de roulement d'yeux.

Cette femme allait le rendre fou.

Un autre message arriva. *Peut-être un peu. Il s'avère que j'aime mieux mon espace quand tu y es aussi.*

— Ça, c'est mieux comme ça.

Il tapa : *On dirait que quelqu'un veut s'amuser avec son Whiskey.*

Elle envoya un emoji de rire.

— Vas-y, ris, Mancini. On sait tous les deux que c'est moi que tu veux.

Il envoya un pouce puis *Je dois me rendre à une séance avec un patient. Ne remets pas de la distance.* Il ajouta un emoji aubergine et des flammes, appuya sur Envoyer et se dirigea vers la grange pour rencontrer son prochain patient en pensant à sa Tigresse qui dansait dans son esprit.

CHAPITRE NEUF

LES VENDREDI SOIRS ÉTAIENT toujours des moments de folie au *Roadhouse*. Entre les applaudissements autour du taureau mécanique, le vacarme de la foule et la musique à fond, Billie ne pouvait pas s'entendre penser – et elle *adorait* ça. Ça n'aurait pas été un bar de motards sans des gars turbulents qui se frappaient la poitrine comme des imbéciles et sans les filles qui bavaient sur eux. Cela ne la dérangeait même pas de remettre les gars à leur place ou de dire aux gens qu'ils avaient bu assez d'alcool et de refuser de les servir. Elle était toujours prête à relever un défi, et ce soir, elle avait besoin d'une distraction. Elle s'était sentie tellement mieux après avoir parlé avec son père et en pensant à tout ce que Dare et lui avaient dit, elle aurait aimé être honnête avec eux avant. Elle s'était sentie tellement bien qu'elle avait laissé ses sentiments s'exprimer dans son message à Dare, et elle s'était retrouvée avec des papillons dans le ventre.

Elle posa une serviette sur le bar et y déposa un verre devant un grand brun.

— Que puis-je vous servir d'autre ?

Il sourit et des fossettes à faire fondre les culottes apparurent.

— Que diriez-vous d'un rendez-vous avec une belle barmaid ?

Bobbie venait d'arriver derrière le bar et elle jeta à Billie un regard à mi-chemin entre *l'envie* et l'amusement.

Billie s'appuya sur le bar en face de l'inconnu aux fossettes.

— N'est-ce pas mignon ? Désolée, mais je suis *prise*.

Elle ne réfléchit pas à ce qu'elle venait de dire mais elle en éprouva une grande joie.

— Mais la cuisine est ouverte jusqu'à dix heures et nous avons des ailes de poulet qui vous satisferont à coup sûr.

Elle lui tendit un menu d'entrées et se retourna pour attraper une serviette.

Bobbie était *là*, vêtue d'un T-shirt ROADHOUSE et arborant un sourire narquois.

— *Prise*, hein ? Et tu n'as pas arraché la tête de ce type comme tu le fais d'habitude ? Ça explique beaucoup de choses.

— Pourquoi ?

Bobbie baissa la voix.

— Manifestement, Dare t'a débarrassée de toute cette colère refoulée que tu traînais. Bravo *Dare*.

— *La ferme.*

Bobbie prenait beaucoup trop de plaisir à la taquiner et Billie était surprise de ne pas détester cela. Mais elle ne voulait pas que ses affaires personnelles deviennent le sujet de conversation de la ville.

— C'est quoi la prochaine étape ? Tu vas porter sa gourmette ?

Elle aurait donné n'importe quoi pour la porter au lycée.

— Tu n'as pas de clients à servir ?

Elle fit un pas vers un groupe de gars accrochés au bar, mais Kellan s'avança pour les servir.

— Mais *si*, j'en ai. Mon dieu grec préféré, un père célibataire, est ici.

Bobbie désigna Ezra à travers le bar, assis à une table avec Rebel et d'autres Dark Knights.

— Il n'est même pas grec. Son nom de famille est *Moore*.

— Sa mère est grecque.

— Comment le sais-tu ? On n'a jamais rencontré sa mère.

— Les gens ont peut-être peur de toi, mais ils me confient leurs secrets.

Elle gloussa et sortit de derrière le bar juste au moment où les portes d'entrée s'ouvrirent et où Dare entra à grands pas, suivi de Doc, Cowboy et Hyde.

Le pouls de Billie s'accéléra, et comme les clients tournaient la tête pour regarder les quatre badass en cuir qui bloquaient l'entrée, elle était presque sûre que toutes les autres femmes le faisaient aussi. Mais elle n'y pensa plus, car tandis que Dare menait la meute vers le bar, ses yeux ne la quittaient pas. Il était magnifique, tous ces muscles fermes parfaitement tatoués. Sa poitrine se mit à palpiter, et elle n'aimait pas cette sensation incontrôlable lorsqu'elle était au travail, avec des dizaines d'yeux braqués sur elle.

Un sourire de loup ourla ses lèvres tandis qu'il posait ses mains sur le bar, se penchant par-dessus.

— Hé, chérie. Donne-moi donc un peu à manger.

Son souffle se bloqua dans sa gorge. *Est-ce qu'on fait ça ? Ici ? Maintenant ?* Ses frères, et tous les clients assis près d'eux, les regardaient avec des expressions curieuses et amusées, et Dare la fixait avec impatience. *Bon sang, Dare, accorde-moi une minute.* Elle n'arrivait pas à réfléchir correctement. Elle saisit une poignée de sachets de sucre sous le bar et les déposa devant lui.

Les gars se mirent à rire.

Dare mit la main sur son cœur, se penchant en arrière comme si on lui avait tiré dessus.

— Bon sang, Mancini, ça fait *mal*. Les gars, est-ce qu'il y a un couteau dans ma poitrine ? Est-ce que je saigne ?

Elle rit.

— Idiot.

— Mec, elle t'a bien descendu, dit Doc en riant.

Le type qui venait de lui demander son numéro dit :

— Elle est prise, mec. J'ai déjà demandé.

Les yeux de Dare se plissèrent mais ils étaient toujours fixés sur elle.

— Ouais, par un biker bien membré, d'après ce que j'ai entendu dire.

Elle avait besoin de détourner la conversation et regarda ses frères.

— Vous voulez une tournée de bières ?

Le regard de Cowboy se promena curieusement entre Dare et elle.

— Nom d'un chien. Dis-moi que ce n'est pas vrai, Billie. Dis-moi que tu n'es pas celle qui a volé la camionnette.

Ses yeux s'écarquillèrent et elle regarda Dare, qui arborait un sourire carnassier. *Qu'est-ce que tu leur as dit ?*

— Je pensais que tu avais plus de goût que ça, la taquina Hyde.

Merde. Merde, merde, merde. Même si elle ne voulait pas devenir le sujet de conversation de la ville, elle ne voulait pas qu'ils pensent qu'il avait été avec quelqu'un d'autre.

— Ouais, j'ai pris son foutu pick-up, mais je lui ai rendu. Vous voulez des bières ou pas ?

Hyde poussa Cowboy et lui tendit la main.

— Balance la monnaie, abruti.

Cowboy sortit son portefeuille de sa poche et Billie leva les yeux au ciel.

— Sérieusement ? s'agaça Dare.

Hyde et Billie se mirent à rire.

— Ouais, on prend ces bières, Billie, dit Doc. Merci.

Elle les servit, puis désigna de son pouce par-derrière son épaule.

— Il faut que je prenne quelque chose à l'arrière.

Elle partit dans la réserve.

Dare franchit les portes derrière elle, réduisant la distance qui les séparait.

— Dare. C'était quoi *ça* ?

Ses bras entourèrent sa taille et il souriait toujours.

— C'était moi qui disais bonjour à ma copine.

— Et *pourquoi* pas un baiser devant tout le monde ? Je n'ai pas besoin que toute la ville sache qu'on se fréquente.

— Pourquoi pas ?

— Je ne sais pas. Parce qu'on n'était même pas dans la vie de l'autre pendant des années, et maintenant on l'est, et...

— Nous avons toujours été dans la vie l'un de l'autre. J'ai toujours été dans ton cœur.

Il posa ses lèvres sur les siennes.

— Et dans ta tête.

Il l'embrassa à nouveau, plus longuement cette fois-ci, atténuant son irritation.

— J'étais là presque toutes les nuits où tu travaillais.

Il l'embrassa dans le cou, l'adossant aux étagères, et sa possessivité plongea son corps dans une frénésie de désir et de besoin.

— Et nous savons tous les deux que j'étais dans tes fantasmes sous la douche.

Il déposa des baisers dans son cou, allumant des étincelles sous sa peau.

— Mais c'est *nouveau*, et nous avons encore des choses à régler, dit-elle à bout de souffle.

Il effleura ses lèvres.

— Prends tout le temps dont tu as besoin, chérie. Tu es à moi et je suis à toi, et je ne vais pas le cacher. Mais nous n'avons pas besoin d'en faire toute une histoire. Quand tu seras prête, j'ai hâte de le faire savoir au monde entier.

— Je ne veux pas le cacher non plus. C'est juste que je ne veux pas qu'on s'embrasse dans mon bar. J'ai besoin que les gens me respectent ici.

— J'ai compris, Mancini, ne t'inquiète pas. J'assure tes arrières.

Ses yeux devinrent volcaniques.

— Et maintenant, je veux ta *bouche*.

Sa bouche descendit sur la sienne avec tant de séduction que c'en était hypnotisant, l'attirant plus profondément en lui à chaque coup de langue. Elle se mit sur la pointe des pieds, désireuse d'en avoir plus, et il lui donna ce qu'elle désirait. Il ne se contenta pas de l'embrasser, il la *dévora*, sa langue plongeant, ses mains s'égarant, ses hanches ondulant, attirant chaque once d'elle dans leur royaume. Ses membres picotaient et ses genoux faiblissaient. Elle était étourdie par le désir, s'accrochant à lui alors que la réalité s'éloignait et qu'elle se perdait dans leur monde de sensations érotiques.

— *Waouh !*

Ils se séparèrent au son de la voix de Kellan et Dare se plaça devant elle, comme il l'avait fait avec Cowboy toutes ces années auparavant. Kellan souriait victorieusement.

— Hé, mec, dit Dare calmement. Nous étions juste en train de discuter de quelque chose.

— Comme si elle avait besoin d'une ablation des amygdales ?

Kellan rit.

Billie lui jeta un regard noir.

Il regarda Billie en face.

— Mauvaise entremetteuse, mon œil. C'est *moi qui l'ai dit.* Rendez-moi service, apportez une autre caisse de Guinness quand vous aurez fini de *discuter.*

Lorsque Kellan sortit, Dare la ramena dans ses bras en souriant.

— Bonne chance pour éviter que les ragots ne s'ébruitent maintenant.

— Ce n'est *pas* drôle. Je dois m'occuper de lui.

Même si elle souriait elle aussi, car jamais elle aurait pu imaginer être surprise dans une position compromettante au travail. Mais depuis que Dare était tombé du ciel, c'était comme si le monde les poussait l'un vers l'autre. S'agissait-il d'un autre signe d'Eddie ? Ou était-ce simplement là où ils étaient censés être ?

— Tu veux que je parle à Kellan ?

— Bien sûr que *non.* Je peux m'occuper de mes affaires, mais j'ai besoin de retourner au travail.

Il la serra contre lui et lui palpa les fesses, ce qui lui donna encore plus chaud. Devait-elle vraiment retourner au travail ?

— Juste un dernier baiser pour me permettre de tenir jusqu'à ce que je te mette dans mon lit ce soir, dit-il d'une voix basse et rauque.

— Et qu'est-ce que tu aimerais me faire exactement ce soir ?

— Tout, grogna-t-il en posant ses lèvres sur les siennes.

IL FALLUT BEAUCOUP de temps pour arriver à l'heure de la fermeture. Dare devait avoir pour mission de garder Billie en haleine car il ne manquait pas une occasion de lui lancer des regards furtifs, des caresses volées et des chuchotements coquins sous le prétexte de commander un verre. L'impatience d'être avec lui était presque aussi incroyable que le fait d'être avec lui.

Au moment où elle ferma le bar, elle était prête à lui arracher ses vêtements sur le parking. Mais elle n'allait pas prendre le risque de se faire surprendre dans ce genre de position compromettante, alors elle le suivit jusqu'à sa maison où ils s'unirent comme des animaux affamés, franchissant la porte d'entrée dans un enchevêtrement de baisers désordonnés et de caresses avides.

— Je suis toute en sueur à cause du travail, dit-elle entre deux baisers.

— Je t'aime quand tu es comme ça.

Elle sourit entre leurs baisers, captivée par sa passion implacable, mais elle avait besoin de se débarrasser de la crasse de la nuit avant de le laisser poser sa bouche sur elle.

— Cela signifie-t-il que tu *n'aimerais pas* me voir nue dans ta douche ?

Il grogna et le son charnel résonna en elle tandis qu'il la prenait dans d'autres baisers étourdissants et qu'ils se dirigeaient vers la salle de bains principale, qui ne ressemblait plus du tout à ce qu'elle était auparavant. Elle était tout aussi robuste et unique que Dare, avec des sols en ardoise, des murs en marbre dans des tons bleus et bruns, des armoires en bois sombre et des comptoirs noirs. Ils se déshabillèrent l'un l'autre pendant que la douche chauffait.

L'ardoise était froide sous ses pieds, mais son corps était chaud comme la braise lorsqu'ils entrèrent dans l'énorme douche. Une pluie d'eau tiède s'abattit sur eux tandis qu'il l'attirait dans ses bras, dévorant à nouveau sa bouche. Ses poils irritaient sa joue et elle s'en délectait. Elle était dépendante de ses baisers, de la chaleur qui brûlait entre eux chaque fois qu'ils étaient ensemble. Son corps était séduisant, lisse et délicieusement dur. Lorsqu'il se retira, un brasier dans son regard, pour aller chercher le gel douche, sa bouche et la sensation qu'il avait contre elle lui manquèrent instantanément. Mais ces sentiments chaleureux furent refroidis à la vue de *plusieurs* bouteilles de gel douche rose-vert et or sur le rebord.

— Combien de femmes as-tu eues ici ?

— Aucune, pourquoi ?

Elle désigna les flacons d'un signe de tête.

— Elles viennent de *Birdie*. Elle vient toutes les deux semaines avec toute cette merde et me dit que je dois l'utiliser ou ma peau sera comme du cuir. J'ai aussi une demi-douzaine de bouteilles de lotion. Elle les reçoit d'une certaine Roxie dans le nord de l'État de New York. Je me sens mal si je ne les utilise pas.

Elle poussa un soupir de soulagement et il l'attira à nouveau dans ses bras pour lui embrasser la joue.

— Tu n'es pas *jalouse*, n'est-ce pas, Mancini ?

— *Non.* Juste curieuse.

— Hum-hum.

Il lui donna un doux baiser.

— J'aime que tu sois jalouse.

— Remballe ton ego avant de casser l'ambiance, lui dit-elle en le taquinant.

Il passa une main entre ses jambes, ses doigts épais glissant sur sa peau lisse.

— Je n'ai pas *l'impression* de casser l'ambiance.

Il se pencha, taquinant ses nerfs les plus sensibles tout en lui parlant d'un ton bourru à l'oreille.

— J'ai l'impression que tu as envie de moi.

Il continua à exercer une pression exactement au bon endroit pour lui faire perdre la tête. Son excitation l'effleura et son esprit s'engagea sur un chemin dangereux, se rappelant tous les plaisirs luxueux que cet appendice monstrueux pouvait lui procurer, la réchauffant de l'intérieur. Il dut sentir un changement dans son énergie car il gémit dans son oreille et accéléra ses efforts entre ses jambes. Elle serra les dents contre la pression qui montait en elle.

— *Dare.*

Il passa sa langue sur le bord de son oreille.

— Dis-moi que tu as envie de moi, Mancini.

Elle haleta un *Putain de merde.*

— On y viendra.

Il s'arrêta.

Elle balança ses hanches, le poussant à bouger.

— *Dis-le*, exigea-t-il.

Le timbre grave de sa voix était aussi enivrant que son toucher.

— *Je veux que tu...*

Il couvrit sa bouche avec la sienne, ses doigts se déplaçant à une vitesse vertigineuse, l'amenant au bord de l'extase en la maintenant là, les doigts et la langue ralentissant. C'était la torture la plus merveilleuse qu'elle ait jamais endurée. Lorsqu'il accéléra son rythme, intensifiant leurs baisers, le besoin pulsa de façon brûlante et insistante en elle, prenant de la force et la réchauffant du bout de ses doigts jusqu'à ses orteils, jusqu'à ce qu'il gonfle et s'enfonce dans son cœur, suscitant des gémissements de plus en plus avides et besogneux. Il rompit le baiser.

— *Non ! Reviens !* Je vais profiter de chaque seconde de ce moment.

Sa barbe lui griffa la joue tandis qu'il enfonçait ses dents dans le lobe de son oreille, envoyant des éclairs entre ses jambes, faisant voler en éclats le reste de sa retenue. Elle cria, s'accrochant à lui alors que le plaisir explosait en elle. Puis sa bouche recouvrit la sienne, l'embrassant avec brutalité et, d'une certaine manière, avec douceur, ralentissant le rythme alors qu'elle redescendait de son excitation, respirant à pleins poumons.

— *Bon sang, Dare*, dit-elle à bout de souffle. Je ne me doucherai peut-être plus jamais seule.

Un petit rire gronda tandis qu'il se versait du gel douche dans la main.

— Mon plan diabolique fonctionne.

— On peut jouer à deux à ce jeu.

Elle lui tendit la paume et il y versa du gel douche.

Leurs yeux se croisèrent pendant qu'ils se lavaient l'un l'autre. Ses mains rugueuses passaient sur ses épaules et descendaient le long de ses bras, et elle faisait de même avec lui, se délectant des creux fermes et des sillons durs de ses muscles. Aucun des deux ne parla pendant qu'ils exploraient leurs corps respectifs d'une manière nouvelle et différente, le silence n'étant rompu que par le bruit de l'eau qui tombait en cascade sur eux et par leurs respirations lourdes. Ses mains se déplaçaient sur sa large poitrine tandis que les siennes descendaient le long de ses flancs, s'arrêtaient à sa taille et pressaient ses hanches. Elle inspira brusquement et passa ses doigts sur ses mamelons, les caressant, les taquinant et les tordant. Ses muscles se tendirent et la chaleur s'alluma dans ses yeux, envoyant la luxure directement au cœur de la jeune femme, amplifiant son désir de lui procurer encore plus de plaisir, de le voir serrer les dents comme il le faisait maintenant, alors que ses mains descendaient le long de son ventre, et de sentir sa retenue alors qu'elle le touchait si près de son sexe qu'il tressaillait.

Elle pensait que leur relation avait atteint son apogée, mais elle ne s'attendait pas à ce nouveau type d'intimité. Il mit plus de gel douche dans ses mains, soutenant toujours son regard alors qu'il lui lavait les seins, donnant à ses mamelons la même attention qu'elle avait donnée aux siens, envoyant des ondulations de plaisir jusqu'à ses orteils.

— Je veux ma bouche sur toi, dit-il en serrant les dents.

Elle serra sa queue, la caressant lentement et fermement.

— Je pensais la même chose.

Ses lèvres se retroussèrent, mais lorsqu'elle passa la paume de sa main le long de la longueur dure et sur la tête large, ce rictus se transforma en gémissements étouffés, le désir s'intensifiant dans ses yeux.

— *Pas* la bouche, ordonna-t-il en la serrant contre lui.

Son ardeur se pressait contre son ventre et elle essaya de l'en empêcher.

— Tu *sais bien* que tu veux m'embrasser.

— Je veux t'embrasser, te baiser avec ma bouche et avoir ta bouche enroulée autour de moi jusqu'à ce que je jouisse si fort que je ne puisse plus bouger.

Son corps frémit d'impatience. *Oui, je t'en prie…*

— Mais nous ne ferons rien de tout cela, parce que je ne veux pas que tu jouisses encore.

Il lui tripota les fesses, ses doigts épais glissant entre ses fesses et serrant si fort qu'elle en eut le souffle coupé.

— Tu sens ce pincement au fond de toi, Tigresse ?

Elle répondit par un gémissement.

Ses mains glissèrent sur l'arrière de ses cuisses, envoyant des picotements le long de ses deux jambes.

— *C'est ce que* nous voulons. Je veux que tu sois tellement excitée que tu puisses à peine parler.

Avant qu'elle n'ait pu prononcer un mot, il la retourna de façon à ce que son dos soit contre sa poitrine et passa un bras puissant par-dessus son épaule, enserrant son sein. L'autre bras glissa lentement le long de son ventre, taquinant son clitoris et sa respiration se bloqua à nouveau.

— Je pensais…

Elle soupira, perdue dans les sensations exquises qui la traversaient comme des vagues.

— Tu n'allais pas me faire jouir.

— Je ne vais pas le faire.

Il aspira le lobe de son oreille dans sa bouche.

— *Pas encore.*

Il mit plus de gel douche dans ses mains, et lorsqu'elles glissèrent sur ses seins, elle ferma les yeux, s'abandonnant à sa séduction divine. Il lui savonna le corps, la caressant et la *prenant*, lui grommelant des choses cochonnes à l'oreille chaque fois qu'elle se crispait ou qu'elle gémissait. Il lui palpa les seins, pressant ses mamelons si fort qu'elle se dressa sur ses orteils.

— Un jour, je jouirai sur ces seins.

Un son illicite, quelque part entre oui et un *oh mon Dieu*, s'échappa de ses poumons. Son corps dur s'enfonça dans sa chair tandis que ses mains se déplaçaient sur le haut de ses jambes, se frayant un chemin jusqu'à l'intérieur de ses cuisses et glissant vers le haut, effleurant son sexe.

— Et sur toute cette jolie chatte.

Elle avait du mal à respirer face aux désirs que ces promesses faisaient naître en elle. Elle se déhancha, cherchant à le toucher, mais il se serra contre elle, continuant à l'amener au bord de la folie. Il décrocha la pomme de douche, lui soufflant à l'oreille qu'il la manipulait.

— Prête à *jouer*, chérie ?

Elle essaya de chasser le désir de son esprit pour comprendre ce qu'il voulait dire, mais l'une de ses mains se glissa à nouveau autour de sa taille, caressant son sein, et il tourna la pomme de douche entre ses jambes. Ses yeux se fermèrent sous l'effet des sensations émoustillantes qui la traversaient, et des étincelles jaillirent derrière ses paupières closes.

— *Oh, mon Dieu !*

Elle appuya ses paumes sur le carrelage froid et humide pour se soutenir, et il ne perdit pas une seconde, continuant à lui caresser les seins et à utiliser cette douchette alléchante pour lui faire lever les yeux au ciel. Il poussa son sexe entre ses jambes, frottant le long de son corps, provoquant des frottements qui lui donnaient des fourmis dans les orteils.

— Serre tes jambes l'une contre l'autre.

Sa demande se heurta à la sensation de son épaisseur caressant et glissant entre ses jambes, l'eau agissant comme une douzaine de langues à la perfection, et sa main faisant des ravages sur ses seins. Elle serra ses jambes tremblantes aussi fort qu'elle le put.

— *Mon Dieu*, grogna-t-il. J'ai tellement envie de te baiser maintenant, Tigresse.

Elle essaya de reprendre son souffle, les sensations fulgurantes venant de tous les côtés.

— Oh mon Dieu, *oui* !

Elle regarda par-dessus son épaule, leurs yeux s'entrechoquant avec une telle passion qu'elle jura avoir senti la terre bouger et eut du mal à trouver ses mots.

— Je … me *protège*. Pilule.

— *Putain*, bébé. Tiens ça, et ne t'avise pas de le bouger d'entre tes jambes.

Il lui tendit le pommeau de douche et lui saisit les hanches.

— Tu ferais mieux de tenir ce mur avec ton autre main, chérie, parce qu'une fois que je serai en toi, je ne pourrai plus me retenir. On va y aller fort et violemment.

— Tu as *intérêt*.

Un grognement sourd jaillit de ses poumons lorsque sa paume heurta le mur et qu'il s'enfonça en elle d'une seule et unique poussée. Ils crièrent tous les deux, leurs sons indiscernables se répercutant. Il ne ralentit pas, se jetant sur elle, la prenant avec la puissance du tsunami qu'elle avait toujours su voir en lui, envoyant des courants électriques à travers elle en rafales et en vagues. Elle ne pouvait plus penser, pouvait à peine respirer, et lâcha la pomme de douche pour s'agripper au mur à deux mains, essayant de se stabiliser dans ce monde vertigineux. La douchette s'agita sur toute sa longueur, frappant le mur et aspergeant leurs jambes tandis que leurs orgasmes s'emparaient de leur corps et qu'ils s'enfonçaient dans l'oubli, secoués de soubresauts, lançant des jurons, leur passion dévorante leur prenant tout ce qu'ils avaient à donner. Le plaisir continua encore et encore, jusqu'à ce que ses jambes cèdent et que Dare l'entoure de ses bras, l'embrassant le long de sa colonne vertébrale.

— Je perds la tête quand je suis avec toi, chérie. Je ne t'ai pas fait de mal, n'est-ce pas ?

Comment pouvait-il penser cela, alors que c'était elle qui l'avait demandé ? Elle secoua la tête, incapable de parler et il la tourna dans ses bras, l'amour dans ses yeux lui faisant à nouveau tourner la tête.

— Tu n'as pas à être jalouse, ma chérie. D'autres femmes ont pu avoir mon corps, mais tu es la seule à avoir eu mon cœur.

Elle déglutit difficilement, surprise qu'il pense encore à son commentaire sur le gel douche et souhaitant avoir la capacité d'être aussi directe avec ses mots que lui. Elle ne savait pas si elle pourrait un jour être cette fille, mais il lui donnait envie d'essayer.

CHAPITRE DIX

LA LUMIÈRE DE LA LUNE PÉNÉTRA par les fenêtres, projetant une lueur sexy sur Billie alors qu'elle farfouillait dans la cuisine de Dare, vêtue seulement de son tee-shirt. Dare n'aimait pas trop recevoir des gens chez lui, mais bizarrement, il avait toujours eu l'impression que Billie était là avec lui. Avant, il aimait recevoir des gens, mais cela avait changé après la mort d'Eddie et Billie l'avait exclu. Il ne voulait pas que quelque chose vienne perturber les souvenirs qu'ils avaient créés là-bas, mais *bon sang*, il pouvait s'habituer à voir Billie se promener jambes nues et heureuse. Depuis qu'il la connaissait, elle grignotait la nuit. Lorsqu'ils étaient adolescents, s'il la perdait de vue lors d'une fête, il la retrouvait généralement en train de fouiner dans la cuisine à la recherche de nourriture. Il avait trouvé cela mignon et était heureux de voir que cela n'avait pas changé.

Il l'entoura de ses bras par derrière alors qu'elle ouvrait un placard et l'embrassa dans le cou, respirant l'odeur de son gel douche. Il sentait bien meilleur sur elle que sur lui.

— Si tu cherches un en-cas, tu n'es pas au bon endroit.

Elle tourna la tête avec un sourire sexy.

— Tu n'en as pas eu assez sous la douche ?

— Je ne me lasserai jamais de toi.

Il lui mordit le lobe de l'oreille.

— Mais je parlais de nourriture. Je pense que tu trouveras ce que tu cherches sur l'étagère supérieure de l'armoire située de l'autre côté du réfrigérateur.

Elle ouvrit l'armoire et se hissa sur la pointe des pieds pour attraper un paquet d'Oreos. Sa chemise remonta, dévoilant la courbe de ses fesses, et il ne put s'empêcher de lui donner une petite claque. Elle *poussa un cri* de surprise et afficha une mine renfrognée et un sourire, ce qui le fit rire.

— Il y a aussi des chips de barbecue là-haut, si tu en veux.

Elle regarda l'armoire.

— Je ne vois pas de chips. Tu veux juste que je tende à nouveau la main.

— Vraiment ?

Il arqua un sourcil.

Elle tira une chaise de la table et grimpa pour prendre le paquet.

— Là, c'est bon.

Il se déplaça derrière elle, passa ses mains sur le devant de ses cuisses, embrassa une fesse et enfonça ses dents dans l'autre.

— *Dare !*

Elle se retourna, le mettant nez à nez avec son en-cas préféré. Il lui vola une lichette avant qu'elle ne descende, tenant le paquet de chips d'une main et l'autre la paume tendue.

— Ne bouge pas. J'ai besoin de manger avant *toi*.

Il saisit son barda.

— J'ai de la saucisse pour toi.

Elle leva les yeux au ciel, il l'attira dans ses bras et l'embrassa.

— Je plaisante. Pourquoi je ne te ferais pas quelque chose de normal à manger ?

— *Ça*, c'est du concret.

Elle déchira le sac et enfourna une chips dans sa bouche avant d'attraper les Oreos.

— Tu as des…

— Ici, ma chérie.

Il sortit deux Capri Sun du frigo et lui en tendit un.

Elle écarquilla les yeux.

— *Pas possible.* Tu en bois encore ?

— Bien sûr que oui. Je suis sacrément fidèle, et ce seront toujours les meilleurs snacks connus de l'homme.

— Et comment !

Elle mordit dans un Oreo, mais pendant qu'elle le mangeait, la lumière dans ses yeux s'estompa et ses sourcils se froncèrent alors qu'elle ouvrait la paille pour le Capri Sun.

— Qu'est-ce qui ne va pas, chérie ?

— Ça t'arrive de te sentir coupable d'être heureux ?

— Tu veux dire à cause d'Eddie ?

Elle hocha la tête.

— Au début, oui, mais plus maintenant. Est-ce que tu te sens mal à propos de nous à cause de tout ce qui s'est passé ?

— Pas mal, juste un peu coupable. J'aime être avec toi et je suis heureuse pour la première fois depuis des années. Mais est-ce *juste* ? Je veux dire, nous vivons notre vie, et lui n'a même pas pu faire ce film *inoubliable* dont il parlait tout le temps.

Il savait qu'il était difficile pour elle de parler de ce sujet et qu'elle risquait de se renfermer sur elle-même s'ils creusaient trop profondément, alors il y alla doucement.

— Tu penses vraiment qu'Eddie ne voudrait pas que tu sois heureuse ?

— Non. Il n'était pas égoïste. Tu savais qu'il ne pensait pas que j'accepterais sa demande en mariage ?

— Non. Je n'ai jamais su qu'il allait faire sa demande. Qu'est-ce qui te fait dire ça ?

— J'ai parlé à mon père tout à l'heure et il m'a dit que la demande en mariage était le dernier espoir d'Eddie pour voir si j'étais à fond et qu'il savait que je ne l'aimais pas comme lui m'aimait, mais qu'il m'aimait trop pour rompre avec moi.

— C'est du Eddie *tout craché*. Fidèle jusqu'au bout. Mais tu ne vois pas ce qu'il cherchait à faire ?

Il se plaça devant elle et lui tendit la main.

— Il savait que ce n'était pas à toi de l'aimer de cette façon et il devait avoir l'impression de te retenir. Il te donnait une porte de sortie. Il te libérait de la seule façon qu'il connaissait. Il n'était pas assez fort pour te laisser partir, alors il avait besoin que tu le sois à sa place. Cela ne veut-il pas dire qu'il voulait que tu sois heureuse, même si ce n'était pas avec lui ?

Elle baissa les yeux et resta ainsi pendant une bonne minute, peut-être deux, avant de répondre à son regard par un petit sourire.

— Je ne savais pas quoi en penser quand mon père me l'a dit pour la première fois. C'était dur à encaisser, mais je pense que tu as raison de dire qu'Eddie ne voulait que mon bonheur, et je suis d'accord avec ce que tu as dit à propos de la responsabilité.

Elle plissa les yeux, comme si elle réfléchissait trop à quelque chose.

— Quand j'ai rompu avec lui, je *savais* que je faisais ce qu'il fallait pour nous deux. Enfin, je le savais au même titre que je connais mon propre nom. Les gens rompent tout le temps. Mais j'ai dû mettre fin à cette conviction lorsqu'il est mort. J'ai considéré toute la situation comme étant de ma faute parce que je ne pouvais pas – ou peut-être que je ne voulais pas – voir les choses autrement. Je me sentais tellement coupable d'avoir mis fin à notre relation.

— Ce n'est pas rare après quelque chose d'aussi traumatisant et comprendre la source de la culpabilité est le début de la guérison.

Ses sourcils se froncèrent.

— Tu dois penser que je suis cinglée.

— Pourquoi ? Parce qu'un homme que tu aimais a été arraché à ta vie et que tu as fait de ton mieux pour lui survivre ?

— Parce que ça ne devrait pas prendre autant de temps pour comprendre les choses.

— Ma chérie, le chagrin n'a pas de limite dans le temps. Certaines personnes vivent toute leur vie et ne se rendent compte de la réalité que sur leur lit de mort. Et ne sois pas surprise si tu essaies de te convaincre de ce que tu viens de découvrir dans une heure, ou demain, ou la semaine prochaine. C'est le problème avec le syndrome de stress post-traumatique. Les effets peuvent sembler disparaître complètement mais notre esprit nous joue des tours et nous continuons à penser à ce que nous avons vécu pendant longtemps, et pour certaines personnes, pour toujours.

— Oh bien, voilà de quoi se réjouir, dit-elle solennellement. Tu crois que je souffre du syndrome de stress post-traumatique ?

— Je pense que nous l'avons tous les deux à un certain niveau. Ce n'est pas une mauvaise chose. C'est juste ce qui arrive à certaines personnes.

Il l'embrassa tendrement.

— Ce n'est pas grave, chérie. En explorant et en partageant tes sentiments, tu commenceras à voir plus clairement ce qui s'est passé et les années qui ont suivi. Tu apprendras à naviguer sur les pentes glissantes lorsqu'elles se présenteront.

— Est-ce que tu as encore des dérapages ?

— Pas aussi souvent qu'avant, mais il m'a fallu beaucoup de temps pour en arriver là.

Il l'entoura de ses bras.

— Je sais que tu n'aimes pas parler de tes sentiments mais tu n'es pas seule dans cette situation, et si tu l'as dit à ton père, nous sommes deux à pouvoir t'aider dans ces moments difficiles.

— Là, tu parles comme un thérapeute.

— Je suis un thérapeute. Un thérapeute qui t'aime et qui veut t'aider à guérir.

— Je voudrais te remercier mais j'ai peur que ça te monte à la tête et que tu penses que tu peux utiliser ton baratin psychologique sur moi tout le temps.

Il savait qu'elle plaisantait et il lui était reconnaissant de ne pas l'avoir exclu.

— Est-ce que je ferais ça ?

Il se pencha vers elle et l'embrassa.

— Je suis sérieuse, Whiskey, prévient-elle. Ne pense pas que parce que tu as soumis mon cerveau au sexe, tu peux me faire parler de mes sentiments tout le temps.

— Je te connais mieux que ça. Prends tes Oreos, Mancini. J'ai quelque chose à te montrer.

— Si on va dans la chambre, je veux de la crème fouettée.

Bon sang, je t'aime.

— On va dans le salon, mais à partir de maintenant, mon frigo sera rempli de crème fouettée. D'ailleurs, je vais acheter un mini-frigo pour la chambre.

Il attrapa les chips et elle lui donna une *grande* claque sur les fesses avant de sortir de la cuisine en riant. Oui, il pourrait s'y habituer. Il se dirigea vers le salon et la trouva en train de sourire comme un démon. Quel spectacle glorieux, bon sang.

— Les vengeances, c'est l'enfer, Mancini.

— Je vais juste garder mes fesses contre le mur.

Il rit.

— Assieds-toi et mets-toi à l'aise. Nous allons rester ici un bon moment.

Elle s'assit sur le canapé, les jambes croisées, mangeant des Oreos et le regardant curieusement tandis qu'il connectait son ordinateur portable à la télévision.

— Si tu regardes du porno, on pourrait probablement faire un film dix fois meilleur que les conneries qui existent.

Cela éveilla son intérêt.

— C'est bon de savoir que ma Tigresse a un côté pervers.

Il lui fit un clin d'œil.

— Mais ce n'est pas du porno.

Il prit la télécommande et s'assit à côté d'elle.

— Je voulais te montrer ça depuis longtemps.

— Qu'est-ce que c'est ?

— Le film inoubliable d'Eddie. Il l'a fait. Il n'a jamais eu l'occasion de le partager avec nous.

Son cœur vacilla.

— Sérieusement ?

— Oui. Ses parents m'ont donné accès à ses disques durs pour que je puisse faire des copies de photos et de vidéos, et le film s'y trouvait. La dernière fois qu'il a été ouvert, c'était le matin de l'accident.

Il passa son bras autour d'elle, l'attirant plus près.

— Tu penses que tu peux supporter de le regarder ? Ce sera peut-être difficile au début, parce que c'est Eddie, vivant et en action.

Il fit une pause, lui laissant une minute pour y réfléchir.

— Nous ne sommes pas obligés de le faire si tu n'es pas

prête.

Les mots "JE LE VEUX" s'échappèrent des lèvres de Billie. Son cœur battait la chamade, mais pas son esprit. Elle ne savait pas à quoi s'attendre, ni comment elle réagirait, mais elle *voulait* voir Eddie et le film sur lequel il avait travaillé si dur.

Dare la serra un peu plus fort pendant qu'il mettait le film en marche.

La musique jouait tandis que des images d'eux trois, jeunes enfants, s'agrandissaient une à une en succession rapide, donnant l'impression qu'ils se rapprochaient de la caméra. Elle vit son visage de jeune fille, aux yeux brillants et aux membres maigres, réaliser un saut en moto tout terrain en tirant la langue, Dare, l'air féroce, faire un saut de puce sur un skateboard, et Eddie, suspendu à l'envers à une balançoire en corde, s'apprêtant à basculer dans le lac en contrebas, les bras ballants, ses cheveux blonds hirsutes dépassant de toutes parts. Alors que ces images s'envolaient sur les bords de l'écran, un zoom sur LES CASSE-COUS INOUBLIABLES apparut en biais au milieu de l'écran, en lettres rouges et or, avec des flammes sortant du premier C de *Casse-Cous*, et juste en dessous, en lettres noires, on pouvait lire INSPIRÉ D'UN HISTOIRE VRAIE.

Sa gorge se serra. Elle se blottit contre le flanc de Dare lorsque le titre s'estompa et qu'apparut une image des anciennes pistes de motos en terre où ils avaient l'habitude de faire la course. Eddie apparut à l'écran, grand, bronzé et extrêmement beau, ses cheveux blonds hirsutes toujours aussi ébouriffés. Ses yeux bleus espiègles s'illuminèrent, faisant ressortir le charme enfantin qu'elle avait adoré lorsqu'il s'adressa à la caméra.

— Ce à quoi vous allez assister est la naissance de deux *Casse-Cous inoubliables* qui parlent vite et d'un directeur de la photographie diaboliquement beau et parfois casse-cou. Asseyez-vous et profitez du voyage. Je sais que c'est ce que j'ai fait.

Les larmes brûlèrent les yeux de Billie et Dare embrassa sa tempe.

La musique retentit et une autre image datant de leur enfance apparut. Ils couraient tous les trois le long d'une clôture au ranch. Dare tenait son chapeau de cow-boy sur la tête et riait. Billie courait à ses côtés, la détermination se lisant sur son visage et Eddie menait le peloton, le menton haut, souriant avec la magnificence que seul un enfant de six ans peut dégager. La musique s'atténua et, hors champ, Eddie déclara :

— Ça a commencé par des courses et des défis.

La caméra zooma sur une autre image d'eux en train de skier, les genoux pliés, le corps bas, et une fois de plus, Eddie était en tête.

— Il a toujours été si rapide, murmura Billie, alors qu'apparaissait une photo d'eux trois en train de faire la course sur des motos tout terrain.

Leurs pères se tenaient à l'écart, les bras croisés, le menton bas. Dare et Billie étaient au coude à coude, et Eddie était en queue de peloton. La voix de ce dernier retentit au fur et à mesure que les images défilèrent.

— Au sol, il y avait un vainqueur *incontestable*.

Son visage apparut à nouveau à l'écran et il afficha un sourire de façade qui fit sourire Billie.

— Mais donnez à ces deux casse-cous des roues ou des ailes, et ils étaient imbattables.

Une larme coula sur la joue de Billie tandis qu'Eddie ajoutait :

— Ils s'encourageaient l'un l'autre et se critiquaient le plus durement. Tout cela au nom de l'excellence, bien sûr.

Une photo de Billie, âgée d'environ huit ans, les cheveux emmêlés, les bras croisés, regardant Dare d'un air renfrogné, accroupie sur un skateboard, la main posée sur l'arrière, la bouche ouverte, comme s'il lui expliquait comment faire une figure, apparut par-dessus son épaule. Il avait toujours l'habitude de la corriger, et cela l'aidait à aller plus vite, à prendre plus de vitesse, ou à affiner ses compétences, mais cela ne signifiait pas qu'elle aimait ça.

Elle posa sa main sur la jambe de Dare, qui la couvrit de la sienne.

— Quand ils n'étaient que tous les trois, ces petits casse-cous ne cherchaient pas la notoriété. Peu importait qui gagnait ou qui réussissait le mieux une cascade, expliqua Eddie. Parce qu'à la fin de la journée, ils savaient toujours que la *bonne* personne avait remporté la première place, et ce n'était pas seulement vrai pour les cascades et les activités. Ils s'aidaient mutuellement à étudier pour les concours d'orthographe et à réaliser des projets pour les fêtes de la science. Ils étaient les meilleurs amis du monde et se soutenaient l'un l'autre contre vents et marées.

Elle entendit le changement dans la respiration de Dare et sut qu'il souriait lorsque des photos d'eux s'encourageant mutuellement, s'étreignant et se congratulant à l'arrivée des courses apparurent, laissant place à une photo de Billie flanquée d'Eddie et de Dare, tous les trois bras dessus bras dessous, les genoux sales et les coudes pointus, rayonnant devant l'appareil photo avec un sourire niais de gamins de huit ans. Cette photo se transforma en une image d'eux, adolescents, assis sur une couverture au bord du lac où ils avaient l'habitude de se baigner. Billie portait un bikini jaune, assise entre Eddie et Dare en maillot de bain, leurs corps juvéniles commençant à peine à s'élargir, bronzés par le soleil, des sourires paresseux sur leurs beaux visages.

— Au fil des années, dit Eddie, leurs sourires innocents furent remplacés par des rictus coquins et leurs cascades devinrent plus impressionnantes et plus risquées. Mais rien ne pouvait éteindre la flamme dans les yeux de ces deux casse-cous inoubliables, et un grand cinéaste a *tout* filmé.

Le cœur de Billie se serra et elle regarda Dare, le surprenant en train de la regarder.

— Quoi ?

— Je m'assurais juste que tu allais bien, et je me suis un peu perdu en toi.

— Ne me fais pas la tête, Whiskey.

Elle l'embrassa.

— Je suis vraiment contente qu'on regarde ça. Maintenant, arrête de me regarder et regarde le film.

Ils se concentrèrent sur le film et le visage d'Eddie était *juste* en face de la caméra dans l'obscurité. Il était manifestement allongé, et il chuchotait :

— Nous campons dans les bois pour le treizième anniversaire de Billie. Regardez ce que Dare a donné à notre copine.

Il inclina la caméra pour montrer un morceau de papier sur lequel était écrit *Joyeux anniversaire, Billie. Un jour, je te construirai une grande piste de motocross. Casse-Cous pour la vie ! Dare Whiskey*. Il avait griffonné au-dessus du dessin d'une piste de motocross très détaillée.

Elle avait toujours cette carte cachée quelque part.

— C'est une bonne chose que tu aies inclus ton nom de

famille, dit-elle pour essayer de retenir ses larmes.

Dare la serra contre lui.

— Regardez ça, murmura Eddie.

La caméra effectua un panoramique vers la gauche et montra Billie allongée sur le côté, face à Eddie, sa main dans la sienne. Dare était allongé derrière elle, sa main reposant sur sa hanche. Le visage souriant d'Eddie réapparaît.

— Casse-Cous pour toujours, ma belle !

La nostalgie la saisit.

L'obscurité fit place à une vidéo de Dare sautant de la maison dans l'arrière-cour d'Eddie. Il roula en atterrissant et se releva au moment où Billie grimpait à l'échelle en criant :

— Mets-moi dans la vidéo, Eddie !

Eddie tourna la caméra sur lui-même.

— Comme si je manquais quelque chose.

Il retourne la caméra sur Billie, la surprenant en train de sauter de la maison en criant « *Les Casse-Cous sont les meilleurs !* ». Après avoir atterri, Dare et elle se disputaient pour savoir qui avait sauté le plus haut.

— Tu te souviens de ce jour-là ? murmura-t-il.

— Hum-hum.

Elle se pencha vers lui.

— J'ai sauté plus haut.

Ils gloussèrent tous les deux. Eddie avait emporté cette caméra vidéo partout. Il avait l'habitude de dire que c'était une bonne chose parce que Dare et elle se chamaillaient tout le temps pour savoir qui faisait ceci ou cela mieux que l'autre, et les vidéos leur montraient la vérité. Il était le pacificateur. *Jusqu'à la toute fin*, pensa-t-elle avec un pincement au cœur en pensant qu'il lui manquait.

— Parfois, nous avons enfreint les règles, déclara Eddie hors champ.

Une vidéo montrait Dare essayant de marcher sur une corde raide fabriquée à la maison et attachée entre deux arbres. Il tenait un grand bâton à deux mains pour garder l'équilibre. Il tomba les deux premières fois, poussa un juron et se remit en selle. La troisième fois, il resta sur la corde pendant quelques mètres.

Billie se souvint de l'enthousiasme qu'elle avait eu pour Dare et de son envie d'essayer elle aussi.

Il était à peu près à mi-chemin quand la caméra pivota vers la droite et surprit Tiny qui se dirigeait vers eux en hurlant :

— Mon garçon, qu'est-ce que je t'ai dit à propos de ça ?

— Oh merde ! cria Dare hors champs.

Puis il y eut un bruit sourd. La caméra virevolta, surprenant Dare et Billie en train de s'enfuir en courant. Eddie les poursuivit, la caméra rebondit tandis qu'ils riaient de façon hystérique. Il passa à une vidéo d'eux trois en train de nettoyer des stalles, en sueur et sales, s'amusant à se narguer les uns les autres, prétendant qu'ils s'apprêtaient à se jeter des râteaux de fumier les uns sur les autres. Les menaces fusaient et les rires redoublaient.

— Tu as dû nettoyer les stalles pendant des semaines à cause de cette corde raide, tu te souviens ?

Eddie et elle l'avaient aidé pendant tout ce temps.

— Cela ne m'a pas arrêté.

Il sourit.

— Rien ne pouvait t'arrêter. Tu étais fou de cette corde raide. Tu pensais que tu allais devenir le plus grand funambule au monde et marcher entre les gratte-ciel de New York.

Il allait être le meilleur dans toutes les cascades qu'il avait essayées.

— Je l'aurais fait si je n'avais pas été distrait par le saut extrême.

Elle rit et ils regardèrent des vidéos où Eddie et elle faisaient
de l'équitation pendant que Dare faisait des figures sur le dos de
son cheval. Il y avait des vidéos de Dare et Billie en train de faire
du saut à l'élastique, de la plongée en falaise, participant à des
fêtes d'anniversaire, des barbecues et des Friendsgivings au
ranch, ainsi qu'un montage d'eux trois regardant des feux
d'artifice, leur âge progressant à chaque fois. Ils n'avaient jamais
manqué de les regarder ensemble jusqu'à ce qu'ils perdent Eddie
et elle avait cessé d'y aller. C'était l'une des choses qui lui
manquaient le plus. Elle se rendit compte qu'elle avait beaucoup
de ces choses qui lui manquaient *le plus*.

Ils craquèrent devant une vidéo de Billie allongée sur le
capot de la Chevelle de Dare, vêtue d'un short et d'un bikini,
pendant qu'il la lavait. Eddie avait dû installer un trépied, car il
s'était surpris en train de déverser un seau d'eau savonneuse sur
Billie, qui s'était mise à hurler et à sprinter après lui, lui sautant
sur le dos et les mettant tous deux à terre, tandis que Dare les
aspergeait avec le tuyau d'arrosage. Lorsqu'une vidéo les
montrant, Dare et elle, en train de sauter en parachute, leurs
parachutes colorés se détachant sur le ciel bleu clair et Eddie au
sol en train de les filmer, elle se souvint de la photo dans l'atelier
de Dare et se rendit compte qu'Eddie avait dû installer un
trépied ce jour-là, lui aussi. Eddie se tourna vers l'autre caméra.

— Regardez-les là-haut, ils s'amusent comme des fous.
J'envie leur courage.

Il reporta son attention sur eux alors qu'ils s'approchaient
du sol.

— Je vous aime, les gars ! Vous êtes géniaux ! hurla t-il.

La poitrine de Billie se resserra et des larmes lui piquèrent les yeux.

Dare et Billie apparurent à l'écran vêtus de jeans, de vestes en cuir, de bottes et portant des casques de moto. Ils montèrent sur leurs Harley et Eddie tourna la caméra vers lui.

— Accrochez-vous à vos chapeaux, les amis. L'aube est à peine levée et l'incroyable Dare Whiskey va vous époustoufler en prenant d'assaut Hope Valley avec ses cascades à moto qui défient la mort.

Billie savait exactement quelles cascades allaient se dérouler et son pouls s'accéléra.

Dare dut sentir sa tension car il se pencha plus près d'elle.

— Tu sais qu'il ne se passera rien de grave.

Elle acquiesça mais cela n'empêcha pas la chair de poule de lui picoter les bras tandis qu'Eddie zoomait sur le visage déterminé de Dare.

— Dare, comment te sens-tu en ce moment ?

Ce dernier leva le pouce vers Billie.

— Comme si je voulais que tu poses ton cul à l'arrière de sa moto pour qu'on aille s'amuser !

— Allez, Eddie, on y va ! cria-t-elle.

Eddie tourna à nouveau la caméra sur lui.

— Vous l'avez entendu ici en premier, les amis. Dare est tout excité et prêt à partir.

Dans la scène suivante, ils roulaient à toute allure sur une autoroute déserte et Eddie filmait depuis l'arrière de la moto de Billie pendant que Dare levait ses jambes, accroupi sur le siège, et balançait ses pieds vers le haut et par-dessus le guidon. Quelques secondes plus tard, il ramenait ses jambes et les lançait derrière lui, son corps s'envolant au-dessus de la moto, parallèlement à la route, en faisant la cascade de Superman. Ensuite, il se rassit et fit un tour de roue, puis il leva les pieds et se tint debout sur la selle, volant sur une seule roue sur l'autoroute.

Les mains de Billie transpirèrent, un mélange d'anxiété et d'excitation l'envahit.

Le film se déroulait lors de sa dernière course professionnelle de motocross. Elle portait sa tenue de course et tenait son casque tandis qu'Eddie annonçait :

— Vous n'avez pas vu de course avant d'avoir vu la seule et unique Billie "Badass" Mancini, la femme la plus féroce à avoir jamais piloté…

— *La personne* la plus féroce qui ait jamais enfourché une moto, rectifia Billie à l'écran.

— Elle a raison, les amis, dit Eddie en riant. Mancini est la plus féroce et la plus belle pilote de motocross que le sport ait jamais connue, et elle va repartir avec le trophée.

Le visage de Dare apparut par-dessus l'épaule de Billie.

— Et comment !

La caméra zooma sur Billie.

— Qu'est-ce que tu attends, Billie ? Sors de là et montre au monde ce que tu as dans le ventre, lança Eddie hors champs.

Il présenta la course et, tout en la regardant, Billie pouvait encore sentir l'adrénaline l'envahir, entendre le rugissement de son moteur et le battement du sang dans ses oreilles. Elle était au coude à coude avec deux autres concurrents, et alors qu'ils approchèrent de la ligne d'arrivée, elle s'accroupit plus bas, donnant tout ce qu'elle avait pour les dépasser et remporter la victoire. La caméra pivota sur Dare, les poings levés, qui scandait "*Bravo, Mancini !*" et s'élançait en courant vers la piste. Eddie le talonnait, filmant et applaudissant.

— C'est notre amie !

Billie descendit de sa moto et enleva son casque.

— *Les Casse-Cous font la loi.*

Dare la prit dans ses bras et la fit tourner. Elle fixa la caméra, faisant signe à Eddie, tandis que Dare criait :

— Viens ici, Casse-cou !

Eddie les filma tous les trois à bout de bras, s'étreignant et riant, leurs visages entrant et sortant de la caméra alors qu'il pressait ses lèvres sur les siennes.

— Félicitations, ma belle.

Des larmes coulèrent sur les joues de Billie et Dare la serra contre lui tandis qu'Eddie déclarait :

— Toutes les cascades ne se sont pas déroulées comme prévu, mais c'est le risque que l'on prend quand on est un casse-cou.

Les prises de vue se succédèrent rapidement : Billie tombant de sa moto après un saut, faisant un saut périlleux à partir d'une corde et atterrissant à plat ventre dans le lac, et volant le chapeau de cow-boy de Dare et s'enfuyant en courant, seulement pour trébucher sur un rocher et se retrouver le visage dans une flaque d'eau.

Billie rit. C'était tout à fait le genre d'Eddie d'injecter de l'humour au bon moment.

Elle regarda Dare sauter en parachute sur un arbre, essayer de faire un tour sur un cheval et tomber sur les fesses, et se faire poursuivre à travers l'herbe par Doc et Cowboy pour Dieu seul sait quoi. Eddie les avait surpris, Dare et elle, en train de danser sur le bar du *Roadhouse*, riant aux éclats alors que son père leur demandait de descendre. Il y avait des séquences où Eddie agitait les mains, reculant d'une falaise où Dare et Billie allaient faire un saut extrême et se tordant la cheville dans une ornière, et une où il perdait l'équilibre sur un tremplin de ski, l'envoyant valdinguer dans les airs et atterrissant en boule dans la neige. Une autre où il s'éloignait d'une fête chez les parents de Billie, parlant derrière la caméra alors qu'il faisait un panoramique sur la cour.

— Où sont passés ces deux casse-cous ?

Billie et Dare entrèrent dans le champ de vision de la caméra à une trentaine de mètres d'Eddie, se dirigeant vers la Chevelle de Dare.

Oh mon Dieu, Eddie. Non. Elle serra la main de Dare.

— Les voilà, dit Eddie. Allons voir dans quel genre d'ennuis ils s'embarquent.

Juste au moment où Eddie prononçait ces mots, Cowboy se plaça devant lui, l'arrêtant dans son élan et bloquant l'appareil photo avec sa main.

— Mec, allez !

Eddie se plaignit, arrachant la caméra et la tournant vers le visage stoïque de Cowboy, tandis que la voix grave de ce dernier vibrait sur l'écran.

— On a besoin de toi dans l'arrière-cour avec ce truc. Quelqu'un est en train de faire un saut périlleux depuis le toit.

La caméra trembla tandis qu'Eddie disait :

— *Quoi ?* Quelqu'un est plus fou que Dare ?

Il tourna la caméra sur lui-même en s'éloignant rapidement.

— Mission avortée. Nous rattraperons ces deux fauteurs de troubles plus tard. Espérons qu'ils ne seront pas dépassés par les événements.

Billie regarda, stupéfaite alors que la chanson "Good Riddance (Time of Your Life)" était diffusée. Le film revint en arrière et Eddie apparut à l'écran sur les anciennes pistes de moto tout terrain où le film avait commencé.

— La légende dit que si vous faites un serment dans une grange par une chaude journée d'été, vous êtes amis pour la vie. J'ai eu la chance d'être près de la bonne grange au bon moment, alors voici un conseil. Si une jolie fille à l'esprit malin et un garçon costaud à la langue bien pendue vous entraînent dans une grange en vous disant : "*Tu vas devenir notre meilleur ami*", prenez le risque de dire "d'accord". Peu importe que vous soyez un enfant unique issu d'un foyer tranquille et que vous n'ayez aucune idée de la façon dont vous pourrez tenir le coup, parce qu'une fois que vous aurez prêté serment, ces enfants au caractère bien trempé vous soutiendront toujours. Ce film est dédié aux deux casse-cous qui m'ont toujours soutenu.

Alors que les paroles évoquaient l'accumulation de souvenirs et le fait que quelque chose d'imprévisible est juste, son expression devient pensive.

— Pendant que vous êtes là à penser au tatouage que nous n'avons jamais fait et aux cascades à venir, profitez de chaque minute, car comme vous me l'avez appris, nous ne pourrons jamais les récupérer. Soyez heureux, fous, ridicules, tristes. Soyez ce que vous avez besoin d'être, et n'arrêtez jamais de vous amuser comme des fous. Je sais que c'est le cas, grâce à vous deux.

Il se tapota la poitrine au niveau du cœur, et son poing s'éleva vers le ciel en braillant :

— *Les Casse-Cous font la loi !*

Les larmes coulèrent sur les joues de Billie et elle les essuya tandis que le générique défilait, citant Eddie Baker comme scénariste, réalisateur et producteur, suivi d'une note disant : IL N'Y A PAS D'ACTEURS À CITER PARCE QU'AUCUN D'ENTRE NOUS NE JOUAIT LA COMÉDIE. En dessous, on pouvait lire LES INOUBLIABLES CASSES-COUS : BILLIE " BADASS " MANCINI ET DEVLIN « DARE » WHISKEY.

Dare coupa la vidéo et se leva pour essuyer ses larmes.

— Tu détestes pleurer.

— Sans déconner, marmonna-t-elle pour essayer de contre-carrer ses émotions. Depuis que tu es tombé du ciel et que tu es entré dans ma vie, j'ai l'impression que tout ce que je fais, c'est pleurer.

Elle soupira lourdement et posa sa tête sur son épaule.

— Qu'est-ce que tu me fais, Whiskey ? C'était…

— Une surcharge émotionnelle ?

Elle acquiesça.

— Je ressens tellement de choses, et tout entre en conflit.

— Tu veux en parler ?

— Non.

Elle prit un Oreo et mordit dedans.

— C'est juste qu'à l'époque, j'étais parfois nerveuse quand on faisait des cascades, mais c'était plus de l'anticipation que de la peur. Mais tu as vu ce qu'on a fait ?

— Je l'ai regardé une centaine de fois.

— Nous étions *téméraires*.

— Nous étions intrépides, rétorqua-t-il alors qu'elle finissait son biscuit et en reprenait un autre.

— Les deux vont de pair. J'aimerais pouvoir revenir en arrière et recommencer pour qu'Eddie soit encore là, mais en même temps, je ne voudrais pas avoir manqué tout ça, sauf…

L'accident d'Eddie.

— Eh bien, tu sais. On s'est bien amusés. On s'est toujours cru invincibles. C'était le problème, n'est-ce pas ? Eddie pensait qu'il irait faire ce saut à moto et qu'il s'en sortirait peut-être avec un ego surdimensionné ou un bras cassé.

— Bien sûr, ma belle. Il pensait probablement qu'il ferait le saut périlleux et reviendrait pour jubiler, me le mettre dans la figure, te montrer ce que tu manquais. Toutes les choses normales que font les gars quand ils sont blessés et qu'ils ne savent pas comment s'y prendre.

— Tu veux dire qu'il y a des gars qui ne font pas trop la fête pendant deux ans et qui chevauchent des taureaux ?

— Tu as entendu parler de ça, hein ?

— Tout le monde à Hope Valley a probablement entendu parler de toi enfourchant le taureau le plus sauvage du ranch Carlson. *C'est toi* qui as envie de mourir.

Elle pencha la tête, lui lançant un regard sérieux, mais il chassa ce sérieux d'un baiser.

— Pas de désir de mort, ma chérie.

Elle lui lança un regard d'*approbation*, remettant ce sujet à plus tard, et attrapa le paquet de chips, en enfournant un dans sa bouche.

— Et Cowboy ? De *quoi* s'agissait-il ? Est-ce qu'il protégeait les sentiments d'Eddie ? Protégeait-il ma réputation ? Te protégeait-il d'une manière ou d'une autre ?

— Oui, aux trois. C'est Cowboy, le grand protecteur. C'est ce qu'il a toujours fait.

Elle soupira, se sentant à la fois anéantie et revigorée, comme si le visionnage du film avait ouvert plusieurs portes en elle et que toutes ces questions ou tous ces sentiments étaient en train de sortir.

— Eddie était *vraiment* talentueux et drôle, n'est-ce pas ?

— Oui, il l'était. Tu te souviens quand on le taquinait sur le fait qu'il apportait tout son matériel photo partout où nous allions, et qu'il disait qu'il devait être organisé parce que toi et moi, on ne se souviendrait pas d'apporter nos têtes si elles n'étaient pas attachées à nos corps ?

Elle rit.

— Le roc Eddie était toujours préparé et Dieu merci, il l'était. Regarde ce qu'il a fait. Je n'arrive pas à croire qu'il ait rassemblé tout ça et qu'il l'ait fait aussi bien. Je veux dire, je *peux* le croire. Il était déterminé. Mais quand je pense qu'il a mis toute cette réflexion et tout ce temps pour faire de *nous* son premier grand projet.

Elle se mit à pleurer à nouveau.

— Le premier et le dernier. Nous l'aurons pour toujours. Peux-tu m'en faire une copie ?

— Je t'en ai fait une, il y a des années.

Cela lui fit chaud au cœur. Elle disait toujours qu'Eddie était si bon, mais Dare était tout aussi bon, loyal et aimant.

— Comment ai-je pu te tourner le dos si longtemps ? Comment ai-je pu nous tourner le dos à tous les trois comme ça ? J'ai laissé ce jour horrible éclipser tous ces souvenirs et tout ce que nous avions ensemble. Je n'arrive pas à croire que j'ai fait ça. Je suis vraiment désolée.

Il pressa ses lèvres contre les siennes.

— Tout va bien. Tu es ici maintenant, tu ne fuis pas les souvenirs, et j'espère que tu n'en auras pas marre de moi et que tu ne me botteras pas le cul.

— Si tu gardes des snacks à portée de main, je pourrais rester plus longtemps.

Elle tendit une chips pour qu'il la mange. Comme il se penchait en avant, elle la mit dans sa bouche. Il la plaqua sur le dos.

— Les biscuits !

Il passa la main sous elle et sortit le paquet d'Oreos, qu'il posa sur la table basse.

— Je dois donc te donner à manger, n'est-ce pas ?

— Seulement si tu veux que je reste dans les parages.

— Alors si tu m'enquiquines, tout ce que j'ai à faire, c'est de vider mes armoires et tu seras partie ?

Elle lui agrippa les fesses.

— Tu perds la main, Whiskey. Pas de commentaire sur ton casse-croûte *intégré* ?

Un rire rauque jaillit et il balança ses hanches.

— Ralentis, Casse-Cou.

Elle passa ses mains dans son dos, aimant son regard. Il était toujours de bonne humeur, mais elle avait vu un courant d'inquiétude dans ses yeux pendant si longtemps qu'elle avait oublié comment ils avaient brillé avant qu'elle ne l'écarte de sa vie. Cela la rendait heureuse de les voir s'éclaircir, et elle se demandait ce qu'elle avait pu oublier d'autre.

— On peut revoir le film ?

— Tu es sûre ?

Il se redressa sur un coude, son regard parcourant lentement son visage.

— Oui. C'était bouleversant, mais ça m'a fait plaisir de nous voir tous les trois nous amuser ensemble.

Alors qu'ils se redressaient, elle ajouta :

— J'ai l'impression qu'il me faudra un certain temps pour assimiler tout ce que le film me fait ressentir, et j'aurai peut-être besoin d'un ou deux verres de whisky pour m'aider, mais j'aimerais le regarder encore une fois.

Il passa son bras autour d'elle, l'attirant plus près.

— Je peux t'aider avec un Whiskey bien corsé autant de fois que tu en auras besoin.

Il embrassa ses lèvres souriantes.

— Pour le reste, tu n'es pas seule. Je suis là pour t'aider à traverser cette épreuve, si tu le veux bien.

Elle prit les biscuits et les posa sur ses genoux, lui en tendit un et en prit un pour elle.

— Merci, mais est-ce que je peux jouer au thérapeute une

minute ?

— Oui, vas-y, je t'en prie.

— Je pense que tu devrais prévoir quelques séances avec Ezra ou Colleen, parce que si tu n'as pas été effrayée en six ans par mon attitude, tu as certainement un problème dans ta grosse tête.

— Oh, tu penses que c'est le cas, n'est-ce pas ?

Il lui mordit les lèvres.

— Tu es une gourmande de punitions, c'est évident.

Elle gloussa et mordit dans *son* biscuit.

— Mais je t'aime bien parce que tu restes dans les parages.

— Je te l'*accorde*.

Il l'attira dans un baiser dur et passionné, faisant grésiller et étinceler son corps. Lorsque leurs lèvres se séparèrent, elle ramena sa bouche vers la sienne.

— Reviens ici, Whiskey. Je n'en ai pas encore fini avec toi.

CHAPITRE ONZE

BILLIE RESTA ALLONGÉE, les yeux fermés, essayant de s'accrocher aux derniers fils de son rêve, dans lequel Dare, Eddie et elle se promenaient à cheval le long de la piste Blackfoot, là où ils s'étaient promenés quand ils étaient plus jeunes. Elle entendait encore leurs plaisanteries et leurs rires. Elle aimait les écouter raconter des blagues. Lorsque la fin de son rêve disparut, elle ouvrit les yeux, se sentant un peu euphorique. Elle avait dormi de façon irrégulière pendant tant d'années, ses rêves n'étant rien d'autre que des vagues souvenirs entrecoupés de cauchemars de fantômes auxquels elle ne pouvait échapper, qu'elle avait d'abord été ébranlée par la profondeur de son sommeil au cours des derniers jours. D'autant plus qu'elle n'était même pas dans son propre lit. Mais elle avait fini par apprécier et elle devait remercier l'homme à ses côtés pour cela.

Son regard se déplaça lentement sur le visage robuste de Dare et elle se réjouit de la sensation de flottement dans sa poitrine. C'était bon de se permettre d'être heureuse.

Elle devait aussi le remercier pour cela. Entre sa persistance et sa patience, et le film qu'Eddie avait réalisé et qu'ils avaient regardé deux fois de plus au cours des quatre nuits qui s'étaient écoulées depuis leur premier visionnage, elle avait fini par accepter qu'il était *normal* d'être heureux. Non pas que leur relation soit soudainement devenue parfaite ou facile. Dare et elle n'étaient pas des personnes parfaites ou faciles, et ne le seraient jamais. Pour la plupart des gens, cela pouvait être un problème, mais pour Dare et elle, c'était probablement une planche de salut. Ils se lasseraient de la perfection et de la facilité.

Les lèvres de Dare tressaillirent et ce sentiment de flottement s'intensifia.

Il lui faudrait du temps pour gérer les sentiments qu'elle avait refoulés pendant si longtemps, et ce serait sûrement l'un des plus grands défis qu'elle ait jamais eus à relever. Mais si c'était ce que cela faisait de respirer *à nouveau*, de commencer à vivre sans murs autour de son cœur, cela vaudrait toutes les larmes qu'elle détestait pleurer.

Les yeux de Dare s'ouvrirent et, comme les quatre matins précédents, ses yeux sombres brillèrent avant même que ses lèvres ne se relèvent, comme s'il pensait : *C'est ma copine.* C'est ce qu'elle ressentait chaque fois qu'elle le voyait. Hier soir, il était venu au *Roadhouse* avec d'autres Dark Knights après l'église. Il s'était tenu au bar pour flirter avec elle pendant la majeure partie de la soirée. Elle était sûre que tout le monde savait qu'ils se fréquentaient. Son sourire ridicule, que Bobbie avait qualifié d'enseigne au néon annonçant C'EST MON HOMME, était incontournable. Ce n'est pas comme s'ils cachaient leur relation. Elle essayait juste de garder un minimum de professionnalisme au travail. Mais il devenait de plus en plus difficile de maintenir cette distance.

Il passa sa main dans son dos, l'attirant contre lui et l'embrassa.

— Bonjour, ma chérie.

— Bonjour.

Elle traça les ailes de l'oiseau tatoué sur son cou.

— Quels sont tes projets pour ton jour de congé ?

— J'ai de *grands* projets.

Elle s'étira, et sa main se posa plus fermement sur son dos, la gardant près d'elle.

— Je vais aller courir, puis faire la lessive et quelques courses.

— Tu penses pouvoir tout faire avant midi ? demanda-t-il avec espoir.

— Je pense que oui. Pourquoi ?

— Il va faire beau. Je dois rencontrer Kenny et deux autres patients ce matin, mais j'ai pensé que nous pourrions aller faire du riverboard.

L'excitation l'envahit. Il était toujours aussi spontané.

— Tu sais que j'adore le riverboard, mais je n'ai pas fait de kayak depuis des années.

— Alors commençons par le kayak.

Il la fit rouler sur le dos, se déplaçant au-dessus d'elle.

— *Après* t'avoir musclée pour ta course.

— C'est comme ça qu'on l'appelle maintenant ? La nuit dernière, je *me suis épuisée* pour mieux dormir.

Ce n'est pas qu'elle s'en plaignait.

— Et on a fait un sacré boulot, n'est-ce pas ?

Alors que ses lèvres recouvraient les siennes et que leurs corps s'unissaient, elle ne pouvait imaginer une meilleure façon de commencer sa journée.

PLUS LA JOURNÉE avançait, plus Billie était enthousiaste à

l'idée de faire du kayak. Lorsque Dare était venu la chercher, elle était pratiquement en train de sautiller sur place. Pendant le trajet d'une heure jusqu'à la rivière, il lui avait demandé si elle se souvenait de la façon de gérer les rapides et lui avait donné une leçon de kayak de base, passant en revue toutes les choses qu'elle connaissait déjà par cœur.

Lorsqu'ils arrivèrent à la rivière, l'air vif et les odeurs de terre humide et de *liberté* l'interpellèrent, mais ils apportèrent aussi un soupçon d'inquiétude. Tandis qu'ils enfilaient leur équipement de sécurité, elle se rappela qu'ils n'étaient pas des enfants insouciants. C'étaient des adultes, elle avait fait cela plus de fois qu'elle ne pouvait le compter, et ils prenaient toutes les précautions de sécurité nécessaires.

— Ça va, Mancini ?

Il la regarda pendant qu'il enfilait son gilet de sauvetage.

— Nerveuse ?

— *Dare*, le prévint-elle, les yeux plissés.

Il leva les mains.

— Je sais que tu l'as déjà fait. Désolé.

Elle se sentit mal à l'aise pour sa réaction instinctive alors qu'elle enfilait son gilet de sauvetage.

— Je suis désolée. Je sais que tu fais attention à moi, et j'apprécie, même si je n'en ai pas l'habitude.

— Et tu détestes te sentir *inférieure* aux autres.

— Oui, ça aussi.

Il la connaissait si bien, mais peut-être avait-il besoin de savoir un peu mieux qui elle était *maintenant*.

— C'est juste que je suis peut-être un peu rouillée, alors je suis un peu nerveuse.

Il s'approcha d'elle avec un sourire pensif et commença à ajuster son gilet.

— C'était si difficile de me faire part de tes sentiments ?

Elle leva les yeux au ciel.

— Non, et je ne suis pas *si* nerveuse que ça. J'ai *tellement envie* de faire ça que j'en ai l'eau à la bouche. J'ai juste un tout petit peu de nervosité au fond de mon esprit.

— Un peu comme la première fois que tu as vu l'énorme vipère dans mon pantalon.

— *Dare !*

Elle éclata de rire, heureuse de cette légèreté.

— Mets ton cul dans l'eau avant que je ne te mette à l'eau.

— C'est la Mancini dont je me souviens.

Ils mirent leurs kayaks à l'eau, et tandis qu'ils descendaient la rivière, serpentant entre les lits rocheux, entourés d'arbres touffus et de rochers massifs, Billie fut envahie par une poussée d'adrénaline. Elle s'en réjouit, la laissant nourrir les parties endormies d'elle-même qu'elle avait ignorées depuis bien trop longtemps.

Dare regarda par-dessus son épaule, affichant un sourire sexy.

— Tu t'en sors très bien, Mancini !

Ses encouragements renforcèrent sa confiance, et tandis qu'ils descendaient la rivière, le courant devenant plus fort, il continua à la stimuler, comme il y a tant d'années, faisant ressortir de façon inattendue son côté compétitif. Elle ne chercha même pas à le vaincre. Elle pagaya plus vite, sa mémoire musculaire étant aussi forte que son amour du plein air.

Dare la regarda alors qu'elle prenait de l'avance.

— *C'est parti*, Mancini !

Ils dévalèrent la rivière en riant et en se donnant des ordres, et lorsque l'eau devint plus agitée, Dare se détendit.

— Ne prends pas de gants avec moi, Whiskey. Ça va.

Il lui jeta un coup d'œil avec une expression sérieuse.

— Tu es *sûre* ?

— A toi de juger.

Elle rama plus fort, prenant de l'avance et entrant dans les rapides avant lui. L'avant du kayak bascula et s'écrasa, l'aspergeant d'eau, et elle poussa un cri de joie.

Dare et elle se mirent à brailler de part et d'autre des rapides, contournant les rochers, les creux et les courbes de Mère Nature. C'était encore plus exaltant que dans ses souvenirs. Elle se sentait puissante et confiante, et elle s'imprégnait de la beauté de la rivière, du soleil qui miroitait sur l'eau, des tourbillons et des chutes qui semblaient sortir de nulle part. Comment avait-elle pu rester si longtemps sans *cela* dans sa vie ? C'était ce qui nourrissait son âme. Elle en avait autant besoin que de l'air qu'elle respirait.

Lorsqu'ils atteignirent une étendue d'eau plus calme, Dare s'arrêta à côté d'elle, les yeux brillants de joie.

— Rouillée, mon œil, Mancini.

Elle rit, mais à l'intérieur, elle se réjouissait. Elle était sûre de ses compétences, mais elle ne savait pas si ce soupçon d'inquiétude la retiendrait. Elle avait le cœur plein, sachant qu'elle n'était pas entravée par la peur, et s'ils pouvaient partager *cela*, ils pourraient, avec un peu de chance, partager à nouveau d'autres aventures.

— Arrête de te morfondre, ma grande, et montre-moi de quoi tu es capable.

Sa pagaie toucha l'eau et il disparut en un clin d'œil.

Elle pagaya aussi vite qu'elle le pouvait alors qu'ils se dirigeaient vers d'autres rapides et vers un avenir qu'elle n'avait jamais espéré avoir.

DARE ÉTAIT en pleine forme lorsqu'ils rentrèrent au ranch ce soir-là. Il n'était pas sûr que Billie irait à la rivière avec lui, et encore moins qu'elle redeviendrait la fille compétitive qu'il avait si bien connue. Il était allé sur l'eau avec Rebel et Flame et une poignée d'autres amis, mais personne n'était aussi amusant que Billie. Leur énergie et leur connexion rendaient tout plus excitant, et il savait que c'était parce qu'il le faisait avec la personne qu'il aimait le plus. Billie n'était peut-être pas du genre à lui dire qu'elle l'aimait davantage que dans une confession, mais elle n'avait pas besoin de le faire. Cela se voyait dans la façon dont elle le regardait, même lorsqu'elle était renfrognée.

Il se gara sur le parking de la maison principale et vit la Camaro Z28 jaune de 78 de Birdie qu'il lui avait restaurée et offerte pour son vingt-cinquième anniversaire. Il se demanda ce qu'elle faisait ici.

— Qu'est-ce qu'on fait ici ? demanda Billie en se garant.

— Je dois aller chercher quelque chose. Viens avec moi.

Elle baissa les yeux sur son haut et son short mouillés.

— Je suis mouillée.

— J'aime que tu sois mouillée.

Il glissa sa main sur sa cuisse, en fronçant les sourcils.

Elle rit doucement en secouant la tête.

Il avait toujours été sensuel, mais avec Billie, il était *insatiable*. Elle faisait ressortir une intimité ludique et un désir intense d'aimer, qui n'avaient jamais existé qu'autour d'elle. Lorsqu'ils étaient au lit, il souhaitait que le temps s'arrête et lorsqu'ils en sortaient, il voulait tout expérimenter avec elle. Il ne pouvait qu'espérer qu'en apprenant à mieux se connaître et à approfondir leur relation, elle continuerait à s'ouvrir à lui, et qu'il continuerait à gagner sa confiance et à faire ressortir les parties d'*elle* qui n'avaient existé qu'autour de *lui*, comme la fille spontanée et loufoque qui grimpait sur le bar pour danser.

— Je suppose que tu n'es pas la même fille qui avait l'habitude de dévaliser la cuisine en bikini. Je me trompe.

Elle lui adressa un regard impassible.

Il ouvrit sa portière.

— Bouge tes *belles* fesses de ce pick-up, Mancini. Tu es ma copine et je te veux avec moi.

— Eh bien, si tu le dis *comme ça*.

Elle poussa la portière et sortit.

Il s'approcha d'elle, passa un bras par-dessus son épaule et l'embrassa.

— Je suis content que tu sois libre ce soir.

— Moi aussi. J'espère que Dwight a des restes. Je suis affamée.

Elle était loin de se douter qu'elle aurait quelque chose de mieux que des restes ce soir.

Tous les adolescents se trouvaient dans la grande salle, et Dare était heureuse de voir Kenny jouer à un jeu vidéo avec un autre garçon. Dwight était assis à une table, en pleine conversation avec deux autres adolescents. Il fit un signe de tête à Dare.

Celui-ci prit la main de Billie et se dirigea vers la cuisine, où ils trouvèrent Birdie penchée sur un comptoir, portant des bottes noires brillantes au-dessus du genou et une mini-jupe trop courte attachée par un cerceau argenté à un débardeur blanc moulant.

— C'est quoi cette tenue ?

Birdie se retourna, les joues pleines, un morceau de tarte à moitié mangé sur le comptoir. Ses yeux s'emplirent de surprise et elle *déglutit* d'un coup sec.

— Billie ? Qu'est-ce que tu…

Son regard se porta sur leurs mains jointes et elle sursauta.

— Vous êtes *ensemble* ? S'il te plaît, dis-moi que vous êtes ensemble.

Elle regarda Billie.

— Enfin, si j'étais toi, j'aurais choisi Kellan, avec ses fossettes de rêve et son regard langoureux, mais il n'est pas du tout ton genre, alors j'ai compris.

— *Birdie*, la mit en garde Dare.

— Je plaisante ! Je suis si heureuse !

Elle couina et courut vers eux, les entourant tous les deux de ses bras.

— Plus de Kellan pour moi. Hourra !

Il lui lança un regard noir.

— Pourquoi êtes-vous *mouillés* ?

Birdie haussa les sourcils.

— *Ohhhh*. Je ne veux *rien* savoir.

Elle prit la main de Billie et l'entraîna vers le comptoir.

— Mais je veux *tous* les détails sur la façon dont vous êtes passées du statut d'amis-ennemis à celui de personnes *mouillées* ensemble.

Elle poussa le reste de la tarte vers Billie.

— Tu dois essayer la tarte à la crème Oreo de Dwight. C'est trop bon !

Elle tendit une fourchette à Billie, puis lui fit avaler une énorme bouchée de tarte.

Dare s'approcha d'elles.

— Tu parles de la tarte qu'il nous a préparée, à Billie et moi ?

Les sourcils de Birdie se froncèrent et elle fit une moue

penaude.

— Oups.

Elle s'essuya la bouche.

— Désolée.

— Il l'a faite pour nous ? demanda Billie.

— Oui. Je voulais te surprendre avec ton dîner et ton dessert préférés, et il est bien meilleur cuisinier que moi. Il a fait aussi du chili. J'ai pensé qu'on pourrait allumer le feu et manger sur ma terrasse.

Les yeux de Billie s'adoucirent d'une manière qu'il n'avait jamais vue auparavant, mais avant qu'elle ne puisse prononcer un mot, Birdie dit :

— Oh ! C'est tellement romantique. Les philtres d'amour ont enfin fonctionné !

— Les philtres d'amour ? demanda Dare.

— Le gel douche et la lotion que je t'ai offerts de la part de Roxie Dalton, dit Birdie. Elle y met des philtres d'amour. Tout le monde à Sugar Lake, New York, ne jure que par eux. Mais ne le dis pas à Cowboy et à Doc.

Elle mit un doigt sur sa bouche et acquiesça.

Il se demanda si sa sœur n'était pas en train de perdre les pédales.

— Tu as choisi le bon gars finalement, Billie.

Birdie s'appuya sur sa paume.

— Raconte-moi *tout*.

Billie regardait toujours Dare.

— Je ne sais pas, Birdie. Il est tombé du ciel et est entré dans ma vie, et maintenant je ne peux plus m'en débarrasser.

Bon sang, il adorait ce regard ivre d'amour de Billie, comme si se débarrasser de lui était la dernière chose qu'elle voulait faire.

Comme si elle se surprenait à s'attendrir, elle se racla la gorge et enfonça sa fourchette dans la tarte.

— Avec une telle tarte, je ne vais pas me plaindre.

Elle enfourna la bouchée dans sa bouche, le regardant d'un air taquin.

Je t'aime aussi, Mancini.

— Sasha m'a parlé de sa mission de parachutisme, dit Birdie. Je veux que quelqu'un fasse un grand geste comme ça pour moi. Bon sang, j'accepterais que quelqu'un fasse un tout petit geste.

— Personne ne fera quoi que ce soit pour toi, parce que tu ne quitteras pas la maison dans cet accoutrement.

Dare désigna sa tenue d'un geste de la main.

Elle posa ses mains sur ses hanches.

— Je te signale que c'est une tenue emblématique de *Pretty Woman*, et je quitte la maison avec parce que tu n'es *pas* mon patron, et je retrouve Sasha et Quinn au Bar None pour la soirée des femmes.

Le Bar None était un lieu de drague très prisé dans Allure.

— C'est ça, c'est ça, grogna-t-il. La femme dans ce film était une *prostituée*.

Birdie lui tapota le bras comme s'il était un enfant.

— Mais je *ne suis pas* une prostituée, alors qui s'en soucie ? Pas vrai, Billie ?

— Ne me mêle pas à ça.

Billie mangea une autre bouchée de tarte.

Dare sortit son téléphone et envoya un message à Cowboy et Doc. *Birdie se rend au Bar None habillée comme une call girl.*

— Qu'est-ce que tu fais ?

Birdie jeta un coup d'œil par-dessus son épaule pendant qu'il tapait : *Est-ce que l'un d'entre vous peut s'y rendre ?*

— Mon Dieu, tu me fais chier.

Elle regarda Billie.

— Il fait venir mes frères au bar. J'ai changé d'avis. Tu *devrais* t'occuper de Kellan.

— Cette fille n'a pas besoin d'un garde du corps, qu'elle porte une tenue de call girl ou non, déclara Billie. Tout ce qu'elle a à faire, c'est de commencer à divaguer dans dix directions différentes, et les *gars* qui ne cherchent que des relations sans lendemain s'en iront.

Elle avait raison, mais les mecs pouvaient être des connards persistants. Il était en train de ranger son téléphone quand Dwight arriva.

Dwight observa la tarte, le visage en colère de Birdie et l'expression amusée de Billie.

— Laissez-moi deviner.

Il pointa Dare du doigt.

— Tu as énervé Birdie alors elle a mangé la tarte ?

— *Non.* J'ai mangé la tarte sans savoir qu'elle était pour *lui*, insista Birdie. Mais maintenant, je regrette de ne pas l'avoir mangée en entier.

Billie passa son bras autour de la tarte, l'attirant plus près d'elle, et Dare gloussa.

Dwight brandit un doigt en direction de Billie.

— Toi, jeune fille, tu es la bienvenue dans cette cuisine. Cela fait bien trop longtemps que tu n'es pas venue fouiner ici. Maintenant, viens par ici et fais-moi un câlin.

Billie prit la tarte, observant Birdie du coin de l'œil, et la tendit à Dare.

— Protège-la. C'est un petit oiseau vengeur.

Ils éclatèrent tous de rire.

Billie serra Dwight dans ses bras.

— Merci d'avoir cuisiné pour nous.

— Ne me remercie pas. Remercie le grand gars là-bas.

Il fit un signe de tête à Dare tandis que Birdie terminait sa part de tarte.

— Je suppose que je vais devoir trouver une façon digne de le remercier.

Elle s'approcha de Dare avec un regard de défi et de tentation dans les yeux, et il glissa un bras autour de sa taille, se penchant pour l'embrasser.

— Garde *ces détails* pour toi. Je sors.

Birdie mit son assiette dans le lave-vaisselle et prit son sac sur un autre comptoir, jetant un regard noir à Dare.

— Je suis en colère contre *toi*, mais je veux sortir avec Billie. Pourquoi n'annules-tu pas mes *autres* gardes du corps et ne viens-tu pas avec moi ? On va s'amuser.

— Je garderai le dîner au chaud pour toi, et si Birdie n'est pas là, la tarte sera en sécurité.

Dwight fit un clin d'œil à Birdie.

— Je n'ai pas été dans un autre bar que le *Roadhouse* depuis des années.

Billie jeta un regard plein d'espoir à Dare, qui leur tourna le dos pour qu'ils puissent parler.

— Ne la laisse pas te mettre la pression.

— Je ne la laisse pas faire. Je sais que Dwight et toi vous êtes donné beaucoup de mal pour nous offrir une soirée spéciale, et j'en suis ravie. Mais j'aimerais aussi *beaucoup* danser avec toi ailleurs qu'à mon travail. Je sais que ça a l'air bizarre, mais…

— Ce n'est pas bizarre. Qui ne voudrait pas danser avec moi ?

Elle sourit.

— Nous pourrions partir un moment et passer du temps

avec tes sœurs, ce que je n'ai pas fait non plus depuis une éternité, et ensuite nous pourrions avoir notre soirée spéciale quand nous reviendrons.

Voilà la fille que j'ai connue.

— J'en suis, chérie.

— Oui !

Elle se mit sur la pointe des pieds et l'embrassa.

— Allons-y, lança-t-elle à Birdie en se tournant.

— Voulez-vous d'abord enlever ces vêtements humides ? demanda-t-elle.

— Non, dirent en même temps Billie et Dare, qui se mirent à rire.

— Et voilà, Dwight. Le couple le moins exigeant de la planète, dit Birdie. Allons-y, bande de bizarres.

DARE ENVOYA un message à ses frères pour leur dire tout était réglé. Billie et lui passèrent les deux heures suivantes à danser, à échanger des baisers et à parler avec Birdie, Sasha et Quinn dans ce bar faiblement éclairé. Il s'était demandé si Billie garderait ses distances devant ses sœurs et il était heureux qu'elle ne le fasse pas. Non pas qu'elle lui ait fait des avances, ce n'était pas le genre de Billie. Mais elle n'avait pas repoussé ses baisers ou son bras lorsqu'il l'avait entourée, et lorsqu'ils étaient sur la piste de danse, elle était très sexy, se frottant à lui et se calquant sur ses pas de danse avec ce regard sexy et provocateur.

Il laissait aux filles l'espace nécessaire pour parler aux garçons, mais quand il n'aimait pas la façon dont un garçon les regardait, il leur jetait des coups d'œil d'avertissement et remarquait que Billie faisait de même. Il aimait qu'elle soit aussi protectrice que lui à leur égard. Ils grignotèrent des amuse-bouches et Billie rit comme elle ne l'avait pas fait depuis des lustres. Les filles leur demandèrent des détails sur la façon dont il l'avait conquise, mais Billie, toujours aussi sarcastique, déclara :

— *Je ne voudrais vendre la peau de l'ours. J'ai encore des doutes à son sujet.*

Ce à quoi il avait répondu :

— *Bien sûr, ma chérie.*

Ils passèrent un bon moment.

— C'était super, mais je suis prête à être seule avec toi, murmura-t-elle.

Il n'hésita pas. Ils firent leurs adieux et retournèrent chez lui.

Ils s'arrêtèrent à la maison principale, prirent leur dîner et leur dessert et mangèrent près du feu, comme il l'avait prévu. Mais c'était encore mieux, car le sourire de Billie était encore plus grand et plus lumineux que tout à l'heure, et il y avait un nouveau sentiment de paix autour d'elle.

— J'*adore* le chili de Dwight.

Elle essuya sa bouche.

— Merci d'avoir organisé tout cela, de m'avoir fait re-prendre du poil de la bête et de m'avoir emmenée danser avec les filles. J'ai passé une journée extraordinaire.

— Tu as tout déchiré sur la rivière, Billie. Tu n'es vraiment pas allée sur l'eau récemment ?

Elle secoua la tête.

— Qu'est-ce que ça fait ?

Elle soupira et regarda le ciel pendant un long moment avant que ses yeux magnifiques ne le retrouvent.

— Tu te souviens quand on était à l'école primaire, comment on se sentait après les vacances d'été pour retourner voir tous nos amis ?

— Bien sûr que oui. Ce filet de nervosité et l'excitation de voir tout le monde.

— C'est comme ça que ça s'est passé. Je ne savais pas trop à quoi m'attendre, mais une fois sur place, c'était comme si je n'avais jamais arrêté. C'était exaltant, comme si je revenais dans mon ancien corps. Et ce soir, c'était tellement amusant. Je n'avais pas dansé comme ça depuis je ne sais combien de temps. Tu *sais bien* qu'Eddie ne savait pas danser.

Il rit.

— Il avait deux pieds gauches.

— Mais pas toi. Tu as de meilleurs mouvements que Magic Mike.

Il se pencha vers elle et l'embrassa.

— Merci, chérie.

— Ça m'a manqué de me sentir comme ça.

— Heureuse ?, demanda-t-il.

— Oui, et impatiente de connaître la suite. J'ai été si long-temps accablée par la culpabilité que je me réveillais tous les jours en me battant contre moi-même. Je te voyais au bar et j'avais ce moment fugace où je me disais *"voilà mon meilleur ami"*, puis je me souvenais de l'accident et la culpabilité me frappait, et je faisais taire tous les bons sentiments. Je m'étais convaincue que je pouvais vivre ainsi. Mais j'étais malheureuse. *Cela* m'a manqué. Traîner avec toi, faire des choses spontanées et m'amuser avec tes sœurs.

— Ça m'a manqué aussi.

Elle resta silencieuse pendant qu'ils finissaient leur chili et lorsqu'elle mit son bol de côté, elle dit :

— Mais je ne suis pas la seule à avoir changé, tu sais. Toi

aussi, tu es différent de ce que tu étais.

— Vraiment ? En quoi ?

— Je ne sais pas exactement. Je le sens, c'est tout. Tu parles beaucoup plus.

— J'ai toujours parlé assez pour nous deux.

— Oui, mais c'est différent maintenant. Tu n'insistes pas autant, tu écoutes et tu poses des questions, ce qui peut être ennuyeux, mais c'est aussi agréable.

— Tu vas me donner du fil à retordre sur le fait que je suis thérapeute, n'est-ce pas ?

— Pas tout de suite, mais peut-être plus tard, plaisanta-t-elle. Tu aimes être thérapeute ?

Il but une gorgée de sa bière.

— J'adore ça. Je peux aider les gens, et avec certains, comme Kenny, je peux essayer de faire la différence avant que les choses n'aillent trop mal.

— Il va bien ?

— Je pense que oui. Il est ici depuis un peu plus d'une semaine et nous avons eu une bonne séance aujourd'hui.

— Que s'est-il passé ?

— Je ne peux pas vraiment entrer dans les détails à cause de la confidentialité des patients, mais je pense qu'il se rend enfin compte qu'il peut me faire confiance. Il s'ouvre davantage, découvre l'origine de ses problèmes et parle davantage au lieu de se mettre en colère. C'est une avancée dans ce sens.

— Cela me ressemble, n'est-ce pas ?

— Cela nous ressemble à tous, à différents moments de notre vie.

— Tu travailles avec beaucoup d'adolescents ?

— Parfois, mais je travaille à la fois avec des adolescents et des adultes.

— Je parie que tu es doué dans ce domaine. Je me souviens avoir entendu dire que tu travaillais à l'extérieur pendant que tu parlais avec tes patients. C'est le cas ?

— Oui. Il est plus facile de faire parler les gens si leurs mains et leurs esprits sont occupés.

— C'est *vraiment* pour ça ? Ou est-ce parce que tu aimes travailler avec tes mains et que tu ne peux pas rester en place ?

Il rit doucement.

— Un peu des deux, je suppose. Et toi ? Tu aimes toujours travailler au bar ?

— Oui, j'adore. C'est fou et les gars peuvent être des connards, mais j'aime ça. J'aime savoir que je perpétue l'héritage de mon grand-père et j'aime travailler avec Bobbie quand elle peut venir ou encore avec mes parents.

Elle contempla la pénombre.

— Mais ça me manque de ne pas me soucier de ce que les gens pensent.

— Allez, Mancini. Personne ne se moque des conneries comme toi.

— Ce n'est pas ce que je veux dire.

Elle le regarda d'un air pensif.

— J'aime travailler au bar, mais c'était nettement plus amusant quand je n'étais pas le patron et que je pouvais être moi-même.

— Ça te manque de monter sur le taureau mécanique ? Tu étais sacrément douée pour ça.

— Parfois.

Il se ressaisit avant de poser une question plus difficile.

— Et le motocross ?

L'expression de la jeune femme devint sérieuse.

— Parfois.

— Qu'est-ce qui te manque ?

— Ce sentiment de ne faire qu'un avec la moto. Le fait de savoir que la victoire ou la défaite dépend totalement de moi. Ce sentiment de *vouloir* repousser mes limites. Rien d'autre ne comptait lorsque j'étais sur la moto.

— Tu étais une force avec laquelle il fallait compter et si tu avais continué, tu aurais été la meilleure pendant des années.

Elle baissa le regard, frottant la pointe de sa basket sur une fissure du patio.

— Tu regrettes d'avoir abandonné ?

Elle leva les yeux.

— Ça n'a pas d'importance, n'est-ce pas ? Je ne peux pas revenir en arrière et changer ça.

— Tes sentiments comptent pour moi, même si le passé ne peut pas être changé.

— Je ne sais pas si je le regrette. Je n'aurais pas pu en refaire après la perte d'Eddie. J'étais traumatisée. Ça m'a fait peur.

— Je sais. Moi aussi, j'ai eu peur. Est-ce que ça te fait encore peur ?

Elle haussa les épaules.

— Je ne sais pas.

Il se leva et lui prit la main, l'entraînant avec lui.

— Allons-nous promener. Je veux te montrer quelque chose.

Il posa la grille sur le foyer, puis se dirigea vers la boîte électrique à l'arrière de la maison et appuya sur le bouton. Des lampes de jardin éclairèrent un chemin devant eux, menant dans les bois.

— Waouh. Quel genre de secrets caches-*tu* ?

— Je suis sur le point de te montrer.

Il lui passa un bras par-dessus l'épaule et ils marchèrent le long du sentier et à travers les arbres qui le bordaient. Lorsqu'ils arrivèrent de l'autre côté, il s'arrêta près de la colonne de briques qui abritait une boîte électrique et ouvrit le panneau de contrôle en appuyant sur un autre interrupteur. Des projecteurs s'allumèrent, illuminant sa piste de motocross de deux hectares, avec un portillon de départ, des virages en berme, des doubles et triples sauts, des tremplins, des tablettes, des whoops (une longue série de bosses de quelques mètres de haut, régulièrement espacées, que les pilotes peuvent frôler s'ils s'y prennent bien), des sections rythmiques (des bosses continues que les pilotes franchissent en double, triple ou quadruple saut), et d'autres obstacles.

— Bon sang de bonsoir.

Elle était bouche bée.

— C'est toi qui as construit ça ?

— Non. Un imbécile l'a construit pendant que je dormais.

Elle lui donna un coup d'épaule.

— Dare, c'est incroyable.

— C'est une belle piste. Viens, on va voir ça.

Alors qu'ils faisaient le tour de la piste, elle s'*extasiait sur tout*, sa voix s'intensifiant avec excitation.

— Tu en fais souvent ?

— Assez souvent. Certains de mes collègues m'accompagnent de temps en temps. Tu es la bienvenue si tu veux te joindre à moi un jour.

Elle resserra sa prise sur sa main.

— Je n'en sais rien.

— Pas de pression.

Il l'attira dans ses bras.

— C'est ta piste, chérie. Tu peux y aller quand tu veux.

Elle plissa les sourcils, la confusion montant dans ses yeux.

— J'ai promis de t'en construire une.

Elle se mit à pleurer.

— Mais *pourquoi* l'as-tu fait, alors que tu savais que j'avais abandonné ?

— Parce que tu étais en deuil et que je pensais que tu pourrais réessayer un jour. Même si tu ne le faisais pas, je voulais tenir la promesse que j'avais faite à la fille de treize ans qui s'était entraînée comme une folle, qui avait gagné des trophées et qui *m*'avait montré que je pouvais réussir n'importe quoi si j'y mettais du mien.

Des larmes coulèrent sur ses joues.

Il prit son visage entre ses mains, balayant ses larmes.

— J'espère que ce sont des larmes de bonheur.

— C'est le cas, mais je déteste avoir passé tant d'années à être méchante avec toi, alors que tu réparais ma moto, que tu faisais cette piste et que tu veillais sur moi.

Il la fixa dans ses beaux yeux et sut que ses larmes étaient porteuses d'une énorme douleur, mais cette douleur sortait, ce qui était bien mieux que de la voir se retenir.

— Je suis tombé amoureux d'une fille têtue qui déteste pleurer et je n'ai jamais considéré ton attitude comme malveillante. C'est ton armure et tu ne serais pas toi sans elle.

CHAPITRE DOUZE

BILLIE JETA son sèche-cheveux sous la vasque et se précipita hors de la salle de bain de Dare, le samedi matin, attrapant ses sous-vêtements et son pantalon de sport et les enfilant aussi vite qu'elle le pouvait. Ils avaient dormi jusqu'à huit heures, ce qui n'arrivait *jamais* à aucun d'entre eux. Ils n'avaient pas pu s'empêcher de se caresser sous la douche, ce qui l'avait obligée à arriver encore plus tard pour rejoindre sa mère et sa sœur pour un brunch au *Grandma's Kitchen*, un restaurant en ville. Elle enfila rapidement son soutien-gorge et prit son tee-shirt sur une chaise près de la commode, s'efforçant de ne pas regarder Dare pendant qu'il se séchait après leur douche. Mais c'était comme demander à une femme affamée de ne pas manger et elle ne pouvait s'empêcher de lui jeter un coup d'œil. Son corps ridiculement en manque gémit de désespoir tandis qu'il faisait glisser la serviette sur ses abdominaux, ses biceps se contractant. Un lent sourire se dessina et il étendit les bras sur les côtés, lui donnant une vue complète du maître de l'orgasme entre ses jambes, qui l'avait transformée en une nymphomane totale. Chaque fois qu'ils étaient proches, elle voulait être plus proche.

Il tendit la main vers le bas et tira lentement sur le siège de son plaisir, réveillant ainsi la bête endormie. Elle se mordit la lèvre inférieure. C'est *tellement injuste*.

Il haussa les sourcils.

— Tu pourrais sauter le brunch.

— Je ne peux pas. J'ai promis à ma mère d'être là. Nous ne prenons pas souvent le petit-déjeuner ensemble, comme le fait ta famille, mais mon père m'a parlé du fait que tout le monde avait été affecté par ma façon de les tenir à distance et je ne veux pas décevoir ma mère.

— Ma chérie, c'est bon. Je pense que tu devrais y aller. Je ne faisais que te taquiner ou espérer à voix haute, même si je sais que tu as besoin de voir ta mère.

Elle enfila sa chemise et se dépêcha de sortir de la chambre, scrutant le salon à la recherche de ses bottes tout en ramassant les vêtements qu'elle portait hier soir et qui étaient posés sur le sol. Dare les lui avait enlevés dès son arrivée. Elle regarda sous le canapé et jeta un coup d'œil dans la cuisine, mais ne les vit nulle part.

— Dare, tu sais où sont mes bottes ?

Il sortit de la chambre, vêtu uniquement d'un jeans usé qui l'enveloppait aux bons endroits.

— Tu les as enlevées d'un coup de pied et l'une d'elles a heurté la cheminée, tu te souviens ?

Il se dirigea vers la cheminée et sortit sa botte de derrière la plaque de cheminée.

— J'en ai trouvé *une*.

— Dieu merci.

Elle se précipita pour l'attraper et aperçut l'autre botte derrière un oreiller sur le canapé. Elle l'attrapa et tendit la main vers celle que tenait Dare.

Il la tenait en hauteur, hors de sa portée et elle lui jeta un regard noir.

— Je veux juste un baiser, chérie.

Il était difficile d'être en colère quand elle en voulait un aussi. Elle se hissa sur la pointe des pieds, lui donna un baiser rapide et s'assit pour enfiler ses bottes.

— J'aimerais que tu viennes avec moi aujourd'hui.

Il allait faire une balade en moto avec d'autres gars. Elle *adorait* faire de la moto, mais elle y avait renoncé. Elle n'en avait pas peur, mais elle n'était pas non plus prête à remonter dessus.

— Peut-être qu'un jour je le ferai. Tu viens au bar plus tard ?

— Absolument. Je veux te voir, et j'y retrouverai mon père et mes frères après ma balade.

— Ils ne viennent pas avec toi ?

— Non, ils ont des trucs à faire. Il n'y a que Rebel, Flame, Taz et d'autres gars.

— Cool. Où est-ce que tu vas ?

Elle se leva, prit ses clés sur la table basse et alla chercher son téléphone sur la table de chevet.

— Jusqu'à Stone Edge. Les potes de Rebel amènent six bus pour que je puisse m'entraîner à faire des sauts.

Elle s'arrêta net, un frisson lui parcourant l'échine. Elle se tourna vers lui, le cœur serré.

— Tu sautes au-dessus des bus aujourd'hui ?

— Seulement six, ils n'ont pas pu en avoir un septième. Peut-être la prochaine fois.

Il pencha la tête, ses yeux devenant sérieux alors qu'il s'approchait d'elle.

— Tu vas bien ? On dirait que tu as vu un fantôme.

— C'est peut-être parce que c'est tout ce que je verrai peut-être de toi après aujourd'hui. Je n'arrive pas à croire que tu fasses des sauts de bus. *Pourquoi* tu fais ça ?

— Parce que c'est cool et amusant, et que je veux battre le

record du monde un jour.

Elle le savait, mais maintenant qu'ils étaient ensemble, cela semblait différent. *Réel.* Et il n'y avait pas moyen de retenir son anxiété.

— Mais pourquoi ferais-tu cela alors que tu sais que c'est plus dangereux que ce qu'Eddie a fait ? Tu veux finir par mourir ?

— Non. *Bon sang*, Billie. Je vais m'en sortir. Je fais ça depuis des années.

— Il suffit d'*une seule* erreur. Tu le sais bien.

Sa voix monta d'un cran, son cœur battant la chamade contre sa poitrine.

— Tu étais là quand Eddie est mort. As-tu oublié ce que c'était que de voir notre meilleur ami étendu sans vie ? De le voir emmené ? Enterré dans le sol ?

Sa mâchoire se crispa.

— Tu *sais bien* que je ne l'oublierai jamais.

— Mais cela pourrait t'arriver ! Peu importe le nombre de fois que tu fais quelque chose. Eddie avait fait de la moto un million de fois.

— Il n'avait jamais fait de *pirouette* et c'était stupide de sa part d'essayer quand il était énervé. Mais il ne méritait pas de mourir à cause d'une foutue erreur. Si quelqu'un méritait de mourir là-bas, c'était *moi*. Alors, ne pense pas qu'il faille me rappeler ce qui *peut* arriver, parce que j'y pense tous les jours.

— C'est pour cela que tu fais des cascades plus folles les unes que les autres depuis ? Grimper d'un biplan en marche et s'y attacher ? Monter sur le mur de la mort ? En testant le destin à chaque fois que tu en as l'occasion ? Parce que tu attends ton tour de mourir ?

— *Non*, grogna-t-il. Je le fais parce que c'est ce que je *suis*,

Mancini. C'est ce que j'ai toujours été.

— Je ne sais pas si c'est vrai, dit-elle en tremblant. Tu as toujours fait des trucs dingues, mais sauter par-dessus *des bus* sur une moto ? Ce n'est pas comme sauter en parachute ou monter le taureau le plus effrayant chez les Carlson, ce qui était aussi terrifiant, mais tes chances de survie étaient bien plus élevées que de sauter des bus ou de *courir* avec des taureaux en Espagne.

Il planta son regard dans le sien.

— Tu n'as jamais eu de problème avec la façon dont je vivais ma vie avant.

— Oui, eh bien, je suppose que c'est la *nouvelle* moi, dit-elle avec colère.

Elle détestait la peur et l'anxiété qui la consumaient autant qu'elle détestait les choses qu'elle était en train de lui dire.

— Le moi *après* avoir perdu un homme que j'aimais.

Elle essaya de maîtriser ses émotions, mais elle tremblait.

— On vient *à peine* de se mettre ensemble, Dare, et je ne veux pas te perdre.

— Tu ne vas *pas* me perdre, Billie.

— Tu n'en sais rien.

La tête lui tournait. Elle croisait et décroisait les bras, se sentant effrayée et hors de contrôle.

— Je *déteste* ça. Je déteste m'inquiéter. Je déteste la peur qui me ronge en ce moment et je déteste te dire tout cela. J'ai l'air de quelqu'un que je n'ai *jamais* voulu être.

— Tu parles comme quelqu'un qui a perdu un ami lors d'une cascade et tu as le droit de t'inquiéter pour moi, dit-il avec véhémence.

Il posa ses mains sur le haut de ses bras et amena ses yeux vers les siens, son expression s'adoucissant.

— C'est ce que je suis, Billie. Je sais que tu as peur, mais je veux vivre ma vie, pas la vivre dans la peur.

— Je ne *veux* pas que tu vives dans la peur. Je l'ai assez fait pour nous deux, et je ne veux pas te *changer*. Mais je ne sais pas si je peux supporter de m'inquiéter à chaque fois que tu décides de faire mieux.

Sa mâchoire se contracta.

— Qu'est-ce que tu veux dire ? Si je fais ça, c'est fini entre nous ?

— *Mon Dieu*, non. Je ne vais pas te faire choisir entre quelque chose que tu aimes faire et moi. Même si nous n'étions pas ensemble, je m'inquiéterais toujours pour toi. J'ai à peine respiré quand tu étais parti faire ce foutu Mur de la Mort.

— Alors *qu'est-ce* que tu veux ?

— Je ne *sais* pas !

Elle expira bruyamment en secouant la tête.

— *Ne pas* avoir tous ces trucs dans la tête.

Il lui tendit la main.

— Alors parlons-en.

— Je ne peux pas. Je suis en retard. Je dois y aller. *Juste...*

Elle se mit sur la pointe des pieds, soutenant son regard.

— Je t'aime, Whiskey. S'il te plaît, ne meurs pas.

Elle l'embrassa et se dépêcha de sortir avant qu'il ne puisse voir des larmes de frustration couler sur ses joues.

Le temps d'arriver en ville, elle avait lancé des menaces ouvertes à l'univers – *aidez-moi, ne laissez rien lui arriver* – et des dizaines de prières silencieuses pour que Dare soit en sécurité. Ses larmes avaient cessé mais elle avait l'impression d'avoir l'estomac dans les talons. D'habitude, le simple fait de passer devant les jolies boutiques en briques de sa petite ville pittoresque lui redonnait le moral, mais ce sentiment de déprime ne la quittait pas.

Elle passa devant la fontaine au centre de la ville et se rendit au coin de la rue jusqu'à l'emblématique restaurant des années 50 où elle avait rendez-vous avec sa mère et sa sœur. Il était orné de sièges en vinyle rouge et de sols à carreaux, servait des boissons dans un verre bocal à anse et était réputé pour sa cuisine réconfortante. Billie s'interrogeait sur le sens de ce terme *nourriture réconfortante*. Elle était tellement stressée qu'elle avait envie de vomir.

Elle prit une grande inspiration en sortant de son véhicule, lançant une nouvelle prière silencieuse et essayant de trouver une excuse pour expliquer à sa mère et à sa sœur pourquoi elle était en retard, à part faire la grasse matinée, faire l'amour sous la douche et se disputer pour des conneries auxquelles elle n'avait pas envie de penser ou dont elle ne voulait pas parler.

J'ai perdu mes clés.

La bonne vieille excuse que sa sœur et elle avaient utilisée lorsqu'elles avaient manqué le couvre-feu parce qu'elles ne voulaient pas arrêter d'embrasser un garçon avec qui elles étaient ou parce qu'elles s'amusaient trop avec leurs amis fonctionnerait parfaitement.

En passant devant la vitrine du restaurant, deux des copains de son père, des Dark Knights, lui firent signe de l'intérieur, où ils prenaient leur petit déjeuner avec leurs femmes. Billie sourit et ouvrit la porte.

— Voilà la superstar de Hope Valley, dit Flo derrière le comptoir.

Flo avait une cinquantaine d'années et d'épais cheveux noirs qu'elle portait torsadés en une sorte de chignon et emprisonnés sous un foulard lorsqu'elle travaillait et lâchés et ébouriffés lorsqu'elle n'était pas au travail. Le restaurant était dans sa famille depuis des générations, et les photos des célébrités locales y étaient accrochées depuis presque aussi longtemps. Lorsque Billie était entrée sur le circuit professionnel de motocross, la ville avait organisé une véritable parade. Eddie, Dare et elle étaient montés sur un char au milieu de la rue. Ils avaient fait la même chose pour Dare quand il avait battu le record du monde du Mur de la Mort, bien qu'elle n'ait pas assisté à cette parade.

Billie jeta un coup d'œil à la photo d'elle au-dessus du bar. Elle pilotait sa motocross lors de sa première course professionnelle. Un photographe du journal l'avait prise et Flo lui avait demandé de la dédicacer. Elle avait écrit BILLIE " BADASS " MANCINI, CASSE-COU POUR LA VIE. Elle ressentit une pointe de nostalgie mais la frustration de la matinée la fit passer au second plan.

— C'était il y a longtemps, Flo.

— Tu seras toujours une héroïne à mes yeux, ma chérie. Ta maman et ta sœur sont juste derrière. Je vais t'apporter une tasse de café.

Elle lui fit signe d'aller s'asseoir à l'arrière du restaurant, où elles buvaient du café en bavardant.

— Merci, Flo.

En contournant les clients attablés et en saluant ceux qu'elle connaissait, elle se rendit compte que sa mère et Bobbie étaient assises à côté de la photo de Dare chevauchant le Mur de la Mort. *Génial.* Il avait dédicacé sa photo de la même façon qu'elle – CASSE-COU POUR LA VIE. Lorsqu'elle avait vu pour la première fois la photo de lui en train de faire la cascade et sa signature, son cœur s'était mis à battre la chamade. Tous les trois, ils avaient tout signé de cette façon, des travaux scolaires aux cartes d'anniversaire, mais elle avait arrêté après la mort d'Eddie, et elle avait été choquée de voir qu'il ne l'avait pas fait.

Les pensées de Billie revinrent à la piste de motocross que

Dare avait construite pour elle et sa poitrine se serra. Comment pouvait-elle ressentir autant de choses contradictoires à la fois ? Elle essaya de repousser ces pensées en s'asseyant sur la banquette à côté de sa sœur, qui avait l'air mignonne dans un chemisier rose et une mini-jupe blanche. Ses longs cheveux blonds étaient détachés et ondulés et elle arborait un sourire en coin difficile à déchiffrer pour Billie.

— Désolée, je suis en retard.

Billie prit un menu et le regarda distraitement.

— Ce n'est pas grave, chérie, dit leur mère d'un ton enjoué.

— Tu as eu du mal à trouver *tes clés* ? s'étonna Bobbie.

— Plutôt des problèmes avec Whiskey, marmonna Billie pour elle-même.

Leur mère se pencha et abaissa le haut du menu pour pouvoir voir le visage de Billie. Alice Mancini était un mélange rare de force de caractère et de douceur affectueuse, et même si Billie savait qu'elle déconcertait souvent sa mère, elle avait toujours su que celle-ci traverserait le feu pour elle. Elle avait la peau claire, des cheveux blonds ondulés jusqu'aux épaules, toujours un peu ébouriffés et crépus, et elle ne se maquillait jamais beaucoup. Bobbie lui avait demandé un jour pourquoi elle ne prenait pas plus de temps pour se faire belle et leur mère lui avait répondu qu'elle avait suffisamment de choses *concrètes* à faire pour s'en préoccuper. Elle était naturellement jolie quand elle était plus jeune. Aujourd'hui, elle avait des ridules autour des yeux et de la bouche, ses cheveux étaient plus fins, sa taille plus épaisse, mais elle était toujours belle, surtout quand elle souriait. Billie trouvait que son style, pas si parfait, lui allait à ravir.

— Tu veux en parler ? demanda leur mère.

— Pas vraiment. Je ne veux même pas y *penser*, dit-elle alors que Flo arrivait avec son café.

Celle-ci regarda Billie avec curiosité en posant la tasse devant elle.

— Le bruit court en ville que les Casse-Cous ont *fait des câlins*.

Billie se retint de lever les yeux au ciel.

— Faut aimer les ragots des petites villes.

— Je me souviens quand Dare, toi et Eddie – *paix à son âme* – veniez ici tout excités et vous asseyiez au comptoir en jacassant sur le ski ou les courses de motos, en buvant des milkshakes et en volant les frites des autres.

Flo regarda la photo de Dare sur le mur et tourna un sourire chaleureux vers Billie.

— Je te jure que tu regardais ces garçons comme s'ils avaient décroché la lune. Mais il y avait toujours une petite étincelle dans tes yeux pour Dare. Je me suis toujours demandé quand vous alliez comprendre. Tu as de la chance, Billie. Ces garçons Whiskey sont devenus des hommes bons, et nous savons tous qu'ils sont les célibataires les plus sexy de la ville avec tout le bien qu'ils font dans ce ranch. Maintenant, il nous faut trouver un jeune homme sympa pour cette belle dame.

Elle sourit à Bobbie.

— Pourquoi ne pas voir d'abord comment la vie amoureuse de Billie se déroule ?

Bobbie adressa à nouveau son sourire en coin à sa soeur.

Cette fois-ci, Billie leva les yeux au ciel.

Elles commandèrent le petit déjeuner et, après le départ de Flo, leur mère dit :

— J'ai déjeuné avec Wynnie hier et elle m'a signalé que Dare et toi aviez passé beaucoup de temps ensemble. Je suis contente que vous soyez en train de réparer les dégâts. Vous avez été de si bons amis pendant si longtemps et nous avons tous eu le cœur brisé lorsque vous vous êtes éloignés l'un de l'autre.

Billie savait qu'elle était juste gentille en laissant entendre que Dare et elle avaient tous les deux activement mis de la distance entre eux. *C'est moi qui l'ai fait et je ne me suis pas contentée de m'éloigner. Je me suis mise derrière les barreaux.*

— J'aimerais quand même savoir comment il a fait pour te débarrasser de ce poids sur ton épaule, insista Bobbie. Ce n'est pas que je me plaigne. J'ai eu la maison pour moi toute seule tous les soirs cette semaine et c'était *paradisiaque*.

Billie lui lança un regard pour la *remercier*. Elle n'avait même pas eu l'occasion de dire à sa mère qu'ils se fréquentaient, même si elle était sûre que son père l'avait fait.

— Eh bien, je crois que tu as ta réponse, Bobbie, dit leur mère en souriant. Il semble que notre fille ait reçu un peu d'amour, ce qui aurait dû être fait depuis longtemps, à mon avis.

— Est-ce qu'on peut *éviter* le sujet ? demanda Billie.

— Je dis juste que ça explique beaucoup de choses, dit leur mère. Kellan a dit que tu étais moins brusque au travail et que tu souriais davantage. Tu dois donc en être heureuse, malgré ce qui t'a contrariée ce matin.

— Je *suis* contente.

— Alors pourquoi as-tu l'impression que si tu ne vas pas courir, tu vas commencer à casser des choses ? l'interrogea Bobbie.

— *Bobbie*, la réprimanda leur mère. Elle a dit qu'elle ne voulait pas en parler. Billie, chérie, comment va Dare ? Qu'est-ce qu'il fait aujourd'hui ?

— La chose dont je ne veux pas parler, grommela-t-elle.

Sa mère et sa sœur échangèrent un regard inquiet, et Billie pensa à ce que son père avait dit à propos de ses humeurs. Elle n'aimait peut-être pas parler de certaines choses mais elle devait essayer de le faire pour sa famille.

— Il saute par-dessus les bus sur sa moto. Six bus, pour être exact.

Le simple fait de le dire provoqua une vague d'inquiétude.

— Oh, mon Dieu. Il faudra que je passe voir Wynnie après le petit-déjeuner, dit leur mère. Elle doit être morte d'inquiétude.

Bobbie regarda Billie avec compassion.

— Tu es inquiète aussi, n'est-ce pas ?

— Bien sûr. Tu ne l'es pas, toi, maintenant que tu le sais ?

— Oui, mais je ne suis pas amoureuse de lui, dit Bobbie.

Billie fut stupéfaite et resta silencieuse. Elles étaient assez proches mais alors que Bobbie mettait son cœur sur la table et exprimait chaque sentiment et chaque nuance de son amour, Billie avait toujours gardé le sien sous le coude.

— Ne sois pas si choquée, chérie, dit leur mère. Comme Flo l'a dit, c'est écrit dans tes yeux depuis que tu es une petite fille qui essaie de faire mieux que lui.

Elle n'allait même pas essayer de le nier. Elle était fatiguée de cacher ses sentiments, mais elle ne voulait pas non plus les exposer, alors elle contourna le problème.

— Tu as des conseils à me donner sur le fait qu'il saute par-dessus les bus ? Comment suis-je censée le regarder faire quelque chose d'aussi dangereux ? Je ne veux pas l'empêcher de faire ce qu'il aime. J'aime qu'il n'ait peur de rien, qu'il soit motivé et qu'il veuille être le meilleur dans tous les domaines. Mais je ne peux pas...

Les larmes lui piquaient les yeux et elle se détourna, souhaitant qu'elles ne tombent pas.

Bobbie lui toucha la main.

— C'est normal de s'inquiéter pour lui.

— Je ne peux que vous dire comment j'ai traversé cette épreuve avec vous, dit leur mère. Ce n'est pas facile de soutenir quelqu'un qu'on aime quand il fait des choses qui nous terrifient, et j'ai dû apprendre à le gérer alors que tu n'étais qu'un enfant en bas âge.

— Un enfant en bas âge ? Il faut pas exagérer, dit Billie.

— Je t'assure que ce n'est pas le cas. Je vais te donner quelques exemples. À deux ans, tu as escaladé toutes les barrières que nous avions installées, y compris celle en haut de l'escalier. À trois ans, tu m'as demandé un bol de glace juste avant l'arrivée du facteur, et je t'ai dit que je te le donnerais après lui avoir remis un paquet. Pendant les quelques minutes qu'il m'a fallu pour le faire, tu as poussé une chaise jusqu'au comptoir de la cuisine, tu as grimpé et tu as ouvert le congélateur d'une manière ou d'une autre. Aujourd'hui encore, je ne sais pas comment tu as fait, mais quand je suis entrée, tu étais suspendue au haut de la porte du congélateur par une main, avec un demi litre de glace dans l'autre, avec un sourire jusqu'aux oreilles comme si tu ne venais pas de me faire faire une crise cardiaque.

Bobbie rit.

— Du Billie tout craché. Elle a toujours faim.

— Ce n'était que le *début*, précisa leur mère. La même année, elle a grimpé aux rideaux et s'est suspendue à la tringle à rideaux parce qu'elle voulait faire partie du cirque. Quelques jours après son quatrième anniversaire, elle a porté un moule à pâtisserie dans les escaliers pendant que j'étais dans la salle de bains et a commencé à descendre en luge, se heurtant au mur la tête la première.

— *Bon sang !*

Billie était amusée et étonnée. Elle commençait à comprendre pourquoi elle déroutait tant leur mère.

— De toute évidence, c'est moi qui ai le cerveau de la famille, dit Bobbie en plaisantant.

— C'est à ce moment-là que j'ai réalisé à quel point ma petite fille était intrépide, et à moins de te mettre dans une cage, il n'y avait *rien* pour t'arrêter.

— Merci de ne pas m'avoir mise dans une cage. Qu'est-ce que tu as fait ?

— Pour être honnête, j'étais dans tous mes états. Je n'étais pas préparée à être la mère d'une petite fille aussi sauvage. Quand les autres petites filles jouaient à la poupée, toi tu faisais la course ou tu plongeais d'un objet à l'autre. J'étais sûre que tu finirais par te blesser à la tête, et il était de ma responsabilité de veiller à ta sécurité. Mais il était aussi de ma responsabilité de ne pas t'empêcher de devenir la personne que tu étais censée être. Même si je ne comprenais pas qui c'était. Il n'a pas été facile de trouver comment concilier les deux, mais ton père et moi en avons discuté et nous avons élaboré un plan. Nous t'avons souvent parlé des dangers de ce que tu faisais et nous avons essayé de te donner d'autres options. Ton père a installé des barres moins hautes que les rideaux pour que tu puisses y grimper, mais tu as refusé de les utiliser parce que tu disais que c'était pour les bébés.

Bobbie réprima un rire.

— Nous avons instauré plus de temps morts, mais tu restais assise et tu ruminais, et je te jure, Billie Jean, que tu passais ton temps à concocter ton prochain projet. Nous avons donc rembourré les coins des meubles, renforcé les tringles à rideaux et j'ai fabriqué un tapis rembourré pour le bas des escaliers. Si je vous emmenais dans un parc, j'emmenais un lycéen avec moi pour m'aider à vous surveiller. Mais au fur et à mesure que vous grandissiez, nos inquiétudes grandissaient. Votre père et moi ne pouvions pas vous surveiller à chaque instant, et si nous vous avions dit que vous ne pouviez pas faire du vélo tout-terrain ou grimper à des hauteurs impossibles, vous auriez été encore plus déterminés à le faire. A ce moment-là, Dare, Eddie et toi étiez déjà devenus comme les doigts de la main.

Elle croisa les doigts.

— Ces garçons ont été des bénédictions dans nos vies. Leurs parents vivaient les mêmes choses que nous, et nous avons partagé le fardeau de surveiller nos enfants les plus dangereux pendant que nous avions les autres sous les pieds. Nous nous sommes entraidés et nous avons appris tout ce que nous pouvions sur les activités que vous faisiez, afin de comprendre les dangers, et cela nous a aidés à comprendre en quoi ces activités étaient bonnes pour vous aussi. C'était un soulagement de savoir que nous n'étions pas seuls. Tiny avait Doc et Cowboy qui veillaient aussi sur vous, même si cela posait ses propres problèmes. Dare n'était pas content et il trouvait toujours des moyens de s'enfuir en douce.

— Nous l'avons tous fait, dit Billie.

Tiny avait été dur avec ses garçons lorsqu'ils étaient plus jeunes, leur inculquant la nécessité de veiller sur leurs frères et sœurs et sur les autres, leur apprenant à toujours essayer de faire ce qu'il fallait. Il n'hésitait pas non plus à leur faire part de ses opinions. Il avait donné à Billie, Bobbie, Eddie et à beaucoup d'autres amis de leurs enfants des conseils sur les mêmes sujets.

— Mais ne te méprends pas, dit leur mère, vous n'étiez pas de mauvais enfants. Vous aimiez simplement faire des choses différentes des autres enfants. Mais vous étiez tous les trois autonomes. Eddie était juste assez prudent pour que Dare et toi réfléchissiez à deux fois avant de faire certaines choses. Même si Dare était sauvage, il veillait *toujours* sur vous et vous vous mettiez en colère contre lui pour cela. Il te disait de le regarder faire quelque chose pour qu'il puisse te dire si c'était trop dur pour toi, et tu allais de l'avant et le faisais en premier.

— Bien sûr que oui. Je n'allais pas laisser un garçon me dire ce qu'il fallait faire.

— Pour ta gouverne, ajouta Bobbie, tu n'aimes pas qu'*on* te dise ce que tu dois faire et Dare non plus.

— Je sais, mais il pourrait être gravement blessé ou *mourir*, fit remarquer Billie.

— Quand je te disais ça, tu disais que tu pouvais te blesser en traversant la rue, lui rappela Bobbie. Alors, où est la limite entre ce qui est acceptable et ce qui ne l'est pas ? Tu veux qu'il arrête de faire tout ce qui est dangereux ? Les parachutes sont défectueux. Doit-il arrêter de sauter en parachute ? Et de conduire sa moto ? Elles sont plus dangereuses que les voitures. Et le plongeon en falaise ? Il pourrait mal atterrir et…

— J'ai *compris*, Bobbie. Je ne parle pas de ce genre d'activités. Nous sommes allés faire du kayak, et j'ai adoré ça.

— Vraiment ? demanda leur mère. C'est merveilleux.

— Je sais. Ça m'a fait du bien, et ça m'a donné envie d'essayer de refaire certaines des choses amusantes que nous avions l'habitude de faire.

Elle se surprit à faire cette déclaration, mais ne chercha pas à l'approfondir.

— C'est juste avec les cascades exagérées que j'ai du mal. Celles où l'on a l'impression que Dare a envie de mourir.

Bobbie soutint son regard, son expression se réchauffant.

— Tu ne vas pas vouloir entendre ça, mais as-tu pensé que tu avais peut-être trop changé pour être avec lui ?

— Bien sûr que oui. Mais je *veux* être avec lui. J'*aime* être avec lui, et j'aime qui je suis quand nous sommes ensemble. Je ne veux pas le perdre.

Elle refoula les émotions qui l'assaillaient et regarda leur mère.

— Tu sais qu'il a mon ancienne moto de course ?

— Oui, dit sa mère. Tu voulais qu'on s'en débarrasse et il a demandé s'il pouvait l'avoir. Je ne pensais pas que cela te dérangerait.

— Tu savais qu'il avait construit une piste ?

— Je savais qu'il avait construit une piste de motocross, répondit leur mère. Pourquoi ?

Billie secoua la tête.

— Pour rien.

— Oh mon Dieu, *Billie.*

Bobbie la regarda d'un air implorant.

— Ta carte pour ton treizième anniversaire. Il l'a faite pour toi, n'est-ce pas ?

Les larmes montèrent aux yeux de Billie si vite qu'elle ne comprit pas ce qui lui arrivait.

— Oh, Billie.

Les sourcils de leur mère se plissèrent.

— Cet homme qui prend des risques t'aime de tout son être, n'est-ce pas ?

— D'accord, *arrête.* Tu ne vas pas me rendre toute émotive.

— Ce sont des larmes que je vois ? la taquina Bobbie.

— *Non.*

Billie expira bruyamment, essayant de se ressaisir.

— Maman, est-ce que tu m'as raconté toutes ces choses quand j'étais petite pour me montrer qu'il n'y a rien que je puisse faire à propos de ma situation avec Dare ?

— Non, chérie. J'essayais de te dire que chaque personne est différente. Certaines ont besoin de sensations fortes, et après tout ce que tu as vécu, il est normal que tu aies peur de perdre Dare. Mais je pense que Bobbie a raison. Si tu veux être avec Dare, tu dois accepter ce qu'il est et le soutenir du mieux que tu peux, même si c'est effrayant. Tu sais, quand j'ai rencontré ton père, ce n'était pas un biker qui allait à des réunions tous les mardis ou qui faisait des virées en moto avec Tiny et les autres pendant des heures. Il n'avait certainement jamais récupéré quelqu'un en prison ou dans un centre de détention, comme le font les Dark Knights. C'était un homme discret, et nous avions l'espoir d'ouvrir un jour une librairie et un café. Mais lorsque ton grand-père lui a proposé le bar, j'ai vu dans les yeux de ton père quelque chose que je n'avais jamais vu auparavant, et je me suis rendue compte que si nous avions suivi nos plans, je n'aurais peut-être jamais vu la petite flamme qu'il possède encore. Comme tu le sais, ton père a dû faire face à des situations difficiles au bar et dans le club. Mais ce club est devenu notre famille et nous avons tous les deux adoré chaque minute passée à travailler au bar et maintenant, tu perpétues notre héritage.

— *Dieu* merci, tu n'as pas ouvert une librairie, dit Billie.

— J'adorerais tenir une librairie et un café. Peut-être que lorsque papa prendra sa retraite, lui et moi pourrions en ouvrir une, suggéra Bobbie.

— C'est une idée intéressante. Tu devrais peut-être lui en parler.

Leur mère tendit la main de l'autre côté de la table et toucha celle de Billie.

— Chérie, je sais que tu es dans une situation difficile, mais je ne peux pas te donner les réponses que tu cherches. Tu es la seule à pouvoir décider ce que tu es prête à accepter. Il est peut-être temps de penser à parler à quelqu'un de tout ce que tu as vécu.

— C'est ce que je fais. J'ai parlé à Dare.

— C'est merveilleux. Mais je veux dire quelqu'un à qui tu peux dire des choses que tu ne veux peut-être pas partager avec nous ou avec Dare. Je parie que tu pourrais parler à Colleen au ranch, ou Wynnie peut te donner le nom de quelqu'un en ville.

— Je ne sais pas, maman.

Parler à Dare l'aidait mais elle n'était pas très enthousiaste à l'idée de partager ses sentiments les plus intimes avec quelqu'un d'autre.

— Je vais y réfléchir.

Flo apporta leurs petits déjeuners. Tandis que sa mère et sa sœur commençaient à manger, Billie prononça une autre prière silencieuse pour que Dare soit en sécurité. Elle prit un morceau de gaufre avec sa fourchette, mais elle ne pouvait rien avaler.

— Bobbie, chérie, Wynnie et les filles veulent se réunir dans tout juste quatre semaines pour revoir les plans et les horaires du Festival on the Green et le coup d'envoi de la campagne Ride Clean. Tu peux venir ?

Pendant que Bobbie et elle parlaient de leurs projets, l'esprit de Billie remontait le temps. Quand elles étaient petites, leur mère les emmenait aux réunions de préparation des événements des Dark Knights, et Billie avait détesté ça. Elle s'était sentie comme un animal en cage, assise dans une pièce avec sa mère et celle de Dare, ainsi que leurs sœurs, pendant que Dare et Eddie couraient à l'extérieur. Mais ses parents lui avaient inculqué, ainsi qu'à Bobbie, qu'ils formaient une famille avec les Dark Knights, et qu'il était important d'apporter sa contribution. Billie avait toujours aimé participer aux événements mais l'organisation n'avait jamais été son truc. Elle s'en était sortie à l'adolescence en s'entêtant – du moins jusqu'à ses dix-neuf ans, quand Bobbie, qui avait toujours aimé planifier tout et n'importe quoi, lui avait demandé d'y aller. Dare était parti à l'université et elle s'était sentie un peu plus proche de lui en étant avec sa famille. Elle avait apprécié le temps passé avec les filles et avait continué à participer à l'organisation chaque année jusqu'à l'accident d'Eddie.

Elle commençait à comprendre à quel point le fait d'exclure les gens de sa vie lui avait coûté cher. Elle n'avait pas seulement manqué de temps avec Dare et inquiété sa famille, mais elle avait aussi manqué de temps avec sa mère, sa sœur, et la mère et les sœurs de Dare.

— Maman, la coupa-t-elle. Maman, je suis désolée. Je me demandais juste si tu étais d'accord pour que je vienne à la réunion d'organisation ?

Sa mère serra les lèvres, semblant sur le point de pleurer.

— Je pense que ce serait merveilleux.

— Tu *veux* y aller ? demanda Bobbie.

— Oui, je le veux.

Bobbie sortit son téléphone.

— À qui envoies-tu un texto ? l'interrogea Billie.

— Dare, pour lui dire de continuer à faire ce qu'il fait.

— Donne-moi ça !

Billie essaya d'attraper son téléphone.

— D'accord, d'accord !

Bobbie rit et le posa sur la table.

— Je suis contente que tu y ailles. C'est toujours plus amusant avec toi.

— Vraiment ?

Elle en fut surprise car Bobbie ne l'avait jamais qualifiée d'amusante auparavant.

— *Oui.* Tu es amusante quand tu ne te comportes pas

comme un dragon cracheur de feu.

Bobbie lui donna un coup d'épaule pour atténuer la vérité.

— Cela va être très excitant, déclara leur mère. Laisse-moi te dire ce que je pense…

Billie n'était pas sûre que ce soit excitant mais ce serait bien de commencer à combler le fossé qu'elle avait creusé entre la famille de Dare et elle. Son esprit revint à la périlleuse cascade de Dare et, comme elle l'avait fait toute la matinée, elle le supplia silencieusement de veiller à sa sécurité.

Plusieurs heures plus tard, le mantra " *Gardez-le en sécurité* " résonnait encore dans son esprit alors qu'elle servait des boissons au bar. C'était un après-midi chargé et elle surveillait la porte comme un faucon, priant pour voir Dare la franchir. Son père et ses frères venaient d'arriver, ce qu'elle considérait comme un bon signe. Si quelque chose s'était produit, quelqu'un ne les aurait-il pas contactés ?

Doc et Tiny discutèrent alors qu'ils se dirigeaient vers une table. Doc sortit son téléphone, montrant quelque chose à son père, ses biceps tendus contre son T-shirt à l'effigie du *Ranch Rédemption*, ses tatouages colorés bien en évidence. Tiny portait son blouson, comme d'habitude. Billie pouvait compter sur les doigts d'une main le nombre de fois où elle l'avait vu sans. Il était aussi fier des Dark Knights que de sa famille et du ranch. Cowboy marchait derrière eux, les vêtements tendus sur ses muscles hyper développés, son chapeau de cow-boy bien enfoncé sur la tête et ses yeux toujours attentifs qui faisaient le tour du bar. Il était bâti comme un culturiste.

Ou un *garde du corps*, pensa-t-elle en se rappelant ce qu'il avait fait dans le film d'Eddie.

Cowboy leva le menton dans sa direction et elle murmura *Merci* dans sa tête. Doc et Cowboy avaient toujours gardé un œil sur Dare, mais Cowboy avait été un peu plus dur avec lui, le réprimandant pour les conneries qu'il avait faites et s'assurant que Dare respectait ses engagements jusqu'à l'agacement. Elle se demandait s'il l'avait fait parce qu'il craignait pour la sécurité de son frère ou parce que c'était ce qu'on attendait de lui. Se sentait-il aussi perdu que Billie aujourd'hui ?

— Où est ton copain ? demanda Kellan, la tirant de ses pensées.

— *Kellan*, dit-elle en guise d'avertissement. Il est parti en moto. Pourquoi ?

— Je suis juste curieux puisque les gars sont là. Tu ne vas pas servir ton beau-père et ton beau-frère ?

— N'es-*tu* pas à *mon* service ?

Elle leur donnait juste une minute pour s'installer.

Il afficha un sourire en coin.

— Oui, mais tu ne veux pas que je sois là où les femmes peuvent me tripoter et ralentir mon service.

— Tu aimes juste avoir la meilleure place de la maison pour les observer.

— C'est vrai, mais maintenant que ton *amant* et toi êtes ensemble, je ne veux pas entraver la qualité de ton service.

Elle leva les yeux au ciel et alla prendre les commandes des Whiskey. Ils la regardèrent s'approcher, le visage de son père toujours aussi sérieux. Savait-il ce que Dare préparait aujourd'hui ? Si oui, pourquoi n'était-il pas là avec lui ?

Doc sourit et lui fit un signe de tête sec, une autre salutation des Whiskey qu'elle connaissait bien. Elle pensa à ce que Dare avait dit à propos de la fois où il avait infligé un œil au beurre noir à Johnny Petrone. *J'aurais fait plus que ça si Doc ne m'avait pas arrêté.* Elle se demanda s'il avait dit à Doc pourquoi il l'avait fait.

— Comment ça va, ma chérie ? demanda Tiny.

— Plutôt bien, merci. Et toi ?

Il avait été gentil avec elle pendant toutes ces années, malgré la froideur dont elle avait fait preuve envers Dare, et maintenant qu'elle essayait d'être plus ouverte et de ne pas refouler ses sentiments, sa gentillesse suscitait toutes sortes d'émotions. Mais elle était trop tendue par son inquiétude de la journée pour penser à tout cela et l'enfouit au plus profond d'elle-même pour la disséquer une autre fois.

— Je te ferai savoir quand j'aurai des nouvelles de mon fils.

Tiny regarda sa montre et poussa un juron.

— Alors, tu es *au courant* qu'il saute par-dessus des bus aujourd'hui ?

Tiny acquiesça.

La mâchoire de Cowboy se contracta.

— Nous sommes au courant oui, répliqua Doc. Ce pauvre taré.

Quelque chose se brisa en elle.

— Alors pourquoi n'es-tu pas *avec* lui ? Il pourrait se passer quelque chose et tu ne seras pas là.

Tiny releva son visage barbu, les yeux plissés.

— Je pense que c'est pour la même raison que tu n'es pas là.

— Je ne le savais pas jusqu'à ce matin et j'avais des projets avec ma mère, dit-elle sans conviction.

Elle savait pertinemment que même si elle n'avait pas eu de projets, elle n'aurait pas pu le regarder faire une cascade aussi dangereuse.

Tiny hocha la tête.

— Je comprends, ma chérie. J'aime mon fils, mais ça ne veut pas dire que j'aime tout ce qu'il fait. Je ne peux pas l'empêcher de poursuivre ses rêves mais je ne suis pas obligé de le regarder faire.

Une partie d'elle avait envie de dire :

Et tout ce que vous nous avez appris sur la loyauté et la fraternité ? Cela ne veut-il pas dire qu'il faut assurer ses arrières quoi qu'il arrive ? Mais comment pouvait-elle dire cela alors qu'elle n'avait pas non plus le soutien de Dare ?

— J'y serais bien allé mais j'ai dû opérer un cheval ce matin, précisa Doc.

— Je devais m'occuper d'une équipe au ranch, dit Cowboy. Je lui ai demandé de reporter l'opération mais ce n'est pas facile quand il s'agit de bus.

Son cœur battait la chamade en pensant à Dare qui s'attirerait des ennuis sans qu'aucun d'entre eux ne soit là. Cela lui donnait la nausée, rien que d'y penser.

— J'espère juste qu'il va bien.

— Je dois croire qu'il ira bien, ma chérie, dit Tiny en hochant la tête. Tant que personne ne l'énerve avant le saut.

Les mots étaient tranchants comme des couteaux lorsqu'elle réalisa qu'*elle* l'avait probablement énervé en se mettant dans tous ses états. *Merde.* Son esprit s'embrouilla. *Comment ai-je pu lui faire ça ?* Ses nerfs étaient à vif et son cœur avait l'impression d'être écrasé. Elle prit rapidement leurs commandes, sentant qu'elle allait pleurer ou crier, ou les deux. Mais alors qu'elle s'apprêtait à s'éloigner, ses pensées revinrent sur ce que sa mère avait dit et elle dut poser la question suivante :

— Est-ce que Wynnie va bien ? Ma mère a dit qu'elle allait la voir ce matin.

— Notre mère est forte, ajouta Doc.

— Elle a traversé ce genre de choses à maintes reprises avec Dare. Et toi, Billie ? Comment tu tiens le coup ?

J'ai les nerfs à vif et je suis terrifiée à l'idée qu'il puisse se passer quelque chose d'horrible.

— Je vais bien, répondit-elle de la manière la plus convaincante possible. Je vous apporte vos boissons tout de suite.

Elle alla remplir leurs verres, lançant des prières supplémentaires à l'univers pour compenser son gros mensonge.

DARE MENA la horde de motos dans la rue, le rugissement de leurs moteurs étant aussi réconfortant que la vue de l'enseigne *ROADHOUSE* en néon, alors qu'il se garait sur le parking, des émotions contradictoires l'assaillant. Il se gara près de la moto de son père, se disant qu'il avait fait le bon choix en descendant de sa moto et en verrouillant son casque.

Il rejoignit Rebel, Flame et Taz puis suivit les autres gars qui se dirigeaient vers l'intérieur.

Flame lui donna une tape dans le dos.

— Superbe balade, mec. Tu te débrouilles bien ?

Finn "Flame" Steele avait grandi à Trusty, dans le Colorado. Dare et lui s'étaient rencontrés il y avait plusieurs années de cela, alors qu'il prospectait pour les Dark Knights, et ils s'étaient bien entendus. Le parachutiste aimait prendre des risques et il venait d'une grande famille, comme Dare. C'était un bon gars, même si sa sœur jumelle, Fiona, le surnommait le jumeau *diabolique*.

— Tout va bien pour moi.

C'était un mensonge. Il ne le serait pas tant que Billie et lui n'auraient pas réglé leurs problèmes. Il s'était inquiété pour elle toute la journée.

Ils entrèrent et tous les regards se tournèrent vers eux. Mais le regard de Dare se fixa sur Billie lorsqu'elle se tourna derrière le bar. Ses yeux s'écarquillèrent comme des soucoupes, elle se jeta par-dessus le bar et sprinta à travers la pièce, se jetant dans ses bras, ses jambes s'enroulant autour de lui comme du Velcro. *Qu'est-ce que... ?*

— *Tu vas bien, tu vas bien, tu vas bien.*

Elle prit son visage entre ses mains et déposa un baiser sur ses lèvres, ce qui lui valut des applaudissements, des sifflets et des acclamations de la part de tout le bar. On était loin de la fille qui avait peur de l'embrasser au travail, il y avait une semaine.

— Bon sang de bonsoir. Où est-ce que je peux m'en procurer une, mon pote ?

Flame le taquina, s'attirant les rires des autres.

— Allez, laissons ces deux-là vivre leur *moment.*

Quand les gars les dépassèrent, Rebel lança :

— Quand vous aurez fini de vous embrasser, nous prendrons une tournée de bières, mais tu ferais mieux de donner à ce *gosse* quelque chose à boire.

— Va te faire foutre, Rebel, grogna Dare alors que les pieds de Billie touchaient le sol.

Rebel gloussa et s'éloigna.

— Je suis désolée de m'être emportée ce matin, dit-elle rapidement. Je n'aurais pas dû agir comme ça alors que tu étais sur le point de faire quelque chose de si dangereux.

— C'est sûr que ça m'a fait perdre la tête.

Il la guida loin de l'entrée.

— Mais ce n'est pas grave. Ne t'excuse jamais de me dire ce

que tu ressens. Je veux savoir ce que tu penses, même si ça ne me plaît pas. J'ai été un imbécile de t'imposer ça. Je n'ai jamais eu à penser en tant que couple et je dois y travailler.

— Peut-être que ça aiderait, mais nous avons dit Casse-Cous pour la vie, et je n'ai pas assuré tes arrières aujourd'hui. Je suis contente que tu ailles bien. Je ne veux pas que tu changes, et je n'essaierai plus jamais de t'arrêter. Nous n'avons qu'une vie et tu dois vivre la tienne comme tu l'entends, mais je ne pense pas que je puisse te regarder faire certaines de tes cascades les plus risquées, comme sauter par-dessus des bus.

Il n'en croyait pas ses oreilles et il la prit dans ses bras, la serrant fort.

— Merci.

Il se recula et l'embrassa.

— Mais je n'ai pas fait le saut.

Elle cligna des yeux plusieurs fois.

— Qu'est-ce qui s'est passé ?

— J'étais prêt à le faire, mais avec ce qui s'était passé entre nous, je ne le sentais pas. C'est pourquoi Rebel a fait ce commentaire sur le fait de prendre un remontant.

— Oh *non*. Je suis nulle. Je suis vraiment désolée d'avoir tout gâché pour toi.

— Non, chérie, tu es géniale. Tu me fais suffisamment confiance pour t'ouvrir et c'est bien plus important que de faire un saut. Nous allons avoir beaucoup de choses à régler et ce n'est que l'une d'entre elles. J'ai reprogrammé le rendez-vous pour dans un mois. Cela devrait nous donner le temps de gérer certains de ces sentiments et te donner le temps de t'habituer à l'idée.

— D'accord, dit-elle doucement.

— Et, chérie, j'ai déjà des billets pour courir avec les taureaux en Espagne, alors je pense que nous devrions passer un peu de temps à en parler aussi. Cela fait des années que je veux le faire.

— *Oh la la*, dit-elle avec exaspération.

Puis elle redressa les épaules et leva le menton, le regard sérieux.

— D'accord. Je ferais mieux de commencer à acheter ce dont nous aurons besoin.

— Ce dont nous aurons besoin ?

— Je pense à des coussins gonflables massifs tout autour des bus, au cas où tu raterais ton coup, et à une armure complète pour courir avec les taureaux. Tu crois qu'ils vendent ça sur Amazon ?

Il rit et l'embrassa.

— Tu crois que je plaisante, Whiskey ?

— *Non*, Mancini, et je t'aime encore plus pour ça.

— Je dois retourner au travail. Je vous apporte une tournée de boissons.

Il la garda dans ses bras et ne put s'empêcher de la regarder. Savait-elle à quel point ce qu'elle disait, et ce qu'elle faisait, comptait pour lui ?

— Tu réalises que tu viens de me revendiquer devant tout le monde ici, n'est-ce pas ? Je suis presque sûr que Kellan était l'un des gars qui sifflait.

— Ne me le fais pas regretter, le taquina-t-elle.

— Chérie, je vais te faire regretter de ne pas l'avoir fait plus tôt.

Il abaissa ses lèvres sur les siennes, ce qui lui valut d'autres huées. Ils repartirent en riant et il lui donna une tape sur les fesses alors qu'elle retournait au bar.

Elle jeta un coup d'œil par-dessus son épaule tandis que

Dare rejoignait les autres.

— Qu'est-ce que c'est que ces conneries ? demanda Rebel avant que Dare n'atteigne la table. Tu n'as pas fait le saut et tu as *quand même* la fille la plus sexy de la ville ?

— C'est parce que Dare est l'*homme* de la situation, rétorqua Flame.

— Il a un pénis magique, contrairement à ton petit paquet.

Taz éclata de rire.

Rebel se moqua et tandis qu'ils plaisantaient, Dare s'assit près de son père et de ses frères.

Son père lui tapa dans le dos.

— C'est bon de te voir, mon fils. Tu as appelé ta mère ?

— Je le ferai dans une minute.

J'ai besoin d'une seconde pour comprendre ce qui vient de se passer.

— Mec, qu'est-ce que tu as fait à Billie pour que tu reçoives ce genre d'accueil ? demanda Cowboy.

— Je l'ai énervée.

— Non, ce n'est pas ça.

Doc soutint son regard.

— Tu lui as fait peur.

— Oui, ça aussi.

Il détestait l'avoir inquiétée mais il était déterminé à ne pas laisser la peur gouverner sa vie.

— Tu n'as réellement pas fait le saut ? lui demanda Cowboy.

Dare secoua la tête.

— Je ne le sentais pas.

— Pourquoi ? insista Doc.

Tu n'as jamais cessé de faire une cascade, surtout une qui exigeait autant de préparation.

Dare croisa son regard.

— Pourquoi, *à ton avis* ?

— Elle t'a dit de ne pas sauter ? demanda Doc.

— Non. Elle ne ferait jamais ça.

— Intéressant.

Doc plissa les yeux.

— Eh bien, je suis ravi que tu ne l'aies pas fait. Je ne suis pas prêt à te perdre à cause d'une cascade de crétins.

— Si j'avais su que c'était tout ce qu'il fallait pour te faire reculer, je l'aurais soudoyée depuis longtemps, dit Cowboy.

Son père s'esclaffa et partagea un regard complice avec Dare.

Ce dernier regarda Billie se diriger vers eux avec un plateau de bières, lui adressant un demi-sourire qui disait : *Ouais, je t'ai revendiqué, Whiskey. N'en fais pas toute une histoire.*

— Elle n'aurait pas accepté de pot-de-vin.

— Comment le sais-tu ? demanda Cowboy.

Il se retourna vers son frère.

— Parce que je connais ma copine mieux que tu ne connais ta main gauche.

Tout le monde s'esclaffa.

— Les garçons, vous allez être sages cet après-midi ou je dois sortir mon fouet ? demanda Billie en distribuant les boissons.

— Je ne sais même pas ce que ce mot veut dire, dit Rebel.

— Ouais, ma belle, je ne peux rien promettre, ajouta Taz.

Elle leva les yeux au ciel et posa le dernier verre devant Dare.

— Je peux t'offrir quelque chose d'autre ?

— Je peux penser à quelques trucs que j'aimerais, mais pas avec ces crétins dans les parages.

Dare lui fit un clin d'œil.

— Garde-le dans ton pantalon, Whiskey.

Elle tourna les talons et s'éloigna en se pavanant.

Les gars rirent.

— Elle m'aime. Et au fait, je fais le saut le mois prochain.

— Tu n'es pas sérieux ?

Doc lui lança un regard noir.

— Tu vas lui faire subir ça ? Les âmes sœurs ne se rencontrent qu'une fois dans la vie, mon frère. Je te suggère fortement de revoir tes priorités.

Dare se sentait mal pour Doc, qui ne s'était jamais remis de la fille d'un important trou du cul dont il était tombé amoureux quand il était plus jeune. Mais Dare n'était pas Doc et Billie n'était certainement pas Juliette.

— Laisse tomber, Doc. C'est entre Billie et moi. Elle ne veut pas me changer. Il va juste lui falloir un peu de temps pour s'habituer à ce que je suis maintenant que nous sommes ensemble.

— Tu as toujours été une petite merde têtue, dit Cowboy avec autant de férocité que d'amusement.

— Maintenant, tu es une grosse merde têtue. Pas étonnant que tu t'entendes si bien avec les adolescents qui participent à nos programmes.

— Tu sais que tu m'aimes, crétin.

Dare fit tomber le chapeau de Cowboy d'une pichenette et gloussa en tâtonnant pour le rattraper.

— *Selon toi*, comment s'est débrouillé mon pote Kenny aujourd'hui ?

— Il a été super. Il apprend le respect et il parle plus avec les autres gars. Il est en train de devenir un travailleur acharné et quand il prend la grosse tête, il suffit d'un regard pour le remettre dans le droit chemin.

Cow-boy remit son chapeau en place.

— Touche-le encore et je te tue à mains nues.

Dare rit.

— Tu peux toujours essayer.

— Dare, dit son père, attirant l'attention de tous. Comment penses-tu que Kenny s'en sorte ?

— Il y arrive, il s'ouvre, il commence à voir ses actes pour ce qu'ils sont vraiment. Nous travaillons sur la communication, il apprend à dire ce qu'il ressent au lieu de s'énerver. Dans quelques semaines, nous pourrons faire venir ses parents pour une séance de groupe et voir comment cela se passe.

Son père acquiesça.

— Bien. J'ai remarqué qu'il disait bonjour et qu'il était plus respectueux.

— C'est parce que tu lui as fait peur ce matin-là au petit déjeuner, déclara Cowboy.

— Il fallait le faire. Personne ne s'en prend à ma reine et ça a réglé le problème en général.

Les hommes acquiescèrent.

— Je pense qu'il est temps d'organiser une partie de paintball pour permettre à Kenny et aux autres enfants de se défouler, proposa Dare.

— Tu sais que je suis tout à fait d'accord, dit son père.

Il avait la réputation d'emmener les gens qui passaient un mauvais moment sur le terrain de paintball pour qu'ils se défoulent.

Cowboy brandit ses poings vers le plafond et cria :

— *Paintball !*

Tous les gars applaudirent.

— Je m'occuperai des détails.

Dare se leva d'un bond.

— Je vais appeler maman pour lui dire que je suis toujours vivant.

Son père acquiesça et Dare se dirigea vers l'avant pour l'appeler.

Elle répondit dès la première sonnerie.

— *Dare.*

Le soulagement dans sa voix était palpable.

— Hé, maman. Je n'ai pas fait le saut.

— Oh ? Pourquoi pas ?

— J'ai imposé ça à Billie et elle n'était pas ravie.

— Tu lui en veux ?

— Non. Je comprends.

Il fit les cent pas sur le trottoir.

— Une partie de moi pense qu'elle est folle d'être avec quelqu'un comme moi, mais une autre partie de moi pense que si Eddie n'était pas mort, elle ferait ces choses avec moi.

— Mais Eddie est *bien* mort, chéri, et elle ne sera peut-être plus jamais la casse-cou insouciante dont tu te souviens.

— Je sais, mais je vois cette fille revenir un peu plus chaque jour. Elle ne sera peut-être jamais à fond, mais elle a définitivement le pied sur l'accélérateur.

— J'aimerais que Billie redevienne plus souriante, mais assure-toi que c'est elle qui appuie sur l'accélérateur et pas toi.

— Je ne la pousse pas à *faire* autre chose que de soutenir mes choix.

Il fit les cent pas, réfléchissant à la question qui l'avait rongé toute la journée.

— Il faut que je te demande quelque chose. Avec tout ce qu'elle a vécu, est-ce que je fais plus de mal que de bien en étant avec elle ?

Il ne pouvait pas imaginer sa vie sans Billie mais il avait besoin de connaître son opinion.

— C'est quelque chose dont seuls Billie et toi connaissez la réponse, mais Devlin, mon chéri, je te *connais*. Si tu pensais que tu n'étais pas bon pour elle, tu aurais arrêté d'essayer depuis longtemps. Il y a une raison pour laquelle tu fais encore partie de sa vie.

— C'est vrai. Merci, maman. Je ferais mieux de rentrer. Je t'aime.

Après avoir mis fin à l'appel, il retourna dans le bar en se demandant si sa mère avait raison ou s'il était trop égoïste pour envisager d'abandonner la seule femme qu'il ait jamais aimée. Il vit Billie parler avec son père à la table, et son cœur fit un sacré bond. Il n'y avait aucune chance qu'il soit capable de l'abandonner. Et peut-être qu'Eddie était le meilleur, parce qu'il ne voulait pas non plus lui donner une porte de sortie.

Il se dirigea vers elle.

— Hé, chérie. Tu flirtes avec mon vieux ?

— Et alors ? se moqua-t-elle.

Les deux hommes ricanèrent.

— Viens par ici.

Il la rapprocha et elle jeta un coup d'œil à la table voisine.

— Vu la façon dont tu étais sur moi tout à l'heure, je suis presque sûre qu'ils savent tous qu'on est ensemble.

— Juste un baiser. J'ai mis ma casquette de manager, murmura-t-elle.

— Je veux bien en prendre un maintenant, mais tu devras te rattraper pour ceux que je manquerai plus tard.

— Avec plaisir, Whiskey.

Elle l'embrassa.

— Au fait, j'ai dit à ma mère que j'aiderais à organiser les événements avec Wynnie et elle cette année.

— *Quoi ?*

Il était plus que choqué.

— Qui *êtes*-vous ?

— Tais-toi.

Elle baissa le ton.

— Je ne veux plus me sentir étrangère à ta famille.

— Ça me fait plaisir, chérie, et je pense que ce que je vais te dire va t'aider à te sentir à nouveau comme un membre de la famille. Quel soir es-tu de repos cette semaine ?

— Jeudi. Pourquoi ?

— Nous prévoyons une partie de paintball.

Cowboy hurla :

— *Paintball !*

Ce qui provoqua du grabuge à la table.

Dare secoua la tête.

— Je pense organiser un barbecue et un feu de joie après la partie. Ça t'intéresse ?

Elle arqua un sourcil.

— Te tirer dans les fesses ? Oui, je suis partante.

Elle avait cette attitude sexy, ce qui lui valut une série de plaisanteries de la part des gars alors qu'elle tournait les talons et s'éloignait en se pavanant.

— Tu vas avoir du pain sur la planche avec celle-là, dit son père en s'asseyant.

— C'est vrai, et je ne voudrais pas qu'il en soit autrement.

CHAPITRE TREIZE

LORSQUE LE SOLEIL se coucha jeudi soir, la bataille de paintball battait son plein. Le terrain, situé juste derrière la maison principale, était au moins deux fois plus grand qu'il ne l'était, il y avait quelques années, lorsque Billie s'était jointe à leurs jeux. Il y avait plusieurs bunkers de sacs de sable, de nouveaux murs de pierre, des barils, d'énormes pneus verticaux fixés au sol, ainsi que d'autres obstacles et barrières. Des projecteurs éclairaient le terrain sombre et le bruit des pas lourds, des tirs de fusils de paintball et des hurlements emplissaient l'air. Ils s'étaient divisés en équipes, et entre la famille de Dare, les employés du ranch et leurs patients, il y avait environ deux douzaines de personnes brandissant des fusils de paintball, vêtues de combinaisons et de casques de camouflage, qui couraient dans tous les sens. Même Gus s'était joint à eux, dans sa petite combinaison jaune fluo, pour que tout le monde puisse le voir et être sûr de *ne pas* lui tirer dessus.

Billie jeta un coup d'œil derrière un tonneau, essayant de repérer Dare tandis que Birdie sprintait sur la terre et plongeait derrière un mur. Une bille de peinture toucha le pied de Birdie et Doc passa à côté d'elle en se fendant la poire. Birdie releva son masque et cria :

— Bon sang, Doc ! Espèce de ninja !

Billie rit. Elle avait oublié à quel point Doc était furtif. Il ne montrait pas souvent son côté compétitif, mais sur le terrain de paintball, il voulait du sang.

Birdie sortit son téléphone et sourit pour prendre un selfie. Elle mit son téléphone dans sa poche, baissa son masque et partit en courant.

Gus était G.I. Joe et rampait au milieu du terrain. Sasha, qui faisait partie de l'équipe de Billie, courut jusqu'à lui et le ramassa sous son bras comme un ballon de football, s'attirant des rires bruyants alors qu'elle le transportait derrière un pneu.

Ezra se faufila près du canon derrière lequel Billie se cachait, et elle leva son arme pour lui tirer dessus, juste au moment où elle sentit le nez d'un pistolet pressé contre son dos.

— Tourne-toi lentement et lève ton masque, chérie.

Dare. Son pouls s'accéléra et elle se retourna, croisant son regard malicieux. Elle souleva son masque.

— Tu vas me tirer dessus ?

Il passa son bras autour de sa taille, l'attirant contre lui.

— Est-ce que j'ai l'impression de vouloir te tirer dessus ?

Il posa ses lèvres sur les siennes dans un baiser qui commença lentement et sensuellement, mais qui se transforma rapidement en un baiser féroce et passionné.

— Mon Dieu, *Billie*, grommela Cowboy. Tu fraternises avec l'*ennemi*.

Billie essaya de se détacher, mais Dare la maintint fermement tandis que Cowboy levait son arme, visant Dare, et que Kenny sprintait derrière lui, criant "Prends ça ! " en tirant dans le dos de Cowboy.

— C'est mon pote ! hurla Dare.

— J'assure tes arrières !

Kenny se mit à courir en criant.

Au moment où Dare se retourna vers Billie, elle se dégagea de son emprise et lui *tira* dessus.

Il trébucha en arrière, se tenant la poitrine.

— Je suis amoureux d'une traîtresse !

Cowboy et elle se congratulèrent et s'enfuirent juste au moment où Gus sortait de derrière le mur en criant :

— Je vais t'avoir, papa !

Sasha lui courut après.

— Si Gus ne t'attrape pas, je le ferai.

Elle visa Ezra, qui sauta par-dessus un tonneau et se cacha derrière. Tiny surgit d'un bunker de sacs de sable en visant Sasha, tandis que Wynnie passait en courant et lui tirait dessus, en riant tout du long.

— Je parie que tu as oublié à quel point c'était amusant, hein ? dit Cowboy en se réfugiant derrière un mur avec Billie.

— Ouais, ça fait trop longtemps.

— Je n'ai pas oublié ! hurla Simone.

Ils se retournèrent et Simone les frappa tous les deux de derrière un bunker, s'éloignant en rigolant.

Le match dura longtemps, et lorsqu'ils sortirent enfin du terrain et enlevèrent leur équipement, tout le monde souriait et parlait en même temps. Dwight avait choisi de ne pas participer à la partie de paintball et avait préparé un festin composé de poulet grillé, de hamburgers, de hot-dogs, de légumes et d'une foule d'accompagnements, qui attendaient tous d'être dévorés. Tout sentait bon. Dare et Doc allèrent allumer le feu de joie, tandis que quelques gars installaient des chaises et que Billie et les autres rangeaient le matériel.

— C'est le truc le plus cool que j'aie jamais fait, dit Kenny en sortant du hangar à matériel.

Tiny posa une main sur l'épaule du garçon et elle l'entendit demander à voix basse :

— Plus cool que de voler une voiture ?

— Beaucoup plus cool, dit Kenny, les yeux brillants.

— Bravo.

Hyde passa avec deux autres adolescents du programme.

— Kenny. Mangeons, mon pote.

Kenny regarda Tiny, en quête d'approbation.

Celui-ci fit un signe de tête et, tandis qu'ils s'éloignaient, Tiny rejoignit Billie qui attendait Dare.

— C'est bien que tu sois de retour dans le jeu, ma chérie.

— J'avais oublié à quel point c'était amusant, dit-elle, alors que Cowboy passait avec Simone, se plaignant qu'elle lui avait tiré dessus trop près de son *engin*. Les soirées comme celles-ci m'ont manqué, être entourée de tout le monde.

— Tu nous as manqué aussi.

Il fit un signe de tête en direction de Dare.

— Et ça m'a manqué de voir mon fils aussi heureux.

— Dare est toujours heureux.

— Il a été un vrai désastre ambulant après avoir perdu Eddie.

Un sentiment de culpabilité l'envahit.

— Je sais que j'ai empiré les choses en l'excluant de ma vie. Je suis désolée d'avoir fait ça.

— Ne t'en fais pas, chérie. Nous t'aimons tout autant. Tu as fait ce qu'il fallait, et Dare a retrouvé ses marques. Mais cela fait bien trop longtemps que je ne l'ai pas vu aussi heureux que depuis que vous vous êtes débarrassés de vos problèmes. Un gros morceau de lui a disparu depuis un certain temps. Ne te méprends pas. Il est bien tout seul, mais il est bien plus heureux avec toi. Il l'a toujours été.

— Je suis contente, parce que je suis plus heureuse avec lui aussi. Mais je sais qu'il y a des moments où je suis une épine dans son pied, comme avec les bus.

Dare et elle avaient passé les dernières nuits à parler de ses sauts au-dessus des bus et de ses craintes. Il lui avait fait remarquer qu'il n'essayait pas une *nouvelle* cascade pour laquelle il n'était pas qualifié, comme Eddie l'avait fait. Il affinait les compétences qu'il avait déjà mis des années à perfectionner. Elle était toujours inquiète, mais pas autant.

— Tu as dit tout ce que nous avons déjà pensé, la rassura son père. Mais tu connais Dare. Il n'y a pas beaucoup de chances qu'il change ses habitudes de sitôt.

— Je ne veux pas qu'il arrête de faire ce qu'il aime. Je me souviens de ce que cela faisait de trouver une nouvelle montagne à conquérir. C'est une excitation sans pareille et je ne veux pas lui enlever cela. Je ne veux pas le perdre.

— Nous non plus, chérie. Nous non plus.

Dare arriva derrière elle et l'entoura d'un bras.

— Est-ce que mon vieux te fait souffrir pour m'avoir tiré dessus ?

— C'est à peu près ça.

Elle partagea un regard complice avec Tiny et passa son bras autour de Dare.

— Je suis affamée.

— Je m'en doutais. Allez, on va manger un peu.

Ils remplirent leurs assiettes et se joignirent aux autres personnes assises autour du feu de camp. Cela lui rappelait leur jeunesse.

— Regardez l'air suffisant de Doc, dit Birdie, adorable dans un haut de survêtement imprimé de feuilles de palmier et un short moulant.

Elle avait remplacé les baskets qu'elle portait pour le paintball par des bottes en daim à franges qui lui montaient jusqu'aux genoux.

— Il jubile.

— Ça veut dire quoi, mauvais perdant ?

Doc prit une bouchée de son hamburger et en tendit des morceaux à Sadie, son setter irlandais, et à Pickles, son chien, mélange de husky et de berger.

Billie s'esclaffa.

— Hé, Doc, tu aurais dû inviter Mandy ce soir, dit Cowboy.

— On ne se voit plus.

Doc but une gorgée de sa bière.

Ses frères et sœurs échangèrent tous un regard. Sasha posa son assiette et prit sa guitare, grattant l'air de "Another One Bites the Dust", et Dare et Cowboy commencèrent à chanter le refrain, faisant éclater de rire tout le monde.

Gus se précipita vers Sasha.

— Je veux jouer ! Tu veux bien m'apprendre, mon chou ?

— *Gus*, qu'est-ce que j'ai dit à propos de l'appeler mon chou ? Laissons Sasha respirer un peu.

Ezra se leva pour aller chercher son fils.

— Ce n'est pas grave. Ça ne me dérange pas.

Sasha tapota ses genoux et Gus s'y engouffra, rayonnant devant son père.

— Si un gars peut m'appeler mon chou, c'est bien celui-ci.

Elle ébouriffa les cheveux de Gus.

— Mon fils, celui qui murmure à l'oreille des femmes, dit Ezra en se rasseyant.

Billie aimait écouter les plaisanteries et les rires autour du feu. La famille de Dare l'incluait comme si elle n'avait jamais manqué un seul barbecue. D'un côté, elle avait *l'impression* de n'avoir rien manqué, puisqu'elle les avait vus au bar et aux événements des Dark Knights. Mais même lors de ces événements, elle avait évité Dare, ce qui lui avait permis d'éviter les conversations approfondies avec sa famille. Maintenant que sa culpabilité se dissipait et qu'elle pouvait se voir et voir ses actions plus clairement, elle réalisait que cette vie qu'elle avait n'était pas une pénitence. C'était un *cadeau*, et elle – *ils* – avait déjà perdu trop d'années. Elle ne voulait plus perdre de temps ni s'inquiéter de ce que les autres pensaient.

Dare passa son bras autour du dossier de sa chaise, et elle le rapprocha, gagnant un de ses doux baisers sur la tempe. Pourquoi ces tendres baisers lui donnaient-ils des papillons ?

— Je t'aime, chérie, lui susurra-t-il à l'oreille. Je suis content que tu sois là.

Ce n'était pas les baisers qui provoquaient ces papillons. C'était *lui*.

— Moi aussi, je suis contente.

Elle se pencha, murmura "Je t'aime aussi" et l'embrassa.

Wynnie les observa avec une expression chaleureuse.

— Je suis heureuse de vous voir à nouveau ensemble.

— Vous avez rompu et vous vous êtes remis ensemble ou quelque chose comme ça ? demanda Kenny.

— Quelque chose comme ça, dit Dare d'un ton qui mit fin à cette interrogation.

— Kenny, as-tu une idée de qui est Billie ? demanda Birdie.

— La copine de Dare, répondit Kenny.

— Oui, mais elle a aussi été une pilote professionnelle de motocross pendant des années, expliqua Birdie.

— Birdie, c'était il y a *longtemps*, dit Billie.

— Et alors ? s'exclama Birdie. Sérieusement, Kenny. Si tu cherches Billie Mancini sur Internet, tu verras qu'elle était l'une *des meilleures.* Elle aurait pu être *la meilleure* si elle n'avait pas arrêté les courses.

Les yeux de Kenny s'écarquillèrent.

— *Pas possible.* Est-ce qu'ils laissent les filles courir en moto-cross ?

— Tu te fous de moi ? demanda Billie. Tu vis dans une grotte ? Les filles font des courses de motocross depuis des années.

— Elle était meilleure que la plupart des gars, se vanta Dare.

— Meilleure que toi ? demanda Kenny.

Dare la regarda et l'amour dans ses yeux lui donna chaud.

— Beaucoup plus.

— C'est fou. Pourquoi as-tu arrêté la course, Billie ?

Dare la serra un peu plus fort et elle essaya de trouver quoi dire. Elle pouvait sentir les regards empathiques de tout le monde sur elle, et elle savait que cela ne les dérangerait pas si elle disait un petit mensonge, mais bien qu'elle ne veuille pas parler de ce qui s'était passé, elle ne voulait plus se cacher de ce qui s'était passé ou des sentiments que cela avait engendrés.

— J'ai perdu un ami et cela m'a enlevé toute joie.

Elle s'attendait à un déferlement d'émotions et fut surprise de voir qu'il s'agissait d'un filet d'eau plutôt que d'une ava-lanche.

— Oh ! Ça craint. Je suis désolé, dit Kenny avec compas-sion. Tu penses que tu feras à nouveau de la course ?

— Non, répondit-elle, soulagée qu'il n'ait pas insisté sur les détails. Je suis trop vieille pour faire de la course maintenant.

— Oui, je pense que tu es un peu vieille pour concourir, dit Kenny, suscitant des rires autour du feu de camp.

La compétitrice en Billie voulait argumenter ce point, mais elle avait le sentiment qu'un adolescent lui dirait de le prouver et elle n'allait pas le faire.

— J'adorerais faire quelque chose d'aussi cool que ça et montrer à tout le monde que je suis bon dans quelque chose. Quelles sont les autres choses cool que tu as faites ?

— Ils ont tout fait, dit Cowboy. Ces deux-là pratiquent des sports extrêmes depuis l'école primaire.

— Tu as devant toi deux des casse-cous les plus cool que Hope Valley ait jamais vus, ajouta Doc.

Après toutes les fois où Cowboy et Doc s'en étaient pris à eux pour leurs cascades dangereuses, Billie était choquée de la fierté qui se dégageait de leurs voix. Ses parents et ses sœurs se joignirent à la conversation, racontant à Kenny toutes les cascades qu'ils avaient l'habitude de faire et s'extasiant sur leurs qualités. C'était une source d'inspiration et Billie regrettait de ne pas être encore cette fille. Elle regarda Dare, la *seule* personne avec qui elle aurait voulu être cette fille, et se demanda s'il le souhaitait aussi. Elle voulait tout avec lui, mais quand il s'agissait de cascades et de sports extrêmes, elle ne savait plus ce qu'elle était capable de faire sur le plan émotionnel.

Il n'y avait qu'une seule façon de le savoir.

Elle se rapprocha de lui et murmura :

— On pourrait peut-être essayer le riverboard un jour.

Ses yeux s'illuminèrent.

— Ah oui ?

— Peut-être… ?

Elle haussa les épaules.

— Chérie, je suis prêt à tout avec toi.

Il l'embrassa à nouveau et la serra contre lui.

Ils écoutèrent Birdie raconter à Kenny que Dare avait battu le record du Mur de la Mort et lui expliquer ce que cela signifiait.

— *Zut !* s'exclama Kenny. Et moi qui pensais que Dare n'était qu'un biker dur à cuire et un assez bon thérapeute.

— Assez bon ?

Billie objecta.

— Ce type m'a fait avouer tous mes secrets et il n'est même pas mon thérapeute.

— C'est parce qu'il est sournois, dit Kenny. Il vous fait parler pendant que vous travaillez, et l'instant d'après, vous lui dites des choses auxquelles vous ne saviez même pas que vous pensiez. Je suppose qu'il est plutôt bon dans ce qu'il fait, mais je n'aime pas nettoyer les stalles.

Les gars rirent.

— Vous savez, Dare n'a pas toujours été très doué pour parler, dit Wynnie.

— Ce n'est *pas* vrai, insista Doc. Dare a toujours été presque aussi bavard que Birdie.

— Je ne suis pas une grande bavarde. J'ai juste beaucoup de choses à dire. Ce qui me fait penser, Cowboy, que j'ai oublié de te dire qu'il faut que tu viennes à un de mes cours de yoga. Je t'ai trouvé une fille, et je pense qu'elle a l'étoffe d'une *épouse*.

Cowboy soupira.

— Je t'ai dit que je ne cherchais pas de femme, Birdie. Pourquoi ne pas aller voir Doc ? Il est plus âgé que moi.

— Ce n'est pas une question d'âge, protesta Birdie. Il s'agit d'être prêt à se poser et tu as toutes les qualités d'un homme qui a besoin d'une femme.

— *Bon sang.* C'est reparti, grommela Cowboy.

— Elle s'appelle Lucy. Elle est blonde, super mignonne et *très* douée pour le yoga. Je veux dire, cette fille est un véritable bretzel, dit Birdie.

Cowboy sourit.

— Maintenant, tu m'intéresses.

Birdie leur raconta l'histoire de *Limber Lucy* et, au fur et à mesure que la soirée avançait, ils discutèrent de tout : du Festival on the Green au lancement de la campagne Ride Clean, de la musique et de l'ouverture d'un nouveau café à côté de la chocolaterie de Birdie. Les filles étaient ravies que Billie se joigne à elles pour leur réunion afin de tout préparer et qui avait lieu la semaine d'après, le dimanche. Elle était ravie, elle aussi.

Ezra partit mettre Gus au lit, Kenny et les ouvriers du ranch se couchèrent, et un peu plus tard, le reste d'entre eux se souhaita bonne nuit. Sasha serra Billie dans ses bras et lui demanda si elle se joindrait à eux pour le petit déjeuner demain matin.

— Je ne sais pas. Il se peut que j'aie envie de voler un pick-up, plaisanta-t-elle, ce qui fit rire tout le monde.

— Nous aimerions te voir plus souvent, chérie.

Wynnie la prit dans ses bras.

— Tu sais que notre porte est toujours ouverte.

— Merci.

Elle prit la main de Dare.

— Je pense que vous allez me voir beaucoup plus souvent.

DARE NE PENSAIT PAS qu'il soit possible pour lui de ressentir plus pour Billie qu'il ne le faisait déjà, mais ce soir lui prouva le contraire. Aussi puéril que cela puisse paraître dans sa tête, il avait fantasmé des centaines de fois sur le fait de l'embrasser au paintball lorsqu'ils étaient plus jeunes. Il avait imaginé la coincer pendant une partie et l'entraîner dans le hangar à matériel ou derrière un mur de pierre. Adolescent, rien ne lui avait été interdit. Mais même ce baiser volé n'était rien à côté de ce qu'il avait imaginé. Et c'était tout cela qui avait fait exploser ses émotions. Il avait été sacrément fier d'elle pour avoir dit à Kenny la vérité sur la perte d'un ami, et le fait d'être avec elle auprès de sa famille, comme il l'avait toujours souhaité – en tant que couple – lui avait fait quelque chose.

Il voulait lui montrer ce que cela représentait pour lui. Il voulait la prendre dans ses bras et l'aimer comme elle n'avait jamais été aimée auparavant. Mais sa mère et ses sœurs étaient encore en train de bavarder avec elle.

— Hé, Dare.

Doc se rapprocha de lui, accompagné de ses chiens.

— Tu as une seconde ?

Dare caressa Sadie.

— Bien sûr. Qu'est-ce qu'il y a ?

— Je voulais m'excuser d'avoir été dur avec toi l'autre jour au bar à propos de la planification de ton saut après tout ce que Billie a traversé. J'ai dépassé les bornes. Ce n'est pas à moi de décider.

— Ce n'est pas grave. Tu t'inquiètes pour elle et je t'en remercie. En plus, j'ai l'habitude que tu me rappelles à l'ordre. Ce n'est pas si mal, Doc. Tu m'as fait réfléchir et on en a parlé. Elle est d'accord pour que je fasse le saut, mais elle ne viendra pas regarder.

— Tu lui en veux ?

Doc se pencha pour caresser Pickles.

— Même pas un peu.

Dare jeta un coup d'œil à Billie, qui se dirigeait vers eux, diablement sexy dans un pantalon coupé et un T-shirt *Road-house* qui pendait sur une épaule.

— Tu peux me rendre un service ?

— N'importe quoi.

— Quand je ferai le saut, tu pourrais être avec elle ? Juste au cas où.

Doc fronça les sourcils.

— Je ne veux même pas y penser.

— Eh bien, elle si, et j'ai besoin de savoir qu'il y a quelqu'un avec elle. Puis-je compter sur toi ?

— Oui, bien sûr.

— Merci.

Il releva le menton quand Billie s'approcha.

— Hé, chérie.

Il lui tendit la main.

— Oh, non, pas du tout, dit Doc. Ça fait longtemps qu'*elle* n'a pas traîné avec nous. Viens ici et fais-moi un câlin, ma petite championne.

— Faire un câlin à un vétérinaire sexy ? Ce n'est pas une difficulté.

Elle se dirigea vers ses bras ouverts.

Doc regarda Dare par-dessus son épaule d'un air suffisant.

— Ne touche pas à ma copine.

Il tira Billie de son côté.

— A demain, enfoiré.

— A plus tard, crétin.

Alors que tout le monde se séparait, Dare et Billie traversèrent le champ en direction de sa maison.

— Tu t'es bien amusée ?

— J'ai passé un *super* moment. J'ai aimé rencontrer Kenny et les autres, et je peux dire que tu as un impact sur lui à la façon dont il te regarde.

— Merci, chérie. C'est un bon garçon. Je suis content que

tu sois venue ce soir.

— Des soirées comme celle-ci m'ont manqué, passer du temps avec des gens qui nous ont connus comme des gamins turbulents et qui nous aiment quand même.

— Qu'est-ce qu'il n'y a pas à aimer ? Nous sommes géniaux.

Elle s'esclaffa.

— Certaines des histoires racontées par ta famille m'ont donné l'impression d'être de retour avec Eddie et toi, en train de faire toutes ces choses amusantes. Ce que nous avions me manque tellement, Dare.

Elle se tourna vers lui, les yeux pleins d'espoir et d'amour.

— Ça me manque d'être ici, sous les étoiles, et de faire ce que nous voulons.

Il la prit dans ses bras.

— Et toi, qu'est-ce que tu as envie de faire ?

Elle se mit sur la pointe des pieds et murmura :

— *Toi.*

Il écrasa sa bouche contre la sienne dans un baiser profond et passionné, et elle pressa son corps contre lui, réveillant la faim qui était toujours tapie juste sous la surface. Elle lui saisit la tête, se hissant à nouveau sur la pointe des pieds, comme si elle ne se lassait jamais de lui. Leurs baisers se succédèrent, ses sons sensuels rendant son corps douloureux pour elle.

Lorsque leurs lèvres se séparèrent, elle avait l'air aussi ivre de lui qu'il l'était lui-même et murmura un *Encore*.

— Mon Dieu, je t'aime.

Il reprit sa bouche, féroce et rude, l'embrassant jusqu'à ce qu'ils gémissent et se tordent tous les deux. Il enfonça ses mains à l'arrière de son short, saisissant ses fesses. Elle gémit, se balançant contre son sexe, et il grogna :

— J'ai besoin de te prendre, chérie.

Elle recula avec un regard audacieux.

— Allez, viens.

Elle lui prit la main et courut dans la grange.

— Tu te souviens de notre premier baiser ?

— Je me souviens que tu *as accepté* un baiser.

Il la fit reculer contre le mur et lui mordit le cou.

— Puis tu m'as traitée de tous les noms.

Il ouvrit le bouton de son short et le dégrafa, enfonçant sa main dans sa culotte, ses doigts s'enfonçant dans sa moiteur, ce qui lui valut un soupir sexy.

— Parce que tu n'as pas aimé mon baiser, dit-elle à bout de souffle, ses mains se faufilant sous sa chemise, taquinant ses mamelons.

— *Putain.*

Il enfonça ses doigts en elle et elle ferma les yeux, laissant échapper un gémissement de désir.

— J'ai été troublée par le baiser.

Il effleura son clitoris avec son pouce et elle se dressa sur ses orteils.

— Mais quelques années plus tard, ta bouche était *tout* ce que je désirais.

— Nous étions tous les deux des idiots à l'époque.

Ses yeux s'ouvrirent et se plissèrent.

— Je suis si heureuse que nous ayons enfin appris à nous connaître.

Elle remonta sa chemise et plongea la tête, taquinant son mamelon avec sa langue.

Il serra les dents et retira sa chemise d'une main, la faisant vibrer plus vite de son autre main.

— *Ouiiii.*

Les baisers étaient désespérés alors qu'ils trébuchaient vers un tas de foin, enlevant leurs baskets et se dénudant l'un l'autre, les corps se frottant, les mains se caressant, des heures de désir refoulé s'enflammant entre eux. Elle le poussa jusqu'à tomber sur ses fesses, se tenant devant lui complètement nue et complètement fantastique, la chaleur brûlant dans ses yeux alors qu'elle se mettait à califourchon sur lui.

— Tu sais combien de fois j'ai pensé à faire ça avec toi ?

— Pas autant de fois que je l'ai fantasmé.

Il saisit ses cuisses, les serrant tandis que la tête de son sexe frottait contre son entrée.

— Mais dans le mien, le foin ne me piquait pas les fesses.

Elle rit.

— Arrête de te plaindre et embrasse-moi.

Leurs bouches s'entrechoquèrent comme la chaleur d'un volcan, et c'est exactement ce qu'il ressentit lorsqu'elle se jeta sur son sexe, son centre serré l'enserrant. Il lui saisit les hanches, et elle s'accrocha à ses épaules, le chevauchant lentement et si parfaitement, que la luxure battait et gonflait en lui, jusqu'à ce qu'il ait l'impression qu'elle allait s'infiltrer par ses pores. Il passa une main dans ses cheveux, lui tirant la tête en arrière, et enfonça ses dents dans son cou. Elle cria, ses cuisses s'agrippèrent à son corps et elle le chevaucha plus rapidement, ses ongles creusant sa peau, lui faisant ressentir douleur et plaisir.

Il abaissa sa bouche sur son sein, suçant le mamelon, et elle se resserra autour de son pénis. Des étincelles jaillirent de son cœur, explosant comme des feux d'artifice.

— Tu me fais tellement de bien, bordel.

Il le suça à nouveau, *plus fort*, poussant plus vite tandis que ses muscles intérieurs le serraient comme un étau. Il déplaça sa bouche vers l'autre sein, continuant la torture exquise. Elle se cambra en arrière, des sons avides s'échappant de ses lèvres. Il passa la main entre eux, utilisant ses doigts pour la faire basculer.

Un *Dare* s'échappa brutalement des poumons de la jeune femme.

Il attira sa bouche contre la sienne, les langues se poussant au même rythme effréné que leurs hanches, tandis qu'elle faisait monter son plaisir. La pression montait en lui, son sexe pulsait follement autour de sa hampe, le faisant presque jouir. Mais il n'en avait pas encore fini avec elle.

Il éloigna sa bouche et serra les dents, faisant des calculs mentaux pour retarder sa libération tout en s'agrippant à ses hanches, la ralentissant.

— Tu es *à moi*, Mancini.

Il l'embrassa à nouveau, lentement, *langoureusement*, se déplaçant encore plus lentement le long de son sexe. Elle gémit dans leurs baisers, et il sentit la tension monter en elle aussi, ses cuisses fléchissant. Il recula, buvant les paroles de sa copine, si perdue en elles qu'elle avait les yeux presque fermés.

— Je t'aime, Billie, bon sang.

Il déposa des baisers dans son cou et effleura son mamelon de ses dents.

Dare passa la barrière de ses lèvres telle une supplication.

— Mon nom sera *le seul* que tu prononceras encore de cette façon, parce que je ne te laisserai jamais partir.

Il l'entoura d'un bras, la faisant tournoyer, se maintenant profondément enfoui tandis qu'il léchait et embrassait son cou, sa poitrine et le gonflement de ses seins, obtenant des sons incroyablement sexy l'un après l'autre. Chacun de ses bruits et la façon dont ils s'emboîtaient l'un dans l'autre, si serrés et si chauds, amplifiaient l'intensité de chacun de leurs mouvements.

Il avait besoin de pousser, mais la sensation de son corps de plus en plus lisse et tremblant de besoin était trop parfaite pour qu'il y résiste. Il mordit sa chair, suçant le gonflement de son sein, la marquant comme sienne. Il fit tressaillir son membre en elle et elle gémit, son sexe se serrant avec avidité.

— *Encore...* supplia-t-elle. *S'il te plaît.*

Il passa à nouveau la main entre eux, utilisant le bras qui l'entourait pour contrôler leurs mouvements, la faisant glisser douloureusement et lentement le long de son sexe. Elle inspira des bouffées d'air rapides et brutales.

— *Plus vite.*

Il serra les dents pour contrer le besoin de bouger.

— Dis-moi que ton corps sexy m'appartient, dit-il d'un ton bourru. Dis-moi que *tu es* à moi, Tigresse.

Ses yeux s'ouvrirent, enflammés.

— Je suis *à toi*, Dare. *Tout à toi*, Dare. Mais si tu continues à me torturer, je pourrais changer d'avis.

Il l'entoura de ses deux bras, saisit ses cheveux d'une main et éloigna ses lèvres des siennes.

— Non, tu ne le feras pas. Tu ne peux pas. Aucun de nous ne le peut.

— Je ne le ferais pas même si je le pouvais, dit-elle comme une menace, ce qui rendit sa déclaration encore plus sexy.

Il pressa ses lèvres contre les siennes et les retourna, la ramenant sous lui, ses beaux yeux remplis d'amour le retournant de l'intérieur.

— Je t'aime, Mancini. Je t'ai toujours aimée et je t'aimerai toujours.

Il couvrit sa bouche avec la sienne, et son amour pour elle transforma leurs simples ébats en relation amoureuse. Les courbes douces de la jeune femme se fondirent dans son corps dur et leurs corps prirent le dessus, trouvant le rythme qui les liait l'un à l'autre. Ils faisaient des va et vient, des cris d'avidité emplissant l'air, des mains tâtonnantes, des dents mordantes, des ongles mordant la chair, leurs cœurs frénétiques battant à l'unisson. Alors que son orgasme la saisit, le monde se déroba, et il s'abandonna à sa propre et puissante libération.

QUELQUES HEURES PLUS TARD, DARE se réveilla dans un lit vide. Il se retourna et jeta un coup d'œil à l'horloge qui indiquait 3h05, puis à la salle de bain qui était plongée dans l'obscurité. Il se redressa, l'œil sombre.

— Billie ?

En réponse au silence, il marmonna :

— Putain.

Ils s'étaient douchés en rentrant de la grange, le foin les ayant démangés, et elle s'était montrée plus affectueuse que jamais. Mais lorsqu'ils s'étaient mis au lit, elle avait été agitée. Peut-être que toutes leurs discussions sur l'amour, sa famille, et le fait de dire à Kenny qu'elle avait perdu un ami, c'était trop pour elle après tout.

Il se redressa et se passa la main sur le visage, pour voir si son véhicule était toujours là. Il enfila un caleçon, et lorsqu'il sortit du lit, il vit les vêtements de Billie en tas sur le sol. Avec un peu de chance, cela signifiait qu'elle était toujours là. Il se dirigea vers le salon, qui était vide, puis vers l'extérieur. Son pick-up était là, le clair de lune éclairant le pare-brise. Mais c'est la lueur de la lampe du garage se reflétant sur le côté du pare-chocs arrière qui le poussa à se diriger dans cette direction.

L'intérieur était sombre, à l'exception des lumières provenant de l'atelier à l'arrière. Il écouta en se frayant un chemin dans le garage, espérant qu'elle ne pleurait pas. Mais il n'y avait aucun bruit. Lorsqu'il arriva à l'entrée de la boutique, il n'en crut pas ses yeux. Billie était assise sur sa moto, fixant distraitement le mur devant elle, et c'était le spectacle le plus splendide qu'il ait jamais vu.

— Bon sang, chérie, tu es *très belle* sur cette moto, dit-il en s'approchant d'elle.

Elle sursauta.

— Je t'ai réveillé ?

Elle portait un de ses T-shirts et s'agrippait au guidon.

— Non. Comment tu te sens ?

Il passa le demi-mur et remarqua qu'elle avait les pieds nus et qu'elle ne portait pas de pantalon.

Elle haussa les épaules, les yeux brillants, et secoua la tête.

— Quand je me suis assise dessus, j'ai eu une poussée d'adrénaline, comme avant une course. Puis l'accident d'Eddie m'est revenu en mémoire et je ne pouvais plus bouger. J'étais effrayée et triste.

— Je suis désolé, chérie.

Il lui frotta le dos.

— Ce n'est pas grave. Je suis restée assise ici à penser à Eddie, au film qu'il a fait et à … qui il était. Il m'aurait fait vivre un enfer pour avoir abandonné. Quand tu étais loin à l'université, il a essayé de me pousser comme tu l'as fait mais…

Elle rit doucement, les larmes aux yeux.

— Il était tellement mauvais pour ça. Il n'était pas du genre insistant.

— Mais il a essayé parce qu'il t'aimait et qu'il savait à quel point tu voulais être la meilleure.

Elle acquiesça et s'essuya les yeux.

— S'il était là maintenant, il me demanderait ce que j'attends et me tendrait mon casque.

— Je vais chercher ton casque.

Elle leva la main, le casque pendait entre ses doigts.

— Je l'ai trouvé dans le bureau.

Elle l'avait cherché. Si ce n'était pas un progrès, il ne savait pas ce que c'était.

— Tu veux aller faire un tour ?

Elle secoua la tête.

— Non. Mais j'aime m'asseoir dessus, et aussi bizarre que cela puisse paraître, je pense qu'Eddie l'aimerait aussi.

— Je sais que oui.

Il lui passa la main dans les cheveux.

— Quand je me suis réveillé et que tu n'étais pas là, j'ai cru que je t'avais fait fuir avec toutes ces histoires d'amour possessif.

— Ce n'est pas le cas.

Elle descendit de la moto et posa le casque à côté. Elle l'entoura de ses bras, posant sa tête sur sa poitrine tandis qu'il l'enlaçait.

— Tu t'inquiètes pour moi depuis toujours. Je ne sais toujours pas pourquoi tu ne m'as pas laissée tomber.

— Casse-Cous pour la vie, chérie. Tu fais partie de moi. La meilleure partie de moi.

Elle releva le visage avec un petit sourire.

— Tu n'as pas à t'inquiéter de mon amour pour toi. Il est aussi solide que le sol sur lequel nous nous trouvons.

Elle se hissa sur la pointe des pieds et l'embrassa.

— Je t'aime, Whiskey. Et je nous aime, alors ne meurs pas, d'accord ?

Il acquiesça, la poitrine douloureuse. Il essaya de détendre l'atmosphère, voulant vraiment revenir à son amour pour les motos.

— Tu sais que je ne peux pas mourir, chérie. Il faudrait que je revienne hanter le prochain type qui t'aura dans ses bras.

— Comme si quelqu'un pouvait être à ta hauteur ?

Elle secoua la tête.

— Pas la moindre chance.

Elle regarda longuement la moto, et il sut que c'était le moment idéal pour lui demander la faveur à laquelle il pensait depuis le feu de joie.

— Je sais que tu n'es pas prête à conduire, mais est-ce que tu pourrais enseigner quelques trucs à Kenny ?

— Kenny ?

— Oui. Tu as vu comme il était excité au feu de joie. J'y ai pensé. Si toi et moi n'avions pas eu nos motos et toutes les autres choses que nous avons faites, nous aurions pu facilement nous attirer des ennuis en essayant de nous défoncer.

— Nos pères nous auraient botté le cul.

— Oublie nos pères. Doc et Cowboy nous auraient attachés à des arbres.

Ce qui lui valut un sourire plus appuyé.

— Qu'est-ce que tu en penses ? Tu n'aurais pas à en faire, juste à le guider pour qu'il apprenne à rouler correctement. Enseigne-lui la sécurité et l'esprit sportif.

— Tu n'as pas besoin *de moi* pour ça.

— Il me voit suffisamment. Je pense qu'il serait bon pour lui de passer du temps avec toi. Et puis, une jolie femme rend tout meilleur.

Elle passa ses doigts sur sa joue et il se pencha à son contact.

— M. Whiskey, vous flirtez avec moi juste pour arriver à vos fins ?

— Je suis juste honnête, chérie. Qu'est-ce que tu en penses ? Tu peux aider un gamin ? Tu pourrais faire une grande différence dans sa vie, et il est évident qu'il t'admire.

Sa mâchoire se crispa.

— Quand est-ce que je le ferais ? Il suit une thérapie et travaille avec vous pendant la journée.

— Nous prendrons le temps quand tu pourras le faire. Cela ne prendrait pas plus d'une heure ou deux par semaine.

Il l'embrassa sur le front, espérant qu'elle serait d'accord.

— Je pense que cela vous ferait du bien à tous les deux.

Des rides d'inquiétude apparurent sur son front.

— Et s'il se blesse ?

— Alors on le soignera. Il ne fera pas de sauts périlleux, Billie. Je veux juste que tu lui apprennes la moto. Il a besoin d'un exutoire et de quelque chose qui lui permette de se sentir bien dans sa peau. Tu as entendu ce qu'il a dit au feu de joie. Il veut prouver qu'il est bon dans quelque chose, et je pense que ça doit être autre chose que le travail qu'il fait ici. J'ai pensé à lui montrer le parcours de cordes, mais ça ne lui suffira pas. Le frisson de la course pourrait suffire et si ce n'est pas le cas, tu es la meilleure qui soit. Tu sauras si et quand il sera prêt pour plus.

— Tu es *sérieux* ?

— Absolument. J'en ai parlé à Cowboy et à mon père, et ils ont tous les deux trouvé que c'était une bonne idée, si tu es d'accord. Je dois en parler avec ses parents, mais je pense que ce serait une fantastique récompense pour lui, et cela lui donnerait un sentiment de confiance et de réussite.

— Il a besoin de matériel.

— J'ai du matériel qui lui conviendrait.

— Et si je décide de le faire mais que je pète les plombs ?

— Dans ce cas, j'interviendrai et je prendrai le relais. Je

n'essaie pas de te mettre la pression, chérie.

Elle regarda à nouveau la moto et fit rouler sa lèvre inférieure entre ses dents, avec une lueur d'espoir dans les yeux.

— Juste une heure ou deux ?

Il acquiesça.

— Si ses parents sont d'accord, je pense que je pourrais essayer.

— Yes !

Il la serra dans ses bras.

— Ça, c'est ma Tigresse.

— J'ai dit que j'*essaierais*. Je risque de détester.

— Tu pourrais adorer.

Elle souriait et il prit ça pour un bon signe.

— Je pourrais paniquer.

— Ce n'est pas grave. Au moins, tu auras essayé, et je serai à tes côtés.

— Tu as réponse à tout.

— Et tu veux toujours avoir le dernier mot. Allez, ma belle. Retournons au lit.

Il lui donna une tape sur les fesses et elle lui jeta un regard noir.

— Tu peux te renfrogner, mais je sais que tu m'aimes toujours.

— Attention, Devlin. La frontière est mince entre l'amour et la haine, lui dit-elle en le taquinant.

Il l'attira dans ses bras, se sentant plus heureux que jamais.

— Peu importe à quel point elle est mince ou de quel côté je suis, tant que tu es avec moi.

CHAPITRE QUATORZE

BILLIE SE REDRESSA, tirée de son sommeil par le cri de Bobbie, samedi matin. Elle sortit en courant de la chambre et la trouva debout dans le couloir, vêtue d'un short de pyjama rose et d'un caraco blanc, se couvrant les yeux d'une main, l'autre bras tendu, repoussant un Dare nu, qui semblait amusé, debout dans l'embrasure de la salle de bain, les mains couvrant ses parties intimes.

Génial. Billie étouffa un rire.

— Je suis *désolé.*

Dare regarda Billie.

— Je ne voulais pas te réveiller, chérie. Je ne m'attendais pas à ce qu'elle soit réveillée si tôt.

— J'avais envie de faire pipi ! se plaignit Bobbie. Je suis chez *moi.* Qu'est-ce que tu fais là ? Tu dors toujours chez toi.

Dare se fendit d'un sourire.

— Billie a de meilleurs jouets ici.

— *Dare !*

Billie lui lança un regard noir.

— *Beurk !* C'est ce que j'ai entendu au milieu de la nuit ?

Bobbie se mit les doigts dans les oreilles, mais ses yeux tombèrent sur les mains de Dare qui couvraient ses parties intimes, et elle se retourna.

— Range-moi ce truc ! Je suis marquée à vie !

Dare ricana.

— Je ne t'ai pas *traumatisée*, Bobbie. J'ai juste ruiné tes attentes envers la race masculine.

— Mon Dieu !

Billie rit, car c'était certainement le cas, mais elle lui saisit le bras, le tirant vers la chambre à coucher.

— *Entre* là-dedans.

Elle le poussa et ferma la porte de la chambre derrière lui, se tournant vers sa sœur.

— La voie est libre. Tu peux te retourner.

Le visage de Bobbie était rouge et elle murmura avec colère :

— Un petit *avertissement* aurait été le bienvenu.

— Désolée ! Nous étions…

On voulait s'amuser un peu.

— On s'est juste arrêtés pour prendre quelques affaires, mais on s'est un peu émoustillés, et d'une chose à l'autre, on a…

— *Stop !* Je ne veux pas de détails !

— Désolée !

Billie n'avait pas travaillé hier et Dare et elle, étaient allés faire du riverboarding. Ils s'étaient éclatés et avaient passé tout l'après-midi sur l'eau ou au bord de l'eau. Ils s'étaient arrêtés pour dîner sur le chemin du retour et avaient fini par faire le tour de la ville. Ensuite, ils étaient allés dans un parc où ils avaient l'habitude de se retrouver et avaient parlé de leur enfance jusqu'à minuit passé. Ils étaient tellement excités qu'ils avaient décidé d'être un peu aventureux et de prendre ses jouets. Quand ils étaient arrivés chez elle, Bobbie dormait. De fil en aiguille, ils s'étaient amusés avec tous les jouets qu'elle possédait. Elle n'avait pas une énorme collection, mais elle avait quelques-uns de très bons. Elle ne savait pas *à quel point* ils étaient bons jusqu'à ce que Dare mette la main dessus. Et il savait comment les utiliser. Son corps *tout entier* avait vibré longtemps après que Dare ait fini de jouer avec les jouets. Elle frémit à l'évocation de ce souvenir.

— Si vous restez ici, oblige-le au moins à porter des vêtements lorsqu'il n'est pas dans la chambre. Il faut qu'il mette *une cloche* sur ce truc !

Billie rit.

— Tu as toujours dit que tu voulais que je sois plus ouvert sur ma vie privée.

— Je n'avais pas besoin de la *voir*.

Elle se rapprocha, chuchotant :

— Mais *à cause de lui*, je suis fichue. Je veux dire…

Elle murmura un *Waouh*.

— J'ai de la chance.

Billie plissa les yeux et agita le doigt.

— Et *tu* vas effacer ta mémoire. C'est compris ? Oublie ce que tu as vu, ou je brûle tous tes livres et je casse tes liseuses. Il est *à moi*.

Bobbie s'esclaffa.

— Eh bien, eh bien, regardez le monstre aux yeux verts qui sort.

Billie leva les yeux au ciel et tendit la main vers la poignée de la porte de sa chambre.

— *Attends*, dit Bobbie.

Billie se retourna.

— Bonne chance pour aujourd'hui. Je sais que tu vas réussir.

Bobbie la prit dans ses bras.

— Merci.

Aujourd'hui, c'était la première leçon de motocross de Kenny, et Billie était plus que nerveuse à ce sujet. Dare et elle s'étaient arrêtés à la maison principale le matin après le feu de joie, alors que tout le monde prenait son petit déjeuner. Kenny devait être en train de penser à tout ce que la famille de Dare lui avait dit sur elle, parce qu'il n'arrêtait pas de dire à quel point c'était cool qu'elle ait été une pilote professionnelle. Elle n'était pas restée pour le petit-déjeuner, ayant désespérément besoin d'aller courir – encore plus après avoir vu l'excitation de Kenny. Il ne savait même pas qu'elle avait accepté de lui apprendre à faire de la moto. Dare avait dit qu'il valait mieux ne pas en parler au cas où les parents de Kenny désapprouveraient. Il avait raison. Elle se souvenait de la fois où ils avaient dit à leurs parents qu'ils voulaient faire de la moto tout terrain. S'ils avaient refusé après qu'elle se soit mise en tête de le faire, elle aurait pété les plombs. Elle s'était sentie bien dans sa décision, mais le souvenir de ce sentiment lui avait donné encore plus envie d'aider Kenny. Cela ne voulait pas dire qu'elle n'était pas nerveuse. Elle l'était, mais c'était une bonne forme de nervosité.

— Je suis vraiment fière de toi pour avoir affronté tes peurs, lui dit Bobbie, la ramenant à l'instant présent. Tu veux que je sois là avec toi ? Au cas où tu deviendrais anxieuse ?

— Cela me touche beaucoup que tu fasses cela, mais ça ira. Dare sera là, et je ne veux pas que Kenny sache que je suis nerveuse.

— C'est un bon point. Tu t'en sortiras très bien. Appelle-moi quand tu auras fini et dis-moi comment ça s'est passé.

Bobbie la prit dans ses bras.

— Et garde ton homme nu pour toi.

— Je t'appellerai et il vaudrait mieux que je ne t'entende pas prononcer le nom de Dare quand tu auras fermé ta porte.

Bobbie rit malicieusement en se frottant les mains.

— Les vengeances, c'est marrant.

— Il en va de même *pour* les retours de bâton.

Bobbie plissa le nez.

— Ah oui, c'est vrai. C'est pas grave.

Billie sourit en entrant dans sa chambre et trouva Dare assis le dos contre la tête de lit, une main derrière la tête et un sourire sexy sur son beau visage.

— Désolé, chérie. Je ne voulais pas l'effrayer.

— Qu'est-ce qui t'a pris de sortir tout nu ?

Je me disais, bon sang, la nuit dernière était géniale, et je dois pisser comme un âne.

Il lui prit la main, et quand elle monta sur le lit, il la souleva sur ses genoux, guidant ses jambes autour de lui. Il glissa ses mains sous le tee-shirt qu'elle portait, saisit ses fesses et se balança sous elle.

— Je me disais que j'avais la femme la plus sexy et la plus sauvage de cette ville, et je te veux à l'arrière de ma moto pour que le monde entier le sache.

Elle savait ce que cela signifiait pour lui, car dans le monde des bikers, la femme à l'arrière de sa moto était *la sienne*. Elle n'était pas montée sur une moto depuis des années, mais un frisson la parcourut à l'idée de le faire. Mais il parla avant qu'elle ne puisse répondre.

— Tu es la seule fille, à part mes sœurs, à être montée à l'arrière de ma moto. Tu le sais, n'est-ce pas ?

Les émotions montèrent en elle et elle secoua la tête, abasourdie.

— Je ne le savais pas.

— Il n'y a jamais eu que toi, chérie. L'arrière de ma moto est sacré. Qu'est-ce que tu en dis ? Que je montre au monde que tu es à moi ?

— Je pense que ça peut s'arranger, mais pas de cabrioles ou de folies.

— Pas de tours de roues, ni de trucs dingues. Je conduirai lentement juste pour te montrer.

Il l'embrassa.

— Je suis désolé pour Bobbie. La dernière chose que je veux, c'est qu'elle rêve de moi.

— Hé !

Ils rirent tous les deux.

— Ne t'inquiète pas. J'ai menacé de brûler ses livres si elle pensait à *mon* python.

— Ça, c'est ma copine.

Il l'attira dans un baiser lent et sensuel, et elle sentit qu'il devenait dur sous elle. Mais lorsque leurs lèvres se séparèrent, son expression fut sérieuse.

— Veux-tu toujours donner des cours à Kenny aujourd'hui ?

Elle appréciait qu'il lui laisse une porte de sortie, mais c'était Dare. Il veillait toujours sur elle.

— Oui, mais je suis encore très nerveuse. Je ne sais pas trop pourquoi. Ce n'est pas comme si je montais à nouveau en selle.

— C'est probablement parce que tu vas être près de la chose qui t'a le plus effrayée ces dernières années.

Elle secoua la tête et traça l'emblème des Dark Knights tatoué au centre de sa poitrine : un crâne aux yeux sombres, aux sourcils pointus et à la bouche pleine de crocs déchiquetés. Eddie et elle l'avaient accompagné pour se faire tatouer le jour de ses dix-huit ans, et Dare étant *Dare*, il avait modifié le crâne à sa guise, lui donnant des yeux *clairs*, cerclés de noir et des sourcils verts.

— Tu étais la chose qui me faisait le plus peur, dit-elle doucement. Parce que toute ma culpabilité et mes secrets étaient emmêlés en toi.

— Et regarde comme tout s'est bien passé. Que puis-je faire pour t'aider à être moins nerveuse ?

— Rien. C'est moi qui gère. Il faut juste que j'y aille et que je le fasse.

— Eh bien, je connais une chose qui va t'aider à te détendre.

Ses mains glissèrent sur son ventre et remontèrent le long de son torse, caressant ses seins.

Il savait comment lui donner envie d'en faire plus. En approchant sa bouche de la sienne, elle dit :

— Je savais qu'il y avait une raison pour laquelle je t'avais gardé près de moi.

QUELQUES HEURES plus tard, après avoir parcouru la piste de motocross pour s'assurer qu'il n'y avait pas de débris, Billie faisait les cent pas dans le jardin de Dare et se donnait des conseils pour calmer son anxiété. Quand Kenny et Dare arrivèrent sur un quad. Kenny était vêtu d'une tenue de pilote noir et or inhabituelle, du bout de ses gants à la pointe de ses bottes et portait un casque et un plastron. Elle eut la chair de poule en se rappelant à quel point elle s'était sentie indestructible dans *cette* tenue. L'inquiétude s'empara de son esprit, mais elle s'efforça de la repousser, car il ne s'agissait pas d'elle aujourd'hui, mais de ce jeune homme de dix-sept ans qui affichait un sourire jusqu'aux oreilles.

— Plutôt génial, hein ?

Kenny baissa les yeux sur sa tenue.

— Ce sont les couleurs des Dark Knights. Tiny m'a dit que Dare et lui avaient fait spécialement fabriquer ces combinaisons de course, il y a quelques années. Tout le monde dans la famille les a. Enfin, pas Tiny. Il a dit qu'il écraserait une moto tout terrain.

Elle rit.

— C'est génial.

Elle sourit à Dare.

— Les couleurs des Dark Knights, hein ?

Il lui fit un clin d'œil.

— Montre-lui l'arrière, Kenny.

Kenny se retourna. Au dos du maillot, il y avait le logo des Dark Knights du *Ranch Rédemption* : un cercle avec un crâne à l'intérieur, et DARK KNIGHTS écrit à l'intérieur du cercle au-dessus du crâne, et au RANCH RÉDEMPTION écrit en dessous.

— Dare a dit que si je me tenais à carreau, je pourrais entrer chez les Dark Knights à dix-huit ans et en devenir membre quelques années plus tard, comme il l'a fait.

— Ça, *c'est* plus que cool.

Et *brillant*. Dare avait donné un but à Kenny. Le club était un excellent moyen d'inciter les jeunes à éviter les ennuis ou, s'ils cherchaient les ennuis, comme Dare l'avait fait il y a longtemps, de leur rappeler qu'une vie meilleure les attendait.

— Tu savais que Tiny est le *président* du club ? demanda Kenny.

— Tiny n'est pas seulement le président, il est le fondateur, rectifia Billie. Et mon père est le vice-président.

— Waouh, vraiment ? Mon père ne conduirait jamais une moto, dit Kenny.

— Ce n'est pas grave. Ce n'est pas pour tout le monde, et il semble que ton père connaisse ses limites, et connaître ses limites est une bonne chose.

— Même pour des casse-cous comme vous ?

— Surtout pour les casse-cous, dit Dare.

Billie ne s'était pas rendue compte qu'elle aurait l'occasion de voir Dare en action en tant que thérapeute. Il était vraiment bon dans son travail, profitant de chaque occasion pour aider Kenny à s'orienter vers un avenir plus sûr, tout en lui apprenant à respecter les décisions d'autrui. Savait-il au moins qu'il le faisait ? Ou était-ce une seconde nature ?

— Tu es prêt à passer aux choses sérieuses ? lui lança Billie.

— Carrément, oui !

Kenny tendit les poings, les faisant rouler vers l'avant et faisant des bruits de moteur.

— Ralentis, champion, dit Billie. Tu as d'abord besoin d'une leçon de sécurité et de te familiariser avec ta moto.

Dare lui posa une main sur l'épaule.

— Tu fais attention à tout ce que Billie te dit, compris ?

— Je le ferai. Je te le promets. Je suis juste excité.

— Moi aussi, dit Billie, et Dare la dévisagea avec curiosité.

Elle était excitée pour Kenny, et peut-être même un peu pour elle-même.

— Je vais mettre la moto au point mort pour que tu puisses la pousser jusqu'à la piste. Sur une moto tout terrain, le point mort se situe entre la première et la deuxième vitesse. Il faut débrayer, c'est ici.

Elle lui montra l'embrayage, puis s'accroupit pour lui montrer la manette de changement de vitesse.

— Lorsque tu es assis sur la moto, ton pied est sur la pédale et tes orteils se déplacent par-dessus ou par-dessous la manette, selon le sens dans lequel tu changes de vitesse.

Elle passa la première vitesse.

— Tu entends ce déclic ? C'est la première vitesse. Maintenant, écoute la différence quand je la mets au point mort.

Un clic plus doux retentit.

— Je l'ai entendu. C'est un demi-clic.

— C'est ça.

Elle fixa Dare, qui hocha la tête.

— Donne-moi donc ton casque et tu pourras emmener la moto sur la piste pendant qu'on parle.

— C'est le genre de moto que tu conduisais quand tu étais pro ?

Kenny lui tendit le casque.

— Non, c'est une moto de cross. Elles sont plus légères pour aller plus vite. Peut-être qu'un jour, je te montrerai ma moto de course.

— Vraiment ? Génial !

Pendant qu'ils se rendaient sur la piste, Billie passa en revue les mesures de sécurité générales, et lorsqu'elle eut terminé, elle demanda à Kenny de les lui répéter, pour s'assurer qu'il était attentif. Elle savait ce que c'était que d'être tellement fasciné par une moto que rien d'autre ne comptait. Mais Kenny avait été attentif et il lui avait tout récité à la perfection.

Une fois sur la piste, Dare se tint à l'écart, étonnamment robuste dans son jean et son chapeau de cow-boy, tandis qu'elle lui expliquait les différentes parties de la moto – embrayage, starter, accélérateur, frein, et cetera – et la manière de les utiliser. Kenny posa des questions intelligentes et, une fois qu'ils eurent terminé, elle lui demanda de citer chaque pièce et son utilisation.

— Tu te débrouilles très bien. Monte et nous allons nous entraîner pendant que la moto est à l'arrêt. Il est important de prendre son temps pendant l'apprentissage pour ne pas prendre de mauvaises habitudes.

— Comme quoi ?

— Serrer le guidon trop fort, mal placer ses doigts, ne pas utiliser ses hanches pour diriger le pneu arrière, ne pas regarder assez loin devant. Crois-le ou non, il y a beaucoup de petites nuances qui peuvent te sembler confortables au début, mais qui te mordront les fesses à long terme.

— Je veux savoir tout ce que je ne dois pas faire, dit Kenny.

— C'est toi mon genre de mec.

Kenny sourit à Dare.

Il s'entraîna à passer les vitesses, à conduire correctement, à positionner les pieds et à tout ce à quoi elle pouvait penser.

— Comment tu te sens ?

— Super, s'exclama Kenny, qui semblait à l'aise. Qu'est-ce qu'on fait ensuite ?

— Je vais te demander de faire un tour sur la voie extérieure de la piste. Mais je ne veux pas que tu t'approches des obstacles ou des sauts. Est-ce que je peux te faire confiance ?

Kenny acquiesça.

Elle se tint debout à côté de la moto, soutenant le regard de Kenny.

— Voilà ce qu'il faut savoir, Kenny. Je sais à quel point c'est excitant de faire de la moto pour la première fois. Tu voudras aller aussi vite que possible. *Ne le fais pas.* Tu te sentiras plus confiant que tu ne devrais l'être et tu voudras franchir les obstacles ou tenter un saut. *Ne fais ni l'un ni l'autre.* Une moto tout terrain, c'est cool et amusant, mais c'est aussi dangereux. J'ai besoin que tu me donnes ta parole que tu n'essaieras pas d'aller plus vite que je ne te le dis.

— Je te le promets. Je ne veux pas tout gâcher.

— D'accord, je te fais confiance. Tu te souviens de ce que j'ai dit à propos de l'embrayage et de l'accélérateur ?

Kenny hocha la tête.

— Si je donne trop de gaz, quand je relâcherai l'accélérateur, la moto partira en avant et me laissera en plan. Et si je relâche l'embrayage trop vite, sans avoir assez de gaz, la moto va s'incliner et couper le moteur.

— Exact. Et si tu as l'impression d'aller trop vite ?

— Je lâche l'accélérateur.

— Et le frein ? demanda Billie.

— Je dois essayer d'utiliser le frein à pied, parce que les freins à main peuvent me faire tomber par-dessus le guidon.

— Je suis impressionnée. D'accord, champion. Faisons un essai. Fais-lui faire un tour de piste une fois, pas plus vite que trente kilomètres à l'heure, et n'oublie pas de rester sur la piste extérieure.

— Trente kilomètres à l'heure, en dehors de la piste. Je ne te décevrai pas.

Elle lui tendit son casque et s'éloigna avec Dare pendant qu'il démarrait la moto. Kenny le regarda, manifestement fier de ne pas avoir calé.

— Bien joué, lança Dare tandis que Billie levait le pouce.

Kenny démarra plus lentement que Billie ne l'avait prévu, mais elle préférait cela plutôt que de le voir décoller comme un TGV. Il était confiant, changeant de vitesse un peu brutalement au début, mais il avait compris.

— Tu as un don pour la pédagogie. Comment tu te sens ?

— Incroyable. Dès que nous avons commencé à parler, toute ma nervosité s'est envolée. Je n'y ai même pas repensé jusqu'à maintenant.

Elle rit doucement.

— Et à moins qu'il ne soit vraiment doué pour raconter des conneries, je pense qu'il ne veut vraiment pas te décevoir.

Dare passa son bras autour d'elle, tous deux surveillant Kenny comme des faucons.

— Il ne veut laisser tomber aucun d'entre nous. Je suis si fier de toi, ma chérie.

— Je n'ai fait que parler.

— Tu as fait bien plus que ça. Tu t'es rapprochée de lui, tu as été minutieuse et tu as exigé qu'il respecte la moto et toi. Qui aurait cru que la grande dure Mancini avait un don pour l'enseignement ?

— Visiblement, c'est le cas, sinon tu ne m'aurais pas fait confiance pour le faire.

Le grondement d'une moto attira leur attention et elle jeta un coup d'œil rapide autour d'elle, voyant les parents de Dare descendre le sentier pédestre sur la Harley noire et brillante de Tiny. Celui-ci dépassait Wynnie, qui lui faisait signe de la main.

Billie se retourna pour regarder Kenny se garer.

— Tes parents sont les plus cool.

— Pas quand ils conduisent leur moto sur mon sentier de promenade, ronchonna Dare. Bon sang, papa. Combien de fois vais-je devoir te dire de ne pas rouler sur le sentier pédestre ?

Billie jeta un coup d'œil à Tiny, qui portait des lunettes de soleil foncées. Sa barbe et sa bouche se soulevaient quand il souriait.

— C'est à peu près le même nombre de fois que j'ai dû vous dire de ne pas rouler avec vos foutues motos sur les sentiers pour chevaux, dit Tiny en traînant les pieds.

Il posa une main sur le bas du dos de Billie et se pencha pour embrasser le sommet de sa tête.

— Je suis content que tu sois là, ma chérie.

— Moi aussi, dit Wynnie en la serrant dans ses bras.

Elle était jolie dans un chemisier violet sans manches et un jean.

— C'est un grand pas pour toi. Comment te sens-tu ? Tu tiens le coup ?

— Je me sens très bien. Je suis contente que Dare m'ait convaincue.

— Elle a réussi à mettre de côté son humour et à laisser transparaître sa capacité naturelle à enseigner, dit Dare.

Billie plissa les yeux.

— Je te laisse ton humour.

— On te reconnaît bien là, dit Wynnie. Je n'ai jamais douté que tu serais un bon professeur. Il faut être patient pour supporter celui-là.

Elle étreignit Dare.

— J'aime nos garçons, mais ils sont tous difficiles à gérer.

— Comment va le petit ?

Tiny leva le menton vers la piste, regardant Kenny descendre de l'autre côté.

— Il a l'air d'aller bien.

— Il se débrouille très bien. Il est très à l'écoute et il n'a pas dépassé les limites, ce qui est difficile pour un adolescent.

Billie jeta un coup d'œil à Dare, surprenant une étincelle dans son regard.

— Mais votre brillant fils lui a donné quelques objectifs à atteindre, ce qui l'a probablement aidé à rester dans le droit chemin.

— Mon brillant fils ? Doc était là ? renchérit Tiny.

— Imbécile, le tanna Dare, les yeux rivés sur Kenny.

Tiny sourit.

— Je plaisante. C'est Cowboy qui est le plus brillant.

— *Tsss.* Tiny ! réprimanda Wynnie, ce qui lui valut un rire franc de la part de ce dernier.

— Quels objectifs as-tu donné à Kenny, chéri ?

— Je lui ai dit que s'il se tenait à carreau, il pourrait prospecter pour les Dark Knights quand il aurait dix-huit ans, comme quelqu'un l'a fait pour nous tous.

Il fit un sourire en direction de son père.

Tiny ne détourna pas son regard de Kenny qui arrivait dans la dernière ligne droite.

— Tu n'as pas été très attentif quand tu es parti à l'université.

Il se tourna vers Dare.

— Mais tu t'es mis au pas et tu es devenu un sacré bonhomme.

Dare passa son bras autour de Billie.

— Tu dois remercier Mancini pour ça.

— Voilà une histoire que j'aimerais entendre, dit Wynnie.

— Peut-être un autre jour, suggéra Dare alors que Kenny approchait, s'arrêtant à quelques mètres et coupant le moteur.

Billie se précipita vers lui alors qu'il enlevait son casque.

— Belle balade, mec. Comment tu t'es senti ?

— Putain de…

Kenny la regarda, les autres et elle, avec regret.

— Désolé.

Ses yeux s'illuminèrent à nouveau.

— C'était *vraiment* génial !

Tout le monde rit et Tiny le félicita pour sa correction.

— Est-ce que tu as eu l'impression de contrôler la moto ? Es-tu à l'aise avec les changements de vitesse ? lui demanda Billie.

— Je n'ai eu aucun problème à la contrôler. Il a fallu

s'habituer aux changements de vitesse. Je pense que j'ai compris maintenant. Je me surprends encore à vouloir utiliser le frein à main, mais je vais travailler.

Il saisit le guidon.

— C'était la meilleure balade de ma vie.

— C'est super. Les changements de vitesse et le freinage peuvent être délicats. Il faudra de l'entraînement avant d'y arriver.

— Je peux refaire le tour ? demanda-t-il avec enthousiasme.

— Bien sûr. Mais gardons la même vitesse et restons sur la piste extérieure, d'accord ?

— Je le ferai. Je le promets.

En regardant Tiny, Dare et Wynnie, Kenny dit :

— Merci de m'avoir donné la chance de faire ça.

Tiny hocha sèchement la tête.

— Tu l'as mérité, reconnut Dare.

— Il y a beaucoup de bonnes choses à faire dans cette vie, dit Wynnie. Parfois, il suffit de sortir de ce que l'on connaît et d'ouvrir les yeux sur de nouvelles personnes et de nouvelles expériences pour les découvrir. Si tu es chanceux, tu découvriras en chemin qui tu es vraiment.

— Je suis un pilote de moto tout terrain, c'est sûr, dit Kenny, et il enfila son casque.

Alors qu'il s'éloignait, Tiny enleva ses lunettes de soleil et posa ses yeux sombres et sérieux sur Billie.

— Il suit les règles maintenant, mais les enfants deviennent arrogants. Ne le laisse pas t'embêter.

— Tiny, est-ce que j'ai déjà laissé *quelqu'un* me donner du fil à retordre ?

— Non, je suppose que non. Tu es une fille intelligente.

Tiny leva le menton.

— Mais la prochaine fois que tu te pointeras chez moi à l'heure du petit déjeuner, tu ferais mieux de t'asseoir et de venir me voir, compris ?

Tiny n'était pas content qu'elle ne soit pas restée pour prendre son petit déjeuner hier matin. Elle avait oublié à quel point les petits déjeuners en famille étaient importants pour lui et elle était ravie d'être encore considérée comme faisant partie de leur famille. Elle ne manquerait pas de se rattraper un matin où Dare et elle ne seraient pas occupés à se faire des galipettes au lieu de se lever tôt.

Se sentant à nouveau âgée de dix ans, elle dit :

— Oui, monsieur.

— Arrête tes conneries avec tes *monsieur*. Tu as ta place à notre table, tu l'as toujours eue et tu l'auras toujours.

— D'accord, merci, Tiny.

Ce fut soudain une évidence et elle comprit d'où Dare tenait cette forte confiance en lui. Avec un hochement de tête sec, il posa une main sur l'épaule de Dare.

— C'était une bonne idée, fiston. Peut-être que Cowboy n'est pas le génie après tout.

— Tu crois ?

Dare secoua la tête, souriant largement.

— Les garçons.

Wynnie fit de même.

— Il faut qu'on reparte. Dites à Kenny que nous sommes fiers de lui.

Elle serra Billie dans ses bras et embrassa Dare sur la joue.

— A plus tard.

— J'essaierai de ne pas faire tourner mes pneus en partant d'ici, dit Tiny.

Derrière cette promesse se cachait un regard espiègle qui lui rappelait des souvenirs de Billie, Dare et Eddie faisant tourner leurs roues et laissant Tiny leur hurler dessus dans la poussière.

Tiny et Wynnie grimpèrent sur sa moto, et bien sûr, Tiny partit en vrille, laissant Dare lui hurler dessus et Billie rire.

Kenny s'était entraîné pendant une autre heure, et lorsqu'il descendit de la moto pour la dernière fois, il ne pouvait s'empêcher de parler du plaisir qu'il avait eu et de la sensation qu'il avait ressentie en étant aux commandes.

— C'était trop cool ! On peut recommencer ?

Son enthousiasme était contagieux et Billie était surprise de voir à quel point elle voulait recommencer, mais ce n'était pas à elle de décider.

— C'est à Dare de décider.

Kenny le regarda avec espoir.

— J'ai fait tout le travail que Cowboy m'a donné *sans me plaindre* et je ne ferai plus de bêtises. Je ne volerai pas de voitures et je ne sécherai pas l'école. Je ne ferai rien qui soit contraire à la loi. Je le promets.

L'expression du visage de Dare lui indiqua qu'il se souvenait lui aussi de la façon dont ils avaient fait des promesses à leurs parents pour avoir le droit de conduire des motos tout-terrain.

— Je voudrais d'abord en parler à Billie. C'est un engagement important pour vous deux.

— J'aimerais bien, répondit-elle.

— Ah oui ? lui demanda Dare avec une pointe de surprise.

— Hum-hum. Peut-être deux fois par semaine pendant une heure et demie environ ?

Dare acquiesça.

— Ça me convient.

— Oui !

Kenny leva le poing et entoura Billie de ses bras.

— Merci ! Merci beaucoup !

Billie lui tapota le dos, regardant Dare, dont le sourire imparable reflétait le sien.

— C'est un plaisir pour moi. Je suis contente que tu te sois amusé.

— Oui et j'ai hâte d'être à la prochaine fois.

Ils discutèrent pendant quelques minutes, et alors que Dare et Kenny retournaient sur le sentier, elle l'entendit demander à Dare quel âge elle avait lorsqu'elle avait appris à faire de la moto. Dare lui répondit qu'elle avait six ans.

— Bon sang ! s'exclama Kenny. C'est vraiment une dure à cuire.

Billie ne s'était pas vraiment sentie comme une dure à cuire ces derniers temps, même si le riverboard était plutôt dur. Elle regarda la moto, sentant l'attraction qu'elle exerçait sur elle comme le métal sur l'aimant, et ne put s'empêcher de s'asseoir dessus. Elle enroula ses doigts autour du guidon, ce qui lui procura une poussée d'adrénaline. Elle ferma les yeux, se délectant des battements de son cœur et de la sensation de la moto sous elle. Elle vit la piste et ressentit un sentiment d'intimidation. Le visage d'Eddie apparut dans son esprit, ses yeux bleus l'implorant, et elle entendit sa voix, aussi réelle que la brise sur ses joues. *Qu'attends-tu, Billie ? Sors de là et montre au monde ce que tu as dans le ventre.* Son cœur battit plus vite, et elle déglutit difficilement, ouvrant les yeux, mais les cheveux hirsutes et les yeux bleus d'Eddie étaient toujours là, l'encourageant à continuer. Elle cligna des yeux plusieurs fois et soudain, elle vit aussi le visage de Dare, dont les yeux aimants lui demandaient : *Qu'est-ce que tu veux faire, Mancini ?*

Je veux rouler. Elle regarda le casque.

Le rire d'Eddie lui parvint aux oreilles. *Alors qu'est-ce que tu attends ? Sors d'ici et épate tout le monde.*

Tu as tout ce qu'il faut, chérie, murmura la voix de Dare.

Elle *voulait* vraiment l'avoir. Elle ne s'était pas rendu compte à quel point elle le désirait jusqu'à ce qu'elle tienne le casque dans sa main et qu'elle le mette sur sa tête. Elle portait un jean et des baskets, ce qui n'était pas idéal, et elle n'avait pas de protections, mais elle avait roulé des dizaines de fois comme ça. Les mots qu'elle avait dits à Dare lui revinrent en mémoire. *Je ne veux pas que tu vives dans la peur. J'en ai assez en moi pour nous deux.* Elle prit une profonde inspiration et démarra le moteur, la vibration renforçant sa confiance, réveillant la pilote qu'elle avait toujours été.

Elle se redressa, se pencha en avant, fit tourner le moteur, les yeux fixés sur la piste qui s'offrait à elle, et, le cœur battant à tout rompre, elle se détacha.

L'air chaud fouettait sa peau, le mouvement de la moto était aussi familier que le ciel au-dessus d'elle. Quelque chose changea en elle, et la concentration absolue, qui lui avait permis de gagner plus de courses qu'elle ne pouvait en compter, reprit le dessus. Elle se leva de la selle, se pencha en avant, accéléra le long de la ligne droite, ses muscles et ses sens en alerte à l'approche d'un virage. Elle se rassit, se pencha dans le virage, leva haut la jambe intérieure et mit les gaz. À la sortie du virage, elle applaudit, tous ses nerfs étant en ébullition. Elle fit le tour de la piste et ne put s'empêcher de franchir les *bosses*, les reines de tous les dos d'âne. Elle se dirigea vers le tremplin, s'envola vers le haut du saut, talons et jambes fléchis pour un atterrissage parfait sur le dessus de la planche. Elle le réussit et aborda la descente comme la pro qu'elle était, atterrissant en douceur et faisant le tour du parcours à toute vitesse.

L'adrénaline se répandit comme un feu dans ses veines. Elle

se sentait inarrêtable, *pleinement* vivante pour la première fois depuis des années, et lorsqu'elle atteignit la botte, le grand saut avant la ligne d'arrivée, elle le conquit, s'élevant dans les airs, pour un atterrissage parfait, et vit Dare qui la regardait. Son cœur avait l'impression de sortir de sa poitrine alors qu'elle filait vers la fin de la piste. Son visage était un masque de choc lorsqu'elle arracha son casque, elle descendit précipitamment de sa moto et se jeta dans ses bras.

— Merci. *Mon Dieu*, merci.

Des larmes coulèrent sur ses joues tandis qu'il l'étreignait, les faisant tourner en rond.

— Tu as réussi, chérie !

— Je l'ai fait !

Elle l'embrassa fougueusement, ses larmes salées glissant entre leurs lèvres.

— Je n'arrive pas à y croire !

Ils riaient et elle pleurait. Dare avait l'air époustouflé alors qu'il la remettait sur ses pieds.

— Qu'est-ce qui s'est passé ?

— J'étais là et puis j'étais sur la moto, et j'ai entendu Eddie m'encourager et toi me demander ce que je voulais, je ne sais pas. C'est arrivé comme ça et je suis *vraiment* contente. J'ai l'impression de m'être emprisonnée et que tu m'as libérée.

— Je ne t'ai pas libérée, chérie. Je t'ai juste demandé d'aider un enfant. Ce que tu as fait ? C'était tout toi, Mancini, et c'était fantastique.

Elle le regarda, se souvenant du garçon mignon qui l'avait construite et lui avait donné plus de confiance qu'elle ne l'aurait jamais cru possible, et voyant l'homme qui s'était jeté volontairement dans ses ténèbres malgré ses griffes et ses poignards, et il n'y eut aucune retenue.

— Tu as tort, Dare. Je ne suis moi que grâce à toi. Tu ne t'es pas contenté de me montrer la lumière. Tu m'as conduit à la vie que j'avais perdue, aux meilleures parties de moi-même que j'avais oubliées, à la fille qui prenait son pied, qui riait et qui voulait expérimenter tout ce que la vie avait à offrir. Je vois cette fille, Dare, je *nous* vois ensemble et je ne la lâcherai plus *jamais*.

CHAPITRE QUINZE

DARE DÉPOSA LA GRILLE sur le foyer et s'essuya les mains sur son jean, heureux d'être à la maison. Il devait aller à l'église ce soir, et il avait à peine pu rester tranquille en sachant que Billie était en congé ce soir. Ses frères avaient pris plaisir à le taquiner sur le fait qu'elle le menait par le bout du nez, mais il s'en moquait éperdument. Tout ce qu'il voulait, c'était rentrer à la maison pour voir sa copine.

Billie sortit de la cuisine, vêtue de son sweat à capuche vert foncé à l'effigie du *Ranch Rédemption*. On aurait dit qu'il était trop grand pour elle, qu'il dépassait de l'ourlet de son pantalon de sport, donnant l'impression qu'elle ne portait que le sweat-shirt. Elle avait les cheveux détachés, une mèche tombant sur sa joue. Elle portait un paquet d'Oreos sous un bras, des sachets de chips et de marshmallows dans une main, et une boîte de Graham Crackers dans l'autre. Deux canettes de soda et un paquet de barres chocolatées étaient glissés entre le creux de son bras et son corps, et cet incroyable sourire qu'il avait attendu si longtemps de voir brillait comme l'étoile polaire. Comment était-il possible pour une femme d'avoir l'air à la fois si adorable et si tentatrice ?

— J'ai des snacks.

Elle écarta la mèche de cheveux de son visage, mais elle

retomba devant ses yeux.

— Tu es vraiment trop mignonne.

Il attrapa les sodas et les snacks et les posa sur la table près de la chaise longue, puis la prit dans ses bras. Comment tant de choses pouvaient-elles changer en un mois ? Il avait l'impression de vivre le plus beau rêve de sa vie.

Elle enroula ses bras autour de son cou.

— Je ne crois pas qu'on m'ait appelée mignonne depuis que je suis enfant.

— C'est vraiment dommage, Mancini. A partir de maintenant, je vais te le dire à chaque fois que je le pense. Tu l'entendras beaucoup ce soir, parce que tu es adorable dans mon sweat-shirt.

— J'ai oublié d'apporter le mien.

— Tu pourrais emménager. Tu n'aurais plus à t'inquiéter de ça.

Il ne s'attendait pas à le dire, mais il y avait pensé.

— Ne le dis pas trop fort. Bobbie parle déjà de louer ma chambre.

— Tous tes jouets préférés sont ici, se moqua-t-il.

Ils avaient amené leurs partenaires sexy chez lui après que Bobbie soit accidentellement tombée sur lui dans le plus simple appareil.

— *Tu es* mon jouet préféré.

— Exactement.

Elle sourit, mais elle le regarda avec curiosité.

— Qu'est-ce qui t'arrive ?

— C'est toi.

Il posa son front sur le sien, submergé par l'émotion pour cette femme qui avait passé les dernières semaines à aider un garçon à apprendre un sport qui pourrait l'éloigner des ennuis et qui s'était révélée à elle sous bien des aspects. Elle avait fait la joie de sa famille lorsqu'elle s'était jointe à eux pour le petit déjeuner, s'intégrant comme si elle avait toujours été là, avec ses plaisanteries sarcastiques et ses roulements de paupières spectaculaires. Six années de disputes ne pouvaient même pas les séparer. Ils avaient grandi et changé, mais leur lien profond avait survécu, et maintenant il s'était renforcé et s'était transformé en un amour si réel et si vrai qu'il ne pouvait imaginer sa vie sans elle.

Il la regarda droit dans les yeux, sachant pertinemment que sa capacité à parler honnêtement et avec émotion était réduite avant qu'elle ne devienne hargneuse pour le faire taire, mais il fallait qu'il s'exprime.

— Je sais que tu n'es pas prête à emménager, et c'est normal. Si c'est tout ce que j'obtiens – te voir dans mes sweat-shirts et mes T-shirts, me réveiller avec toi tous les matins, te prendre dans mes bras la nuit, entrer dans un bar et savoir que tu es à moi, entendre ton rire *incroyablement* sexy – c'est assez pour moi. *Tu me* suffis, Mancini, et je suis si heureux d'avoir pris le risque de sauter de cet avion.

Elle le dévisagea avec un mélange d'admiration, de confusion et d'amour.

— Je ne m'attends pas à ce que tu me répondes. J'ai juste besoin que tu saches ce que je ressens.

Il l'embrassa doucement, lui prit la main alors qu'il s'asseyait sur une chaise longue près du feu et l'attira entre ses jambes. Il l'entoura de ses bras et lui embrassa la joue.

Elle se tourna pour le voir et posa sa main sur sa joue, ses yeux débordant d'émotion. Elle aimait autant le sexe que lui, mais ce n'était que récemment qu'elle avait commencé à le toucher plus intimement, avec une douce caresse par-ci par-là. Il se délectait de ces moments, s'imprégnant de l'amour qu'ils partageaient.

Elle pressa ses lèvres contre les siennes, son pouce effleurant sa joue.

— Tu es tout ce que je veux aussi, Whiskey, murmura-t-elle.

Alors qu'elle se retournait, posant son dos contre son torse, il se demanda comment huit petits mots pouvaient lui donner l'impression d'avoir reçu le plus grand des cadeaux.

Ils restèrent longtemps assis sous les étoiles, à réfléchir chacun de leur côté, à écouter le feu crépitant et le chant des grillons. Il n'avait jamais imaginé que le simple fait d'être assis tranquillement près d'un feu pouvait le rendre aussi heureux.

Un peu plus tard, elle lui dit :

— Merci d'être allé courir avec moi ce matin, ça m'a fait plaisir. J'ai bien aimé.

Ils avaient couru environ cinq kilomètres, mais avaient fait une pause au bout de deux kilomètres pour s'embrasser comme des adolescents en manque.

— Moi aussi.

— Tu as aussi bien aimé flirté dans les champs.

Elle passa ses mains sur les siennes.

— Je dois admettre que moi aussi.

— C'était la meilleure partie de la course. Tu veux faire du parachutisme ce week-end ?

Elle inclina son corps de façon à voir à nouveau son visage.

— Tu vas bientôt faire un saut vraiment effrayant. Et si on remettait le saut en parachute à un peu plus tard ?

— Tu as dit que tu étais d'accord avec mon saut.

— J'ai dit que je ne t'en empêcherais jamais, et je suis d'accord pour que tu le fasses. Mais *tranquille* ?

Elle leva la main et l'agita d'un côté à l'autre.

— J'y travaille. Je suis encore en train de m'y préparer.

Sa poitrine se contracta un peu.

— D'accord, on va faire du parachutisme.

— Tu sais ce qu'on pourrait faire à la place ? Faire cette balade en moto dont tu as parlé. On pourrait aller à Silk Hollow pour la journée.

— Est-ce que ma copine a envie de faire du saut en parachute ?

Elle pencha la tête en arrière en souriant.

— J'ai mon samedi de libre.

— *Sérieusement ?* Ma chérie, ça a l'air génial.

Il lui donna un baiser, ravi.

— Faisons-le. Je suppose que tu ne plaisantais pas sur le fait de redevenir celle que tu étais.

— J'ai beaucoup réfléchi à toutes les choses auxquelles j'ai renoncé, et c'était toujours l'une des choses que je préférais faire avec toi. Faire de la randonnée jusqu'aux rochers, plonger, s'allonger au soleil, et…

Elle effleura sa rotule de ses doigts.

— Il y a cette grotte dans laquelle nous avions l'habitude de jouer.

— Tu sais ce que je faisais dans cette grotte ?

— Je ne suis pas sûre de *vouloir* le savoir.

Il se blottit contre son cou.

— Je me faisais des scénarios dans ma tête où tu m'entraînais là-dedans comme tu m'as entraînée dans la grange pour m'embrasser, sauf que j'étais un adolescent, alors mes fantasmes étaient bien plus coquins que des baisers.

— Je pense que nous avions les mêmes fantasmes.

Il apprécia d'entendre cela et la serra dans ses bras.

— J'ai beaucoup pensé aux parents d'Eddie ces dernières semaines.

— Vraiment ? Pourquoi n'as-tu rien dit ?

Elle haussa les épaules.

— J'essayais de comprendre et je ne voulais pas te déranger.

— Chérie, me parler des choses qui te posent problème ne me dérange pas. C'est s'appuyer sur moi. Je suis là pour ça.

Elle se retourna avec un doux sourire.

— Tu veux dire que tu n'es pas seulement là pour mon plaisir sexuel ?

— Ton plaisir sera encore plus intense quand tu me feras suffisamment confiance pour me demander de l'aide.

— J'y travaille. Il ne s'agit pas de te faire confiance. C'est juste que… j'ai toujours voulu voler de mes propres ailes.

— Et c'est le cas. Tu as prouvé à quel point tu étais forte. Tu as résisté à des pressions que le reste d'entre nous ne peut qu'imaginer, et cela ne te rendra pas faible de t'appuyer sur quelqu'un que tu aimes. Laisser entrer les gens te rend plus fort.

Elle resta silencieuse pendant une minute et il pouvait voir qu'elle y réfléchissait.

— Tu as raison. Je suis définitivement plus forte depuis que je me suis ouverte à toi. Puis-je te dire pourquoi j'ai pensé aux parents d'Eddie ?

— Bien sûr. J'aimerais le savoir.

— Parce que j'ai réalisé à quel point c'était injuste de re-pousser tout le monde, surtout *toi*, mais je me sens horriblement mal de les avoir repoussés, eux aussi. Ils ont toujours été si gentils avec moi, et nous avons perdu notre ami, mais c'était *leur fils*. J'étais tellement submergée par le chagrin que je l'ai perdu de vue.

— Ils savent que tu étais en deuil, et ils comprennent.

— Tu leur as parlé de moi ?

— Quand je les vois en ville, s'ils demandent de tes nouvelles. Tu n'es pas fâchée ?

Elle hocha la tête.

— Oui, ça va. Mais comme je vais mieux maintenant, et que ça fait du bien de recommencer à vivre ma vie au lieu d'essayer de la fuir, j'ai compris que je ne pourrais pas passer à autre chose tant que je ne leur aurais pas présenté mes excuses.

— Je pense que c'est une bonne idée. J'irai avec toi si tu veux.

— Je veux bien, parce que j'ai besoin de ton soutien. Mais ça risque d'être difficile de leur dire la vérité sur ce jour horrible et de leur dire aussi qu'on est ensemble.

— Je comprends, mais c'est une petite ville, Billie. Je suis sûre qu'ils le savent déjà.

— Tu as sans doute raison. Je vais y réfléchir. Je veux aussi en parler à nos mères dimanche quand nous nous réunirons.

— C'est une excellente idée. Regarde-toi, tu demandes de l'aide à nos mères.

— Tais-toi, dit-elle en riant et en se redressant. J'ai dit que je leur soumettrais l'idée, pas que je leur demanderais de l'aide. J'ai faim, et toi ?

Il haussa les sourcils.

— Juste de toi, chérie.

— Aussi séduisant que cela soit, je veux d'abord quelque chose au chocolat. Qu'est-ce qu'on prend, des s'mores ou des Oreos ?

— Pourquoi ne pas faire fondre du chocolat, prendre de la crème fouettée et se servir l'un l'autre à la place ?

Elle écarquilla les yeux.

— Dare Whiskey, tu es vraiment le frère le plus brillant de

ta famille.

— Tu crois ?

Il effleura ses lèvres sur les siennes.

— Hum-hum. Et le plus sexy.

Elle l'embrassa.

— Le mieux doté aussi.

Elle s'esclaffa.

— Je n'ai pas vu les autres concurrents pour pouvoir en juger.

— Et ce ne sera jamais le cas, grogna-t-il, avant d'abaisser ses lèvres sur les siennes.

CHAPITRE SEIZE

— GLAÇAGE ROSE. MON préféré !

Birdie prit un cupcake au chocolat avec un glaçage rose et un cupcake blanc avec un glaçage au chocolat et les mit dans son assiette à côté des biscuits à la cannelle qu'elle avait déjà pris, d'une montagne de salade de pâtes, d'un demi-sandwich au rôti de bœuf et d'une poignée de croustilles.

C'était dimanche après-midi et elles se trouvaient dans une salle de réunion du ranch avec leurs mères et leurs sœurs pour discuter de l'organisation du Festival on the Green et du coup d'envoi de la campagne Ride Clean. Billie regarda la petite silhouette de Birdie, qu'elle mettait amplement en valeur avec un haut jaune, un short en jean, des bretelles roses à motif cachemire et des bottes de cow-girl roses avec des cœurs sur les côtés.

— Il n'y a aucun moyen de faire entrer toute cette nourriture dans ton petit corps.

Birdie enleva le glaçage rose d'un cupcake avec son doigt et le lécha.

— *Regarde-moi bien.* Je fais le plein d'énergie.

— Pourquoi ?

— Parce que j'aime les glucides. *Bien sûr.*

Elle rigola.

— Je suis vraiment contente que tu sois là. Maman et Sasha ne parlaient que de ça ce matin.

Elle se remit à regarder les énormes quantités de nourriture que Dwight avait préparée pour eux.

Billie porta son assiette à la table, se sentant un peu nerveuse. Mais Dare et elle avaient pris sa moto pour aller à Silk Hollow hier, et ils avaient passé la meilleure journée possible à faire de la plongée en falaise, à déjeuner sur les rochers, et à être tout simplement ensemble. Si elle était capable de faire ça et de battre Dare trois fois sur la piste de motocross ces derniers jours, elle pouvait le faire. Elle s'assit à côté de Bobbie, qui était très mignonne, avec un bronzage prononcé, un short en lin vert et un tee-shirt blanc sur lequel étaient empilés quatre livres sur lesquels était écrit NE PAS DÉRANGER JE SUIS SURBOOKÉE CE WEEK-END. Leurs mères discutaient tranquillement pendant qu'ils mangeaient. Elles avaient l'air heureuses et décontractées. Sa mère portait un T-shirt bleu marine et peu de maquillage, tandis que Wynnie portait un chemisier blanc avec des fleurs jaune vif et des colliers et boucles d'oreilles dorés assortis. Billie trouvait logique que sa mère soit un peu plus discrète que Wynnie, puisqu'elle avait porté le poids de l'attitude de Billie pendant des années. En les observant, elle se rendit compte qu'elle leur devait la vérité sur la raison pour laquelle elle avait tenu tout le monde à l'écart, et elle espérait que cela enlèverait un poids des épaules de sa mère, comme cela avait été le cas pour les siennes.

— Pouvons-nous commencer ? demanda sa mère.

— Il serait peut-être plus rapide d'installer une mangeoire pour Birdie, répondit Billie.

— *Birdie*, vas-tu te joindre à nous pour que nous puissions commencer ?

Sasha fit passer ses cheveux par-dessus son débardeur rose et soyeux. Elle ressemblait à sa mère : organisée, ponctuelle et *toujours* bien apprêtée. Sa jupe en jean avait des reflets roses, tout comme ses sandales.

— Vous pouvez commencer.

Birdie croqua dans un biscuit.

— Je ne suis là que pour le festin de Dwight et pour la camaraderie.

— Tu n'as pas envie de participer à l'organisation cette année ? interrogea la mère de Billie.

— Je veux vraiment aider.

Birdie enfourna le reste du biscuit dans sa bouche et s'assit à la table à côté de Sasha.

— Mais je dois m'occuper de la chocolaterie pendant le festival, alors j'ai pensé que tu ne voudrais pas que je te donne mon avis.

— Même si tu ne peux pas participer à l'événement, nous voulons quand même connaître ton opinion, dit Wynnie. Tu es toujours très créative.

— Je comprends, maman.

Birdie fit un clin d'œil et claqua sa langue en montrant sa mère du doigt.

— Tu es vraiment bizarre.

Sasha avala une bouchée de salade.

Wynnie poussa son assiette vide de côté, déplaçant un épais dossier devant elle, ses yeux rieurs faisant le tour de la table tandis qu'elle parlait.

— Avant de commencer, je voulais vous dire à quel point je suis contente que vous ayez pris le temps de faire ça avec nous. Je me souviens quand vous étiez petites, que vous nous suppliiez de participer, et qu'Alice et moi vous installions à la table avec des livres de coloriage, des blocs de papier et une assiette pleine de biscuits. Birdie mangeait tous les biscuits, pendant que Sasha et Bobbie faisaient de leur mieux pour *planifier*, et Billie prenait toutes les chaises vides et créait un fort ou une course d'obstacles, qu'elle traversait ensuite à toute allure avec Birdie.

Elle posa un regard chaleureux sur Billie.

— C'est si bon de t'avoir à nouveau parmi nous.

— C'est bon d'être ici. Tu sais, quand nous étions petites, je me sentais comme un animal piégé quand nous venions à vos réunions, avoua Billie. Je voulais être dehors à courir partout, mais j'avais hâte de passer ce temps avec vous tous. Merci de m'avoir laissée revenir.

— Oh, chérie, tu n'as jamais été *mise de côté*, assura Wynnie. La vie change, et nous faisons face aux hauts et aux bas du mieux que nous pouvons. Mais je pense que je parle au nom de ta mère et de toutes les femmes du club quand je dis que tu ne perdras jamais ta place dans ce club.

Birdie entoura Billie de ses bras.

— Je t'aime, grande sœur.

— Si tu étais ma sœur, Dare serait mon frère.

— *Beurk*, tu es dégoutante !

Birdie hurla de rire, ce qui fit rire tout le monde.

— Maman, est-ce que tu as peur qu'on arrête de t'aider ? demanda Bobbie. Nous aimons les Dark Knights et le ranch.

— Nous le savons, chérie, mais les vies et les intérêts changent, dit sa mère.

— Tant que vous aurez de la nourriture, Birdie sera là, dit Sasha.

Birdie acquiesça, la bouche pleine.

— Billie est de retour sur la piste et elle sort avec Dare. Bobbie et moi adorons planifier les choses donc je pense pouvoir dire sans me tromper qu'on nous verra souvent dans le coin.

La mère de Billie resta bouche bée.

— Tu refais *de la moto* ? Je pensais que tu aidais juste quelqu'un à apprendre à piloter.

— C'est vrai, mais il s'est passé quelque chose le premier jour et j'ai enfourché ma moto. Depuis, j'en ai fait plusieurs fois. Je suis désolée de ne pas t'en avoir parlé. Je ne voulais pas que tu t'inquiètes.

— Oh, chérie.

Sa mère se leva, les larmes aux yeux, et se dirigea vers Billie.

Cette dernière se leva et sa mère l'enlaça si fort qu'elle avait du mal à respirer.

— Ma petite fille sauvage est de retour, dit sa mère à travers ses larmes.

— Tu n'as pas peur que je sois blessée ou que tu me perdes ?

Sa mère prit une poignée de mouchoirs en papier que Bobbie lui tendait et s'essuya les yeux.

— J'avais peur que tu sois blessée, mais quand tu as abandonné tout ce que tu aimais et que tu t'es éloignée de nous tous, j'ai découvert ce qu'était vraiment la peur. C'est de voir son enfant souffrir année après année et de ne pas pouvoir l'aider. Nous t'avons tous perdue, Billie, mais nous sommes heureux que tu reviennes vers nous.

Billie eut les larmes aux yeux.

— Des mouchoirs, dit Wynnie en tendant un bras à Bobbie à travers la table.

Sasha et Birdie s'en emparèrent à leur tour.

— Pourquoi tout le monde *pleure* ? demanda Billie en s'essuyant les yeux. C'est pour ça que je ne traîne pas avec les filles.

Tout le monde rit.

— Mais tu traînes avec des filles. Tu es ici maintenant, lui fit remarquer sa mère, qui la serra à nouveau dans ses bras avant de retourner s'asseoir.

— Eh bien, ne me faites pas regretter cela avec toutes ces larmes, dit Billie en s'asseyant.

Tout le monde cessa de pleurer.

— Plus de larmes, ordonna Bobbie, ce qui fit sourire tout le monde.

— Wynnie et moi sommes proches depuis toujours, et nous avons toujours espéré que vous partagiez le même genre d'amitié, où l'on peut se dire n'importe quoi.

Billie n'avait jamais *vraiment* eu de meilleures amies. Jusqu'à présent, elle n'avait eu que Dare. Quand elles étaient enfants, elles avaient tout partagé, mais à l'adolescence, elles avaient gardé pour elles leurs béguins, et la plupart des détails de leurs relations avec les autres. C'était probablement normal, mais elle avait l'impression qu'elle pouvait tout lui dire maintenant, et même si elle ne le faisait pas toujours, elle savait qu'elle pouvait le faire. Même si elle aimait Bobbie, Sasha et Birdie et qu'elle voulait qu'elles sachent à quel point elle était heureuse d'être enfin avec Dare, elle n'avait pas envie de *tout* leur dire, comme le faisaient les autres petites amies. Elle se demandait ce que cela disait d'elle. Peut-être que cela ne disait rien de négatif à son sujet. Peut-être que cette attitude témoignait plutôt d'une grande estime pour Dare et elle.

— Nous serons toujours proches, dit Bobbie avec insistance.

Birdie et Sasha approuvèrent.

Mais Billie était occupée à réfléchir à autre chose.

— Maman, si toi et Wynnie vous vous dites tout, alors Wynnie, pourquoi n'as-tu pas dit à ma mère que je faisais à nouveau de la moto ?

— Ce n'était pas à moi de partager cette nouvelle, dit-elle gentiment.

Bobbie toucha le bras de Billie.

— Je suis si heureuse que tu aies repris cette activité.

— Moi aussi.

Tout le monde la regardait comme si elle tenait des chiots ou quelque chose comme ça. Elle se tortilla sur son siège.

— Est-ce qu'on peut arrêter de parler de moi ? On n'est pas censées être en train de planifier ou de regarder les horaires ou quelque chose comme ça ?

— *Et* la revoilà, dit Bobbie en la taquinant.

Elles discutèrent d'horaires, d'itinéraires, de dépliants et de brochures et passèrent en revue les activités qui auraient lieu lors du lancement de Ride Clean – paintball, promenades en tracteur, promenades à cheval et à poney, maison gonflable, et plusieurs choses du même genre. Wynnie évoqua les réseaux sociaux et les autres efforts commerciaux dont Maya s'occupait, et Birdie et Bobbie eurent d'excellentes suggestions à faire à ce sujet.

Une heure et demie plus tard, alors qu'elles terminaient leur discussion, Wynnie déclara :

— J'ai failli oublier, Cowboy va proposer des promenades à poney au Festival on the Green cette année, et Dare a obtenu l'autorisation des parents de Kenny pour voir s'il pouvait aider.

— C'est merveilleux, dit la mère de Billie. Ce sera bon pour sa confiance en lui et cela lui montrera à quel point il est bon d'aider les autres.

— Exactement, confirma Wynnie.

— Il a été formidable avec les chevaux, expliqua Sasha. Je pense qu'il se débrouillera bien s'il en a envie.

— Si Cowboy a besoin d'un autre bénévole, je serai ravie de

l'aider, dit Bobbie.

— Je pense qu'il appréciera toute l'aide qu'il pourra recevoir, ajouta Wynnie.

— Si vous cherchez d'autres idées pour renforcer la confiance de Kenny, j'en ai une, dit Billie.

— Qu'est-ce que c'est ? demanda Wynnie.

— Il se débrouille très bien sur la moto et il est passionné par ce sport. Dare et moi lui avons donné quelques magazines de motocross et il les a lus d'une seule traite, expliqua Billie.

— Il ressemble à d'autres enfants que nous avons connus, dit sa mère.

— Il me fait penser à nous aussi. Sauf que nous étions ensemble et que, d'après ce que j'ai compris de nos discussions, il n'a pas d'autres amis ici que les gens du ranch. Il admire beaucoup Dare et Cowboy. Il parle beaucoup d'eux. Quoi qu'il en soit, je me disais qu'étant donné qu'il se débrouille si bien, il pourrait peut-être faire une petite démonstration lors du coup d'envoi de Ride Clean. Je me souviens de la fierté que j'ai ressentie lorsque j'ai fait ma première exhibition. Il aurait quelques mois avant l'événement pour s'entraîner, il devrait donc être plus que prêt.

— Je pense que c'est une excellente idée, répliqua Wynnie. Mais il y a beaucoup de choses à mettre en place pour que cela se produise. Il est ici depuis un peu plus d'un mois, et Dare s'apprête à organiser une réunion avec ses parents. Il pense qu'il est presque prêt à rentrer chez lui, auquel cas je ne sais pas ce qu'il adviendra de sa moto.

— Tu veux dire qu'il pourrait tout simplement arrêter ? s'inquiéta Billie.

— Nous espérons que non, mais c'est une possibilité. Ce sera à ses parents d'en décider, dit Wynnie.

Un soupçon de panique envahit la poitrine de Billie.

— Ce serait une erreur. Les enfants comme lui ont besoin d'un exutoire, et il est déjà lié à ce sport.

— Je suis d'accord avec Billie, dit Bobbie. Nous voyons souvent cela avec les enfants à l'école. S'ils ont un sport ou une activité qu'ils aiment et que leurs parents ne peuvent pas se le permettre ou ne peuvent pas les emmener aux entraînements, et qu'ils doivent abandonner le sport, les enfants se rebellent.

— Je sais bien, chérie, reconnut Wynnie. L'un des aspects les plus difficiles du travail au ranch est de laisser nos patients se lancer dans le monde pour utiliser les compétences que nous leur avons enseignées.

Wynnie regarda Sasha qui acquiesça.

— Si Kenny a acquis des compétences de communication suffisamment solides, il pourra peut-être convaincre ses parents de le laisser continuer à faire de la moto. Je pense qu'il serait bon que tu fasses part de tes inquiétudes et de l'idée de la démonstration à Dare. C'est lui qui parlera aux parents de Kenny.

— Si Kenny rentre chez lui et que ses parents acceptent qu'il continue, l'autoriserez-vous à rouler avec moi sur la piste de Dare ? demanda Billie.

Wynnie approuva d'un signe de tête.

— Bien sûr, nous accueillons toujours nos anciens patients avec plaisir.

— D'accord, alors je lui parlerai.

L'esprit de Billie s'emballa pendant le reste de leur réunion, mais lorsqu'elles eurent terminé, ses pensées revinrent à ce qu'elle était venue ici pour parler à sa mère et à Wynnie, et tant qu'à faire, elle pouvait aussi bien leur dire la vérité sur le jour de la mort d'Eddie.

Elle resta en retrait pendant que les autres filles embrassaient tout le monde comme si c'était la dernière fois qu'elles les voyaient avant un an. Birdie se précipita vers la sortie, parlant à tue-tête sur son téléphone, et Sasha et Bobbie commencèrent à sortir ensemble, mais elles s'arrêtèrent à la porte, se tournant vers elle.

— Billie, tu veux sortir avec nous ? lui proposa Bobbie.

— Non, merci. Je ne suis pas encore prête.

— D'accord, je suppose que je ne te *reverrai plus* à la maison, plaisanta-t-elle en sortant, riant en marchant dans le couloir.

Seule avec sa mère et Wynnie, Billie avait les nerfs à vif.

— Maman, Wynnie, je peux vous parler une minute ?

— Bien sûr, chérie, dit sa mère.

— Nous devrions probablement nous asseoir.

Je peux le faire...

— Si tu es enceinte, dis-le, dit sa mère.

— *Maman*, je *ne* suis *pas* enceinte. Bon sang.

— Zut, s'exclamèrent Wynnie et elle en même temps, tout en gloussant comme des écolières.

Billie rit à moitié, puis se moqua d'elles.

— Vous avez des problèmes toutes les deux.

— Les bébés nous manquent, c'est tout, dit sa mère.

— Si vous pensiez que j'étais difficile à gérer, imaginez ce que serait un enfant avec mes gènes *et* ceux de Dare. Nous aurons besoin d'une cage à chien, c'est sûr.

Elles rirent.

— De quoi veux-tu parler, ma chérie ? demanda sa mère.

Elle prit une grande inspiration.

— De deux ou trois choses. J'ai beaucoup appris ces dernières semaines, grâce à Dare. Je pense qu'il est la seule personne qui ait jamais réussi à me comprendre. Il m'a aidée à voir plus clairement beaucoup de choses à propos de lui, d'Eddie, de moi, et de nous trois ensemble. Il m'a appris ce que signifie vraiment le pardon et pour être honnête, vous nous avez beaucoup appris, mais il m'a montré ce que devraient être les relations. J'ai toujours pensé que je devais rester seule, comme la reine de la montagne, mais j'ai récemment réalisé que je ne l'ai jamais fait. Je pouvais tenir mon rang dans les courses, mais c'était parce que tous les autres et lui m'encourageaient, me soutenaient et me stimulaient.

Elle regarda Wynnie, qui pendant des années avait été comme une seconde mère pour elle, et elle fut à nouveau prise de remords, mais elle refusa de laisser cela l'arrêter.

— Je veux que tu saches à quel point il est spécial et à quel point je suis désolée de la façon dont je l'ai traité et d'avoir évité ta famille pendant si longtemps. Ce n'était juste pour aucun d'entre nous, et je ne recommencerai jamais.

— Ce n'est pas grave, ma puce, dit Wynnie avec compassion. Nous t'aimons tous.

Billie acquiesça, essayant de ne pas laisser ses émotions prendre le dessus.

— J'essaie vraiment de me pardonner et d'aller de l'avant, mais il y a deux choses que je dois faire. Je veux aller voir les parents d'Eddie. Je leur dois des excuses pour la façon dont j'ai agi. Tu penses que c'est bien si je fais ça ? Je ne veux pas causer plus de chagrin aux Baker.

— Oh, ma chérie, dit sa mère. Je pense que c'est une idée merveilleuse. Mary demande de tes nouvelles chaque fois que nous la voyons. Veux-tu que je t'accompagne ?

Billie secoua la tête.

— Je pense que je dois le faire moi-même.

— Je suis d'accord avec ta mère. C'est une idée merveilleuse, dit Wynnie. Mais tu devrais peut-être reconsidérer l'offre de ta mère ou penser à demander à Dare de t'accompagner. J'ai l'impression que la visite sera plus difficile que tu ne l'imagines.

— Je mérite que ce soit dur, lança Billie doucement.

— Non, chérie, tu ne le mérites pas, dit sa mère. Tu as eu assez de difficultés pendant assez longtemps.

Billie essuya les larmes qui coulaient sur ses joues. Elle ne voulait pas retenir ses émotions.

Sa mère se leva et prit une pile de serviettes sur l'autre table, la mit entre elles et lui en tendit quelques-unes.

— Merci, maman.

Elle essuya ses yeux et prit une grande inspiration.

— L'autre chose que je voulais vous dire, c'est ce qui s'est passé le jour où Eddie est mort. Elle se lança à corps perdu, leur racontant tout, depuis la raison pour laquelle elle avait accepté la demande en mariage jusqu'à la dernière chose qu'il lui avait dite avant d'enfourcher sa moto. À chaque mot, Billie sentait son chagrin et sa culpabilité s'effriter. Elles l'écoutèrent attentivement, lui posèrent des questions, la prirent dans leurs bras, pleurèrent avec elle, *pour* elle, pour Eddie et Dare, et pour tout ce qu'ils avaient perdu tous les trois puis, elles la rassurèrent de la même manière que Dare et son père l'avaient fait.

Elles séchèrent leurs larmes, restèrent assises au calme pendant quelques minutes, et en silence, le corps de Billie devint lourd. Elle pensait se sentir plus légère, mais elle avait l'impression que si elle fermait les yeux, elle pourrait dormir pendant une semaine.

— Je suis ravie que tu nous l'aies dit, déclara sa mère. Je suis triste que tu aies gardé ça pour toi si longtemps, mais maintenant nous comprenons ce que tu as vécu.

— Est-ce que tu te sens mieux maintenant que nous sommes au courant ? demanda Wynnie.

— Oui, mais j'ai l'impression que je viens de courir un marathon.

Sa mère lui prit la main.

— C'est vrai, ma chérie. Le plus long marathon jamais couru.

— Et j'en ai encore à faire, avec les parents d'Eddie.

Elle soupira.

— Tu devrais peut-être te donner quelques jours avant de faire ça, suggéra Wynnie.

— C'est ce que je vais faire. Je suis de repos mardi soir. Je pense y aller pendant que Dare est à l'église.

— Je prends la relève de Bobbie mardi soir, parce qu'elle a un rendez-vous, regretta sa mère. Mais si tu veux que je t'accompagne, dis-le-moi et je trouverai quelqu'un pour me remplacer.

— Bobbie a un rendez-vous ? Elle ne me l'a pas dit.

Pour une raison ou une autre, cela la dérangea comme jamais auparavant.

— Tu as été un peu préoccupée par ta propre personne, lui fit remarquer sa mère.

— Oui, mais il est temps de faire plus d'efforts avec tout le monde.

DARE VIT KENNY seller les chevaux avec Cowboy près de la grange à foin et se dirigea dans cette direction. Quand ils étaient enfants, avant que Doc et Cowboy n'aient cessé de s'amuser, ils avaient tous les trois rendu leurs parents fous en faisant la course dans les granges et en enjambant les bottes de foin. Quelques années avant que Doc ne parte à l'université, ils avaient commencé à utiliser les poutres en bois qui couraient le long du plafond de la grange comme des barres de singe, en faisant la course dessus. Ils rentraient si souvent à la maison les mains pleines de coupures et d'échardes que leur père avait installé de courtes perches avec des poignées sur toutes les poutres pour qu'ils puissent s'y suspendre, et ils avaient surnommé la grange à foin, la grange aux barres de singe.

Ses frères étaient devenus si sérieux qu'il lui semblait que c'était il y a une éternité. Les moments passés avec eux lui manquaient parfois presque autant que ceux passés avec Billie.

Cowboy regarda Dare s'approcher et leva le menton en signe de bienvenue. Il avait appris à Kenny à monter à cheval, et pendant le temps libre de ce dernier, s'il ne s'entraînait pas avec Billie, on pouvait le trouver dans les écuries, en train d'aider au pansage, à la sellerie ou à tout ce qui devait être fait, ou de traîner avec Sasha pendant qu'elle travaillait avec les chevaux de sauvetage. Il avait parcouru un long chemin depuis le garçon qui détestait l'odeur des chevaux et en avait peur. Il avait même commencé à porter le chapeau de cow-boy que Wynnie lui avait offert. Kenny leva les yeux de dessous le chapeau, ses yeux n'étant plus ombragés par la colère, un sourire se dessinant sur ses lèvres. Cela faisait plaisir à voir. Il avait aussi pris un peu de poids. Le gamin avait commencé à manger comme s'il n'y avait pas de lendemain, et dans son jean, ses bottes de cow-boy – également un cadeau de Wynnie – et son tee-shirt, il était tout à fait à sa place.

— Bonjour, Dare, dit Kenny.

— Hé, mon pote.

Dare lança un coup d'œil à Cowboy.

— Qu'est-ce qui se passe ?

— Nous allons faire la première randonnée de Kenny, répondit Cowboy. Je l'emmène à Blackfoot.

— C'est super. Ça te dérange si je te l'emprunte une minute d'abord ?

— Pas de problème.

Cowboy prit la selle de Kenny.

Kenny le fixa dans les yeux alors qu'il l'éloignait de Cowboy.

— Qu'est-ce qu'il y a ?

— J'ai quelque chose pour toi.

Dare fouilla dans sa poche et en sortit le téléphone de Kenny, qu'il lui tendit.

— C'est pour quoi faire ?

— Je crois que les gens s'en servent pour communiquer, dit Dare d'un ton taquin.

Kenny lui adressa un regard *sans appel*.

— C'est pour moi ?

Dare opina.

— Bien sûr.

— Pour combien de temps ?

— C'est à toi, mon pote. Aussi longtemps que tu le souhaites. Je suis très fier du travail que tu as fait ici et je ne parle pas seulement du travail physique.

Kenny sourit timidement et baissa les yeux, mais rencontra rapidement le regard de Dare.

— Merci.

Dare acquiesça, mais ajouta :

— Tu devrais te remercier toi-même. C'est toi qui as fait le plus dur. Que dirais-tu d'aider des petits enfants avec Cowboy au Festival on the Green ? C'est dans quelques semaines, mais nous sommes en train de préparer nos hommes pour leur travail, et j'aimerais que tu en fasses partie.

Il sourit fièrement.

— Qu'est-ce que je peux faire ?

— Cowboy va faire des promenades à poney. Il a besoin de quelqu'un pour aider avec les poneys et empêcher les enfants de grimper sur le manège. Il se peut qu'il te demande de promener les chevaux autour avec les enfants dessus. Mais il faudra être très prudent et aller lentement.

— Je peux faire ça, dit-il avec enthousiasme.

— Et tu ne peux pas dire de gros mots.

Il haussa les épaules.

— Je n'ai pas le droit de jurer en présence de filles ou de ta mère de toute façon. Je *veux* le faire.

— Tu veux y réfléchir pendant un jour ou deux ?

— J'adore travailler avec les chevaux et Cowboy est presque aussi cool que toi.

Dare s'esclaffa.

— D'accord, c'est cool. Je vais faire en sorte que ça se passe bien. Je pense aussi qu'il est temps de planifier une rencontre avec tes parents et d'essayer de réparer les pots cassés. Qu'en penses-tu ?

L'inquiétude se lit dans son regard.

— Tu seras là ?

— Oui.

Il regarda l'herbe, la frappant du bout de sa botte, la bouche pincée.

— Qu'est-ce qui t'inquiète, mon pote ?

Il consulta Dare, les yeux sérieux.

— J'ai trouvé de l'aide, mais pas eux. J'ai appris à leur dire ce que je pense sans me fâcher, mais ils vont me traiter comme ils l'ont toujours fait.

— En fait, ils ont parlé avec un conseiller familial en ville. Ils t'aiment, Kenny. Ils ont travaillé aussi dur que toi pour améliorer les choses, et j'espère que tu pourras bientôt rentrer chez toi et retrouver ta famille.

Il recula d'un pas, le regard inquiet.

— Et si je ne veux pas rentrer chez moi ?

— Pourquoi ne voudrais-tu pas rentrer chez toi ?

— Parce qu'il n'y a rien à faire là-bas et que je n'ai pas d'amis. Ici, je vous ai tous, et tout le monde me parle, et nous mangeons ensemble. À la maison, il n'y a que le silence, à moins qu'on ne me crie dessus.

— Je suis sûr que tu te feras des amis. Nous avons parlé des moyens d'y parvenir, tu te souviens ?

— Oui, répondit-il d'un air maussade.

— Et tes parents vont s'efforcer de ne pas crier et de jouer un rôle plus actif dans ta vie. Avec ton aide, tout peut s'améliorer. Tu pourras évoquer toutes les choses qui t'inquiètent lorsque nous rencontrerons tes parents, et je serai à tes côtés.

— Mais j'adore travailler avec les chevaux avec Cowboy et Sasha, et je veux vraiment continuer à m'entraîner avec Billie. Elle est géniale et elle ne s'énerve pas si je me trompe ou si je ne comprends pas. Elle me montre ce que j'ai fait de mal, comme tu le fais, et ensuite elle me montre comment faire mieux. Elle m'a dit que c'était naturel pour moi de faire de la moto, et que si je continuais, je pourrais probablement participer à des compétitions un jour. Peut-être pas en tant que pro, parce qu'ils commencent à s'entraîner très jeunes, mais qui sait ?

— Nous en parlerons aussi avec tes parents. Je sais qu'ils aimeraient que tu trouves un travail. Peut-être qu'ils te laisseront travailler ici quelques heures par semaine, et quand tu auras fini de travailler, tu pourras t'entraîner avec Billie.

— Il faudrait qu'ils me conduisent ici. Je n'ai pas de voiture.

— Je vais te dire, pourquoi ne pas t'asseoir plus tard ou demain et écrire tous tes soucis, et je te promets qu'on en parlera avec tes parents.

— D'accord, acquiesça t-il d'un air maussade.

Lorsqu'il releva le visage, sa mâchoire se crispa, comme s'il s'arc-boutait contre quelque chose.

— Est-ce que tu me mettras dehors quand ils viendront ? Parce que tu peux me le dire. Je préfère le savoir maintenant.

— Non. Absolument pas, insista Dare. Mais il est important de commencer à travailler sur ton retour à la maison, pour que tu puisses finir l'école et décider de tes prochaines étapes.

Il posa une main sur l'épaule de Kenny.

— Tu fais maintenant partie de la famille du *Ranch Rédemption* et cela signifie que tu auras *toujours* ta place ici. Tu comprends ?

Le visage de Kenny s'éclaira et il fit un signe de tête sec.

— Oui.

— Alors, quel est notre plan de bataille ?

— Je vais écrire les choses qui m'inquiètent et nous en parlerons avec mes parents.

— Tu es d'accord ?

— Il le faut bien. Ce n'est pas comme si tes parents allaient m'adopter.

Dare sourit, car il avait entendu des déclarations similaires de la part de plusieurs autres personnes qui étaient passées par le ranch.

— Tu ne veux pas être adopté, Kenny. Tu as des parents formidables, tout comme ils ont un fils formidable. Le fait est que les parents ne reçoivent pas de manuels sur la façon d'être parents, tout comme les adolescents ne reçoivent pas de manuels sur la façon de passer du stade d'enfant à celui d'adolescent. C'est pourquoi il est utile de parler à des personnes qui sont passées par là et d'obtenir de nouvelles idées. Tes parents et toi avez la chance que tout le monde se sente suffisamment concerné pour essayer de s'améliorer. Viens, on va te ramener à Cowboy pour faire un tour de piste.

— Je peux te demander quelque chose d'abord ?

— Bien sûr.

— L'autre jour, Billie m'a dit que l'ami qu'elle avait perdu en quittant le motocross était aussi l'un de tes meilleurs amis.

Il fut surpris d'entendre qu'elle s'était confiée à lui.

— Oui, c'est vrai.

— Je voulais juste te dire que j'étais désolé. Je suis sûr que c'était nul, et je suis content que Billie et toi soyez là l'un pour l'autre.

— Merci, Kenny. Ça représente beaucoup pour moi.

— Ne fais rien de stupide qui puisse la blesser. C'est la fille la plus cool que j'aie jamais rencontrée.

— J'essaierai de ne pas le faire, mais je suis doué pour *les bêtises*.

Kenny secoua la tête.

— Je suis sérieux. Je n'ai jamais vu de couples comme vous. Vous agissez comme des meilleurs amis. Tiny et Wynnie aussi, mais je dois te dire que ton père a l'air d'un sale type.

— Je sais. A-t-il été méchant avec toi ?

— Non. Il a été sévère quelques fois, mais pour être juste, je l'ai probablement mérité. Il est gentil avec moi. Il a juste l'air d'être méchant.

— Il a l'air dur, mais il a un grand cœur.

— Il n'a pas seulement l'air dur. Il est dur. Il m'a raconté comment il a rencontré ta mère, que son frère et lui étaient en voyage à moto, qu'il l'a regardée et qu'il a dit qu'il allait l'épouser. Il a commencé à travailler dans ce ranch, qui appartenait à son père, et n'est jamais retourné dans le Maryland. Ça demande du courage.

— Oui, c'est vrai.

Dare n'était pas surpris que son père ait raconté cette histoire. Il en était fier, et cela montrait à tous ceux avec qui il la partageait que le coup de foudre était possible.

— Tu sais ce qu'il m'a dit d'autre ? ajouta Kenny.

— Quoi ?

— Qu'il prendrait une balle pour ta mère et vu la façon dont elle le touche toujours quand elle passe et dit des choses gentilles sur lui, je parie qu'elle en prendrait une pour lui aussi.

— Elle le ferait. Nous le ferions tous. C'est comme ça que ça devrait être quand on aime quelqu'un. C'est ce qu'on appelle la loyauté, Kenny, et je pense que tes parents prendraient une balle pour toi aussi.

— Probablement. C'est ce que font les parents.

— Malheureusement, pas tous. Nous devrions nous estimer chanceux.

Kenny baissa les yeux sur son téléphone et le tendit à Dare.

— Tiens, je n'en ai pas besoin.

— Tu ne veux pas appeler ton ancienne copine ?

Il secoua la tête.

— On n'a jamais eu ce que vous avez. On était juste très doués pour s'embrasser.

— C'est très mature de ta part.

— C'est vrai. Billie a dit que je saurai quand j'aurai rencontré la bonne fille quand je sourirai comme un idiot chaque fois

que je penserai à elle. Elle a dit que c'était comme ça pour elle avec toi. Elle a dit qu'elle était tombée amoureuse de toi alors que tu n'étais qu'un enfant.

— Qu'est-ce que tu as fait ? Tu as donné à ma copine un sérum de vérité ?

Kenny sourit.

— Non, on parle juste parfois pendant qu'on marche sur la piste ou qu'on vérifie la moto. Ça n'a jamais été comme ça avec Katie. Ça n'a jamais été aussi facile.

Il l'avait déjà mentionné et ils en avaient parlé.

— On dirait que Billie t'a donné un bon conseil. Pourquoi ne pas garder le téléphone au cas où tu voudrais appeler quelqu'un d'autre ?

Ils retournèrent vers Cowboy qui parlait maintenant avec Doc.

— Tu sais, tu pourrais parler à quelqu'un à propos de tes capacités *à faire des bêtises*. J'ai entendu dire qu'ils avaient de très bons thérapeutes ici.

Cowboy sourit.

— Le gamin marque un point, mais je ne suis pas sûr que quelqu'un puisse percer la tête épaisse que tu caches sous ce chapeau. Tu t'es probablement cogné trop de fois en faisant toutes ces cascades folles.

Doc s'esclaffa.

— Ne soyez pas jaloux de mon gros cerveau et de mes qualités athlétiques, rétorqua Dare. Ce n'est pas ma faute si tu as des jambes de tronc d'arbre qui te rendent plus lent qu'un cheval à trois pattes.

Cowboy se moqua.

— Je pourrais te battre n'importe quand. Pendant que tu jacasses, je suis en train de fabriquer des armes de gros calibre.

Il fléchit ses biceps volumineux et ses cuisses massives.

— Dare, il pourrait *probablement* te battre dans un combat, dit Kenny en regardant Doc avec méfiance. Ne les laisse pas se battre. Il va se blesser.

— Dare ne se bat pas à moins qu'il n'y soit obligé, dit Doc. Il est trop intelligent pour ça.

Kenny considéra Dare, confus.

— Qu'est-ce que je t'ai dit à propos des bagarres ? demanda Dare.

— Que c'est pour les gens faibles qui n'ont pas d'autres compétences, récita Kenny textuellement.

— C'est vrai. Les poings ne volent pas à moins qu'il n'y ait pas d'autre choix.

— Il a appris il y a longtemps qu'il n'est pas de taille contre moi.

Cowboy afficha un sourire carnassier.

— Tu t'en souviens, petit frère ?

Oh oui, il s'en souvenait. Dare était rentré chez lui pour les vacances d'été après sa première année d'université, alors qu'il faisait trop la fête. Quelqu'un avait dit à Cowboy que Dare faisait la fête au bord du ruisseau et Cowboy y avait les gros bras ; il avait trouvé Dare dans un état lamentable, en train d'embrasser deux étudiantes qu'il avait rencontrées en ville. Elles étaient juste de passage et cherchaient à s'amuser, et lui, il était super pour faire passer du bon temps aux filles. Mais Cowboy l'avait sorti de là et lui avait botté les fesses pour avoir agi comme un idiot, le sermonnant tout le temps pour son irresponsabilité. Dans son état d'ébriété, Dare avait cru qu'il pouvait se mesurer à son colosse de frère et avait vite compris qu'il se trompait lourdement.

— Oui, je m'en souviens. Tu m'as fait quelques coups bas

quand je me sentais perdu.

Dare avait envie d'effacer le sourire de son frère. Il était de bonne humeur. La femme qu'il aimait était à ses côtés tous les soirs et retrouvait le chemin de tous ceux qu'elle aimait, et Kenny s'en sortait incroyablement bien et était sur la bonne voie pour un avenir meilleur. Oui, c'est ça. Ses étoiles s'étaient alignées. C'était le jour idéal pour remettre Cowboy à sa place.

— Et si tu joignais le geste à la parole ? Cinquante dollars que ma grosse tête peut battre tes ridicules jambes de tronc d'arbre dans une course.

Doc secoua la tête.

— Oh là là, c'est parti.

— Quoi ? Une course ?

Le regard de Kenny oscilla entre Cowboy et Dare.

Les yeux de Cowboy se froncèrent.

— Toi et moi, comme au bon vieux temps. Le premier à *franchir* les barres de singe, le tracteur et les bottes de foin gagne.

Dare sortit son portefeuille et tendit cinquante dollars à Kenny.

— Garde-les. Tu me les rendras dans quelques minutes.

Kenny regarda le tracteur et les énormes balles de foin rondes.

— *Par-dessus ?*

— C'est exact, dit Dare, les yeux rivés sur Cowboy. A moins qu'il n'ait peur de faire la course.

— Prêt. C'est *parti.*

Cowboy sortit son portefeuille et le tendit à Kenny.

— Ça va être génial ! s'exclama Kenny.

Doc se frotta le visage de la main.

— Allez, les gars. Vous en avez tous les deux des grosses. Maintenant, vous pouvez vous calmer ?

— La mienne est définitivement plus grosse.

— Tu aimerais bien, ricana Cowboy.

— Bon sang, vous êtes de vrais adolescents, grommela Doc.

— Venant du propriétaire du plus petit zizi de la famille, se moqua Dare.

— Putain de merde, dit Cowboy. C'est la raison pour laquelle aucune fille ne reste avec toi, n'est-ce pas, Doc ?

Doc serra les dents.

— Tu vas les laisser parler de toi ? demanda Kenny.

— Oui, mon vieux. Montre-nous à quel point tu en as des grosses, railla Dare.

— Vous savez quoi ? Je vous emmerde tous les deux.

Doc jeta son portefeuille dans les mains de Kenny et pointa ses frères du doigt.

— Vous allez tous les deux perdre.

Ils se tinrent tous les trois, épaule contre épaule, devant les portes de la grange.

— Vous allez tous manger de la poussière.

Dare jeta son chapeau dans l'herbe et ils se mirent en position de course, les genoux pliés, un pied en arrière, prêts à les propulser vers l'avant.

— Merde, je vais te battre sur une jambe, dit Cowboy.

— Vous êtes tous les deux des idiots, grommela Doc.

— Je vais dire le top départ, d'accord ?

Kenny se tenait près des portes de la grange, l'excitation dansant dans ses yeux.

— Oui, affirmèrent-ils à l'unisson.

Dare baissa le menton, traçant mentalement son itinéraire.

— Attention… Prêts ? *Partez !*

Ils s'élancèrent et Dare utilisa une botte de foin rectangulaire comme marchepied, s'élançant vers les barres et les traversant avec agilité. Il aperçut Cowboy à sa périphérie et Doc juste derrière lui, et il redoubla d'ardeur. Juste au moment où Cowboy atteignait la dernière barre, Dare décolla de la sienne et sprinta jusqu'au tracteur, sautant sur le pneu et jusqu'au capot, faisant un saut périlleux avant – ce qui lui valut les acclamations de Kenny – puis atterrissant avec un *bruit sourd* alors que Cowboy et Doc se hissaient de l'autre côté. Il se dirigea vers la botte de foin ronde, se lança dessus et atterrit sur les mains, les genoux pliés. Ses pieds touchèrent le sommet de la botte au moment où ses mains la quittaient, et il fit un autre saut périlleux en criant :

— *Dépêchez-vous, bande de nazes !*

Il atterrit sur ses pieds juste au moment où Cowboy criait :

— *Fais chier !* Maudit sois-tu, Dare ! J'ai déchiré mon pantalon !

Ils se moquèrent l'un de l'autre lorsque Cowboy écarta Doc de son chemin et sauta au sommet d'une botte de foin, mais Doc était juste derrière lui et le repoussa. Cowboy saisit le bras de Doc et les entraîna tous deux au sol, où ils se débattirent en riant. Dare plongea sur le dessus, et Kenny s'esclaffa, tandis que les applaudissements retentissaient.

— Uh-oh ! Les gars ! Arrêtez !

Kenny les avertit.

Ils roulèrent l'un sur l'autre, riant encore en cherchant la source des applaudissements, et le rire de Billie parvint aux oreilles de Dare.

Comme un missile à tête chercheuse, son regard la trouva alors qu'elle se dirigeait vers lui depuis l'autre côté de la grange avec leurs mères, le sourire aux lèvres.

— C'est bon, Kenny. Nous n'avons pas d'ennuis, le rassura Dare alors qu'ils se levaient en essayant d'étouffer leurs rires et que Cowboy se plaignait d'avoir abîmé son jean préféré.

— Vous les avez vus ?

Kenny cria aux femmes.

— C'était génial ! Je veux faire ça !

Doc poussa Cowboy et Dare se dirigea vers sa copine.

— Certaines choses ne changeront jamais, regretta sa mère.

— Tu as raison, j'ai gagné, dit-il fièrement. J'ai gagné, répéta-t-il fièrement en se penchant pour embrasser Billie.

— Bien sûr que tu as gagné, répondit Billie. Et si tu t'attaquais à quelqu'un qui peut vraiment suivre ?

Il l'entoura de ses bras, *follement* amoureux du défi qu'elle lançait dans ses yeux. Il espérait que cela signifiait que les choses s'étaient bien passées avec les filles et qu'elle avait parlé à leurs mères.

— Tu veux m'affronter, chérie ?

— *Quand* tu veux.

Il l'embrassa et, alors que ses frères criaient *Prenez une chambre !*, il les repoussa d'un revers de main et approfondit le baiser.

CHAPITRE DIX-SEPT

BILLIE ÉTAIT DANS son pick-up le mardi soir devant la maison des parents d'Eddie, avec l'impression qu'elle allait vomir. Elle s'était garée au coin de la rue pendant près d'une heure avant de se calmer suffisamment pour faire le reste du trajet. Elle aurait dû accepter l'offre de Dare de l'accompagner, mais elle ne savait pas comment les parents d'Eddie réagiraient à la nouvelle qu'elle apportait, et encore moins à la relation qu'elle entretenait avec Dare. Il l'avait tellement soutenue, lui donnant des trucs pour se calmer si elle devenait trop anxieuse, mais alors que le discours qu'elle avait préparé mentalement lui trottait dans la tête, elle ne se souvenait même plus de ce qu'étaient ces trucs. Elle envisagea de lui envoyer un texto, mais il était à l'église et elle ne voulait pas le déranger.

De plus, elle avait causé cette rupture. Elle devait la réparer.

Elle reposa sa tête en arrière, regardant distraitement le toit du véhicule et respirant profondément. *Je peux le faire. Ils me connaissent depuis que je suis enfant. Ils m'aiment.* Elle regarda à nouveau la maison, mais son anxiété monta d'un cran.

Pourquoi est-ce plus difficile que d'enfourcher sa moto ?

Parce que ces engins ne parlent pas. Les motos ne pleurent pas, ne font pas de reproches et ne me regardent pas comme si j'étais la plus grande idiote de la planète.

Dare et ses parents lui avaient pardonné, mais il s'agissait des parents d'*Eddie*, qui avaient perdu leur fils unique. Ils verraient peut-être ce qui s'est réellement passé de la même façon qu'elle l'avait vu, et ils en avaient tous les droits. Lorsqu'elle avait appelé pour dire qu'elle voulait passer, la mère d'Eddie, Mary, avait semblé surprise et un peu sur ses gardes malgré ses paroles aimables. *Je suis ravie que tu aies repris contact avec nous. Nous serions ravis de te voir.* C'était une chose d'être aimable au téléphone, mais c'en était une autre lorsque la seule personne qui savait vraiment ce qui s'était passé ce jour-là se tenait en face d'eux.

Elle reposa la tête en arrière.

— J'espère que je ne vais pas tout gâcher, Eddie. La dernière chose que je veux faire, c'est de leur causer encore plus de peine.

Mais elle savait qu'il n'y avait aucun moyen de les faire souffrir. Pour l'aider à se préparer au pire, Dare s'était fait l'avocat du diable et lui avait dit que le fait qu'elle ait rompu avec Eddie pourrait leur briser le cœur. Ils avaient parlé d'omettre cette partie, mais c'était épuisant de porter le secret, et ils méritaient de connaître la vérité, même si cela les mettait tous à genoux.

— Je te demanderais bien un signe, mais il n'y a pas d'endroit où Dare puisse atterrir avec un parachute.

Elle pensa à la façon dont ce matin-là avait déclenché tant de changements.

— Merci pour cela, Eddie, dit-elle juste dans un murmure, sachant qu'il l'entendrait, qu'elle le dise ou non à haute voix. Je t'aimerai toujours.

La porte d'entrée s'ouvrit, et son cœur s'arrêta pratiquement lorsque ses parents entrèrent sous le porche.

— Sérieusement, Eddie ? Comme si j'avais besoin de plus de

pression ?

Qu'est-ce que tu attends, Billie ? Sors d'ici et montre au monde ce que tu as dans le ventre.

— Ce n'est pas le monde qui m'inquiète, mais j'ai compris. J'y vais. Merci d'être avec moi aujourd'hui.

Billie réussit à sourire, ou du moins elle l'espérait, car elle se força à sortir du véhicule et à se diriger vers eux. Sa mère portait ses cheveux blonds plus courts qu'à l'accoutumée, juste au-dessus de ses épaules, mais ses ondulations naturelles coulaient toujours, tout comme celles d'Eddie. Son chemisier fleuri de couleur pêche était rentré dans une jupe grise qui lui tombait juste au-dessous des genoux. Son père est grand et large d'épaules, comme l'était Eddie, avec des cheveux poivre et sel clairsemés. Il portait une chemise à manches courtes et un pantalon, comme toujours. C'était injuste de voir que rien ne semblait avoir changé et qu'en même temps, tout avait changé.

Son estomac se noua et des larmes lui piquèrent les yeux. *Ne pleure pas, ne pleure pas, ne pleure pas.*

— Billie, ma chérie, c'est si bon de te voir.

Sa mère descendit du porche, clignant rapidement des yeux, comme si elle retenait elle aussi ses larmes.

Billie eut la gorge serrée. "Merci de m'avoir permis de passer."

— Tu nous as manqué, ma chérie, dit son père. Tu étais comme une fille pour nous, et c'est bon de t'avoir à la maison.

Il ouvrit les bras et l'enlaça, ses mots et son étreinte déclenchant un flot de larmes. Elle avait oublié qu'ils avaient toujours parlé de leur maison comme *d'un foyer* pour Dare et elle. Ils y passaient moins de temps qu'au ranch ou chez Billie, mais lorsqu'ils dînaient avec ses parents, ils disaient toujours que c'était bien d'avoir *tous leurs enfants* autour de la table. Ce souvenir lui fit l'effet d'un couteau. Elle s'était *aussi* éloignée d'eux.

— Je suis désolée, souffla Billie alors que sa mère l'attirait dans ses bras, toutes deux en pleurs.

— Ce n'est pas grave, ma chérie. Cela fait longtemps, mais j'ai toujours su que tu viendrais nous voir quand tu serais prête.

Sa mère se recula et fouilla dans la poche de sa jupe, tendant à Billie un petit paquet de mouchoirs en papier sous cellophane.

— Merci.

Billie en sortit quelques-uns et lui rendit le paquet.

— C'est pour toi.

Elle sortit un autre paquet de mouchoirs de son autre poche.

— J'ai pensé que nous en aurions toutes les deux besoin. Et si on rentrait boire un thé glacé en discutant ?

Billie acquiesça en s'essuyant les yeux et elles se dirigèrent vers l'intérieur.

La maison sentait comme toujours le soleil et les roses. Le salon confortable avait le même canapé et le même canapé d'appoint sur lesquels Dare, Eddie et elle s'étaient assis des centaines de fois, mangeant les biscuits de sa mère et discutant avec ses parents, tout en se lançant des regards secrets qui disaient : *Avons-nous été assez sociables ? Pouvons-nous nous amuser maintenant ?* Eddie souriait sur une photo posée sur la cheminée, debout entre ses parents lors de la remise de leur diplôme de fin d'études secondaires. Il était si beau dans sa toge et sa calotte, avec sa peau bronzée, ses cheveux hirsutes bouclant autour de ses oreilles, et ce sourire contagieux qui illuminait ses yeux.

— Mets-toi à l'aise, je vais nous apporter du thé.

Sa mère se dirigea vers la cuisine.

Billie s'assit sur la banquette, essayant de maîtriser ses émotions, mais il y avait des photos d'Eddie sur les murs et les bibliothèques, et elle avait l'étrange pensée qu'il pourrait venir dans le couloir et dire : *Je suis content que tu sois là. Nous t'attendions.* Alors que son regard passait sur des photos de lui, de l'enfance à l'âge adulte, avec ses grands-parents et ses parents, avec Dare et elle et leurs familles, elle se rendit compte qu'il lui avait déjà dit cela. Il l'avait juste fait sans mots, en lui donnant le courage de marcher à l'intérieur. Une boule se logea dans sa gorge. Elle regarda les photos sur la bibliothèque. Sur la plupart d'entre elles, il tenait une caméra vidéo. Elle avait déjà vu toutes ces photos, mais elles lui paraissaient plus douloureuses à présent. C'était tout ce qui restait de leur fils, de l'un de ses meilleurs amis. Des larmes coulèrent sur ses joues, elle sortit d'autres mouchoirs et les essuya, essayant de se ressaisir.

— C'est normal, ma grande, lui dit le père d'Eddie.

Elle avait oublié qu'il était dans la pièce.

— Désolée.

— Il n'y a pas lieu d'être désolée quand tu verses des larmes pour notre garçon, souligna son père. Nous savons à quel point vous vous aimiez. Le fait que vous couriez tous les trois et que vous semiez la pagaille est la meilleure chose que cette petite ville tranquille ait jamais vue.

Un rire doux s'échappa en même temps que d'autres larmes. *Avait-elle un puits inépuisable de larmes ?*

— Nous nous sommes beaucoup amusés.

— Oui, vous vous êtes bien amusés, dit affectueusement sa mère en entrant dans la pièce avec un plateau de verres et un pichet de thé glacé.

Elle posa le plateau sur la table basse et leur servit à chacun un verre, en tendant un à Billie.

— Merci.

Elle essaya à nouveau de se ressaisir tandis que sa mère s'asseyait sur le canapé à côté de son mari.

— Nous nous sommes tenus au courant de ton évolution au fil des ans par l'intermédiaire de ta famille et des Whiskey, mais nous aimerions l'entendre de ta bouche, dit son père.

Billie prit une grande inspiration.

— Je vais bien, mais si tu m'avais demandé cela il y a deux mois, ma réponse aurait été très différente.

— Chérie, tu ne nous aurais pas laissé nous approcher suffisamment pour te demander quoi que ce soit il y a deux mois, répondit doucement sa mère.

— Je sais, et je suis vraiment désolée. J'ai blessé beaucoup de gens, moi y compris. Mais j'ai passé beaucoup de temps avec Dare, et il m'a aidé à voir les choses plus clairement, et j'essaie de me racheter auprès des gens que j'ai repoussés. C'est pourquoi je vous ai demandé si vous pouviez me recevoir aujourd'hui. Je veux te dire la vérité sur le jour où nous avons perdu Eddie.

— La vérité ?

Elle acquiesça et réussit d'une certaine manière à tout leur dire. L'horrible vérité sur la rupture, comment Dare et elle avaient essayé d'empêcher Eddie de monter sur la moto, et toutes les choses qu'elle avait ressenties depuis, son cœur se brisant à nouveau pour chacun d'entre eux.

— C'est pour ça que je vous ai évités, vous et tous les autres. Je suis vraiment désolée. J'aimais Eddie, et si j'avais su qu'il serait tellement bouleversé qu'il tenterait ce coup stupide au lieu de nous filmer, je n'aurais jamais rompu avec lui.

Elle soutint leurs regards chagrins.

— Je ne vous en voudrais pas si vous ne vouliez plus jamais me revoir.

Alors qu'ils essuyaient leurs larmes, son père affirma :

— Tu ne pouvais pas savoir ce qu'il allait faire, et il n'aurait pas voulu que tu gardes tes vrais sentiments. Nous savons que Dare et toi avez fait tout ce que vous pouviez pour l'empêcher de monter sur cette moto. Vous ne vous en souvenez peut-être pas parce que c'est si traumatisant, mais Dare et toi nous l'avez dit la nuit de l'accident. Alors s'il te plaît, ne pense pas que sa mort est de ta faute. Vous étiez jeunes, et notre fils était un jeune homme brillant et plein de volonté. Lorsqu'il est monté sur cette moto, il connaissait les risques.

Sa mère acquiesça en reniflant.

— Nous savons à quel point vous l'aimiez, et nous ne vous reprocherons jamais ses décisions. Nous ne le blâmons même pas, chérie. C'était un accident tragique.

Billie fut envahie par le soulagement.

— Merci, murmura-t-elle, des larmes fraîches coulant.

Mais ce n'était que le premier obstacle. Il lui en restait encore deux à franchir. Elle prit une inspiration, essuya ses yeux et se redressa.

— Il y a autre chose que tu dois savoir. Eddie n'a pas voulu reprendre la bague de fiançailles. Il a dit qu'il voulait que je la garde. Mais je ne me sentais pas bien de la garder, alors je l'ai mise dans le cercueil lors de la veillée funèbre. Je voulais qu'il ait une partie de nous avec lui.

— Nous le savons, confessa sa mère. Ils vérifient les objets qui ont été laissés après les veillées funèbres, et ils l'ont trouvée. Ils nous ont demandé ce que nous voulions en faire et nous leur avons dit de le mettre exactement là où tu l'avais laissée.

Billie était trop émotive pour parler, elle hocha la tête et essuya ses larmes. Elle prit quelques respirations profondes pendant qu'ils se ressaisissaient tous, et quand elle cessa enfin de pleurer, elle ajouta:

— Il y a une dernière chose que vous devez savoir. Dare et moi sortons ensemble.

Ses parents sourirent.

— Nous le savons aussi, chérie. Toute la ville dit à quel point elle est heureuse pour Dare et toi.

Elle prit la main de son mari, le regardant pensivement, avant de tourner un doux sourire vers Billie.

— Nous sommes heureux pour vous aussi. Vous êtes si bien faits l'un pour l'autre.

— Merci.

Elle essuya les larmes qu'elle avait versées.

— Mais, chérie, dit sa mère, Dare effraye tout le monde avec les cascades qu'il a faites ces dernières années. Peut-être que tu pourrais jouer le rôle d'Eddie et le retenir avant qu'il ne se blesse.

— Je ne pense pas que quelqu'un puisse le maîtriser comme Eddie le faisait, et pour être honnête, si la perte d'Eddie ne l'a pas ralenti, je ne pense pas que quoi que ce soit puisse le faire.

— Et tu es d'accord avec ça ? demanda son père avec précaution. Nous avons appris que tu faisais à nouveau de la moto et que tu faisais certaines des choses que tu faisais avant, et nous sommes heureux pour toi. Mais sauter par-dessus les bus sur sa moto ?

— Cela me fait peur à moi aussi, avoua-t-elle.

Elle n'y avait pas pensé à l'époque, mais elle avait fini par réaliser et accepter qu'aimer un casse-cou comportait des risques plus grands que les cascades elles-mêmes, et tout chagrin d'amour qui en résulterait lui incombait.

Ils parlèrent longtemps, se remémorant Eddie, le bon vieux temps où ils étaient tous les trois ensemble, et discutant de son talent et de son film *Ces inoubliables Casse-Cous*. Il était vingt-et-une heures quand ils la raccompagnèrent à la porte.

— Encore merci de m'avoir laissée venir vous voir *et* de ne pas me détester.

— Nous ne pourrions jamais haïr quelqu'un que nous aimons.

Son père prit Billie dans ses bras et l'embrassa chaleureusement.

— Je t'aime aussi, dit Billie.

Elle fut surprise de la facilité avec laquelle elle prononça ces mots.

— C'était dévastateur de perdre Eddie, mais j'ai l'impression qu'il fera toujours partie de Dare et de toi, et ça me rend heureuse.

Sa mère la serra dans ses bras.

— Je suis si heureuse que tu sois venue nous voir, et j'espère que nous te reverrons plus souvent.

— Ce sera le cas, et c'est une promesse.

Elle se dirigea vers son pick-up en cette nuit étoilée, sentant les dernières chaînes de la culpabilité s'envoler. Elle savait qu'elle avait changé à jamais et qu'elle ne serait plus jamais la jeune fille *insouciante* qu'elle avait été. Mais alors qu'elle roulait vers la maison, avec les fenêtres baissées et une brise fraîche sur sa peau, elle se sentait comme un papillon qui se libère de son cocon, et elle avait hâte de partager ces émotions avec Dare.

DARE ÉTAIT ASSIS à une table dans le clubhouse des Dark Knights, entouré du bruit des boules de billard, des fléchettes et de ses frères sur lesquels il avait toujours compté. Mais aucun d'entre eux ne parvenait à apaiser l'inquiétude qui le rongeait. Il essaya de se concentrer sur la discussion entre son père, ses frères, Ezra, Rebel et Manny, à propos de la réouverture d'un vieux dossier de disparition datant de près de vingt ans, dont son père avait fait l'annonce au cours de la réunion, mais son esprit était à des kilomètres de là, sur sa beauté brune. Billie était confrontée à l'une des périodes les plus difficiles de sa vie, et elle avait voulu faire bande à part. Il aimait son indépendance mais elle avait été si nerveuse ces derniers jours qu'il regrettait de ne pas l'avoir poussée à le laisser l'accompagner.

Rebel se leva.

— Je vais chercher une bière. Quelqu'un en veut une ?

— Bien sûr, dirent Doc et Ezra à l'unisson.

— Non merci, déclara Cowboy en étudiant le dossier que son père avait distribué à propos de l'affaire.

— Et toi, Evel Knievel ? demanda Rebel.

— Non, ça va, mec.

Dare sortit son téléphone pour la énième fois afin de voir si Billie avait envoyé un message et poussa un juron devant l'écran vide.

— Toujours pas de nouvelles ? questionna son père.

Dare serra les dents, secouant la tête.

— Cela fait *des heures*. J'aurais déjà dû avoir de ses nouvelles. Manny, as-tu eu des nouvelles de Bobbie ou d'Alice ? Est-ce que l'une d'entre elles a eu de ses nouvelles ?

Manny secoua la tête.

— Non, fiston. Nous sommes tous dans l'expectative, tout comme toi.

— Les Baker sont des gens bien, affirma Doc. Billie va s'en sortir.

— Et si ce n'est pas le cas ? Vous savez comment elle se ferme.

Dare ne voulait même pas y penser, mais il savait que c'était une possibilité très réelle.

Cowboy posa une main sur l'épaule de Dare.

— C'est pour ça qu'elle t'a choisi. Elle te fait confiance, mec, et pour de bonnes raisons. Elle ne va pas t'exclure à nouveau.

— J'espère que non, mais si ça tourne mal, en parler avec moi pourrait être trop dur pour elle.

— Si elle veut parler à quelqu'un avec qui elle *ne* couche *pas*, tu sais que je prendrai le temps, proposa Ezra.

— J'apprécie cela, et j'ai suggéré qu'elle en parle à quelqu'un d'autre, mais elle n'est pas d'accord.

Il ne put rester assis une minute de plus et se leva.

— Je vais sortir et l'appeler.

Il contourna les autres membres et se dirigea vers la sortie tout en passant son coup de fil. Il entendit une sonnerie de téléphone dans le parking alors qu'il mettait son téléphone à l'oreille. La sonnerie retentit à nouveau dans son oreille et dans le parking. Il scruta l'obscurité, aperçut Billie appuyée contre sa moto et réduisit la distance qui les séparait lorsqu'elle répondit à son appel, ronronnant pratiquement à son oreille :

— Hé, Whiskey.

Elle était superbe dans un pantalon moulant en peau de serpent, un licou noir sexy, le collier ras-de-cou qu'il aimait tant, et un sourire magnifique qui lui défaisait les nœuds de l'estomac. Il rangea son téléphone tandis qu'elle s'éloignait de la moto. L'énergie qui émanait d'elle était plus légère et différente qu'elle ne l'avait été depuis des années, et il sut que les choses s'étaient bien passées.

— *Bon sang*, Mancini. Toi, dans cette tenue…

Il la dévora du regard et l'attira dans ses bras.

— J'aimerais te faire passer par-dessus cette moto et te prendre ici et maintenant.

Elle haussa les sourcils.

— J'espérais que tu aurais cette réaction.

— Ça veut dire que ça s'est bien passé avec les Baker ?

— Encore mieux que je ne l'espérais. Je leur ai tout raconté, et nous avons beaucoup pleuré, mais quand je suis partie, je crois que nous nous sentions tous mieux. Je suis très contente d'y être allée, et je n'aurais jamais eu ce courage si tu n'avais pas été là.

Il la serra plus fort dans ses bras.

— Et cette tenue, c'est ta façon de me remercier ?

— Seulement la partie que je peux te montrer en public.

Un sourire moqueur ourla ses lèvres et elle enroula ses bras autour de son cou.

— J'espérais que tu m'emmènerais au *Roadhouse* pour fêter ça.

— Tu es sûre de vouloir fêter ça là où tu travailles ? Où est ta voiture ? Comment es-tu arrivée ici ?

— Peu importe le chemin que j'ai emprunté pour arriver ici. Et oui, je suis sûre. Je sais que je dois être une patronne, mais je suis aussi une femme qui est follement amoureuse du mec le plus sexy de cette ville, et si je veux faire la fête avec lui dans *mon* bar, c'est ce que je vais faire. Qu'ils aillent se faire foutre s'ils n'aiment pas ça.

Elle était là, la différence qu'il avait remarquée, brillante comme l'aube d'un nouveau jour et qu'est-ce qu'il ne ferait pas pour s'en délecter jusqu'à la fin de sa vie ?

— *Mon Dieu*, je t'aime.

Alors qu'il posait ses lèvres sur les siennes, elle lui répondit :

— Je t'aime aussi.

Il l'embrassa avec avidité, et elle se dressa sur ses orteils lorsqu'il approfondit le baiser. Mon Dieu. Même leurs baisers étaient différents. Plus chauds et plus électrisants, ils illuminaient tout son corps. Sa main se glissa dans ses cheveux, inclina sa bouche sous la sienne et rendit le baiser incroyablement plus profond. Il entendit quelque chose à sa périphérie, mais ses mains glissèrent le long de son dos et elle lui attrapa les fesses, anéantissant toutes ses pensées au-delà du désir d'en avoir *plus*.

— Il vaudrait mieux que ce soient les mains de ma fille qui soient sur tes fesses, Whiskey, ou tu n'auras plus de fesses à saisir, grogna Manny.

Leurs lèvres se séparèrent sur un sourire, et Dare la garda près de lui, se tournant vers leurs pères, ses frères, et une poignée de gars, qui applaudissaient tous et sifflaient.

— Je suppose que tout s'est bien passé avec les Baker, ma chérie ? demanda Manny.

— Oui, papa. En effet.

Elle sourit était éclatant et elle passa son bras autour de la taille de Dare.

Ce dernier regarda sa magnifique compagne et lui dit, pour ses oreilles seulement :

— Es-tu prête pour une grande fête avec les copains ?

La joie qui étincelait dans ses yeux lorsqu'elle acquiesça fit trébucher son cœur. Il se retourna et cria :

— Fêtons ça au *Roadhouse* !

— C'est de ça dont je parle !

Rebel cria, et d'autres acclamations retentirent.

— Je vais chercher les autres !

Rebel se dirigea vers le clubhouse et les gars allèrent chercher leurs motos, ce qui donna lieu à une activité intense.

Manny s'approcha pour serrer Billie dans ses bras, et Dare s'éloigna pour leur donner de l'intimité.

Son père arriva à pas feutrés.

— Tu as l'impression de pouvoir respirer à nouveau, fiston ?

— Oui. J'étais si inquiet.

Il regarda son père et remarqua qu'il avait l'air plus léger, lui aussi.

— Et toi ?

Il acquiesça sèchement.

— Elle a été comme une fille pour ta mère et moi depuis qu'elle était une petite fille insolente qui se promenait avec des bottes de cow-boy et ton chapeau. Elle souffre depuis longtemps et nous aussi. Elle a ce regard qu'elle avait quand vous étiez plus jeunes et que vous vous prépariez à faire une cascade de folie.

Son père se fendit d'un sourire.

— Je pense que vous allez vivre une nuit d'enfer.

— J'ai hâte d'y être. Tu ne viens pas ?

— Je ne manquerais ça pour rien au monde et ta mère non plus. Je vais la chercher. On se voit là-bas.

"WILD HEARTS" DE Keith Urban retentit sur les haut-parleurs, et les gens criaient pratiquement pour se faire entendre, mais il n'y avait qu'une seule personne que Dare avait besoin d'entendre et il était en train de la faire tourner sur la piste de danse. Cela faisait près de deux heures qu'ils dansaient par intermittence. Le *Roadhouse* était bondé de Dark Knights, de leurs familles et d'une poignée d'autres clients. Ils étaient si occupés que Manny avait rejoint Alice et Kellan pour servir derrière le bar. Ce n'était pas une coïncidence. Dare savait très bien que son père et Manny avaient fait passer le mot que Billie " Badass " Mancini fêtait l'événement. Après tout, ce n'est pas tous les jours que la fille la plus fougueuse de Hope Valley, qui était passée de casse-cou et pilote professionnelle de motocross à des murs si épais que Dare ne savait pas comment elle avait respiré, plaisantait avec tout le monde et dansait comme si elle méritait les feux de la rampe.

Et c'était le cas, bon sang.

Cowboy et Bobbie dansaient à quelques mètres de là, tout comme Doc et une grande rousse. Leurs parents dansaient aussi. Ils n'avaient pas souvent l'occasion de voir leurs parents sur la piste de danse, mais personne ne se retenait ce soir. Surtout pas sa copine, qui dansait comme si la musique coulait dans ses veines.

Lorsque la chanson se termina et que "Take My Name" de Parmalee commença, Dare la tira dans ses bras, les ralentissant.

— Tu aimes me torturer avec tes danses sexy, dans cette tenue sexy, Mancini ?

Elle passa ses bras sur ses épaules, faisant courir ses doigts le long de sa nuque.

— Oui, Whiskey. Oui, c'est vrai.

— Je me *fiche* que tu ne saches pas danser, dit Birdie à voix haute.

Elle traîna Hyde, qui se plaignit, devant eux, suivie de Sasha et Taz.

— C'est une vraie peste, dit Dare. Hyde déteste danser.

— Laisse ta sœur tranquille et concentre-toi sur *moi*, dit Billie.

— Chérie, je me concentre toujours sur toi. Tu sais à quel

point je suis heureux en ce moment ? Te voir danser comme ça ?

— Eh bien, je suis sur le point de te rendre encore plus heureux.

Il la serra plus fort, effleurant ses lèvres sur les siennes.

— Maintenant, on peut parler.

— Garde-le dans ton pantalon encore un peu, Whiskey.

Son expression se radoucit.

— J'ai décidé de te regarder sauter les bus le week-end prochain.

Il fut abasourdi.

— Tu es sûre ?

— Oui. J'y ai réfléchi, et quand on a dit Casse-Cous pour la vie, je le *pensais* vraiment. S'il t'arrive quelque chose, et je prie pour que ça n'arrive pas, mais si c'est le cas, je veux que tu saches que je serai là pour te soutenir et t'encourager, tout comme tu m'as encouragée.

Il le fit, lentement et profondément, la serrant fort contre lui alors que la chanson se terminait et que "Man ! I Feel Like a Woman ! " retentissait.

Birdie et Sasha poussèrent un cri. Birdie empoigna Billie et Sasha attrapa Bobbie, et toutes les quatre se mirent à danser ensemble.

— Maman !

Birdie fit signe à leur mère de venir, et Bobbie appela Alice, qui sortit de derrière le bar pour danser avec elles.

Dare apprécia chaque seconde et se dirigea vers le bar avec son père et les autres.

— Ta copine est vraiment formidable ce soir, dit son père alors que Manny s'approchait d'eux pour les servir.

— Oui, elle l'est, et la tienne aussi. Regarde maman là-bas, dit Dare alors que leur mère se déhanchait avec les filles.

— Je n'ai pas vu ma femme et mes filles danser comme ça depuis des années, confirma Manny. C'est grâce à toi, Dare, et j'apprécie vraiment.

— Je n'ai fait qu'ouvrir une porte. C'est Billie qui a eu le courage de la franchir.

— Eh bien, merci de l'avoir ouverte, fiston, dit Manny. Tu as passé la nuit sur la piste de danse. Tu es prêt à boire un verre ?

— Non, je ne bois pas ce soir. J'ai ma copine à l'arrière de ma moto. Que dirais-tu d'une eau glacée ?

— Ça marche.

Manny prit les commandes des autres gars et alla les exécuter.

Dare ne pouvait détacher son regard de Billie. Ce n'était pas seulement ses mouvements sexy ou l'incroyable apparence qu'elle avait dans cette petite tenue moulante. C'était la joie et la liberté qu'elle dégageait qui retenaient son attention.

— C'est bon de la voir à nouveau avec les filles, n'est-ce pas ? dit Doc.

— Tu n'as pas idée à quel point c'est bon.

Manny leur apporta leurs boissons et ils discutèrent pendant que les filles dansaient. Quand "Country Girl (Shake It for Me)" passa, les filles crièrent à nouveau et continuèrent à danser, à l'exception de Billie, qui se dirigea vers Dare.

— Faites-moi une place, les garçons, dit son père à voix haute. Laissez passer la dame.

Les garçons s'écartèrent, mais Billie n'alla pas vers Dare. Elle lui *fit un clin d'œil*, fit deux grands pas et se hissa sur le bar, provoquant les applaudissements de tout le monde lorsqu'elle se mit à danser. C'est Dare qui applaudit le plus fort.

Billie le pointa du doigt et lui fit un crochet.

— Ramène ton cul ici et danse avec moi, Whiskey !

— C'est ma copine.

Il grimpa sur le bar, égalant ses mouvements sexy un par un, ce qui lui valut encore plus d'applaudissements, de huées et de sifflets. Il entendit quelqu'un demander à Manny s'il allait les expulser et Manny répondit :

— Jamais de la vie. Ça fait des années qu'on attend ça.

Quand le refrain arriva, Billie leva les mains en l'air, tournant en rond en dansant, et tout le bar se joignit à elle pour chanter la chanson.

Lorsque Dare chanta le dernier refrain à Billie, lui disant de remuer son corps pour lui, elle ne se contenta pas de le remuer. Elle *agita* ses courbes pulpeuses, se frottant et se frottant contre lui, le poussant à perdre la tête. Quand la chanson prit fin, il la fit passer sous son bras et l'embrassa. Les applaudissements, les sifflets et les acclamations se succédèrent dans le bar.

Lorsque leurs lèvres se séparèrent, Billie était rayonnante.

— Ramène-moi à la maison, Whiskey. J'ai fini de donner un spectacle à ces gens. Maintenant, c'est ton tour.

Elle n'eut pas à le demander deux fois.

Alors qu'ils descendirent du bar, elle désigna Kellan, qui riait et secouait la tête.

— Je suis toujours ta patronne et tu dois toujours me respecter.

Son visage devint sérieux.

— J'ai plus de respect pour toi que jamais.

— Tu as intérêt, fossette.

Ils firent leurs adieux et quittèrent le bar bras dessus, bras dessous, s'embrassant en traversant le parking. C'était une nuit magnifique et claire, et tandis que Dare roulait vers le ranch, avec Billie lui réchauffant le dos, ses bras l'entourant, il ne pensait pas que la vie pouvait être plus belle. Ils s'arrêtèrent à un feu rouge, attendant la flèche de virage verte, et elle mit sa main entre ses jambes. *Bientôt, chérie.* Il mit sa main sur la sienne, la serra fermement et la souleva, resserrant ses bras autour de lui et pressant ses mains contre son ventre. Le feu changea et il tourna à gauche. Il était à mi-chemin de l'intersection lorsqu'il vit des phares se diriger vers eux à toute vitesse sur la route qu'il allait emprunter. Il se dirigea vers la droite, essayant d'éviter la voiture, mais celle-ci heurta l'arrière de la moto, projetant Dare dans les airs – *Billie !* Son corps bascula et il atterrit *durement* sur l'herbe au bord de la route, dégringolant et dérapant jusqu'à l'arrêt. Les oreilles bourdonnantes, il arracha son casque en criant *Billie* ! Il serra les dents contre la douleur lancinante dans sa poitrine et tenta de se redresser. Son corps tout entier hurlait de douleur tandis qu'il fouillait le sol, l'apercevant allongée dans les buissons à une bonne distance. *Billie !* Il essaya de se lever mais s'écroula sur le sol, la douleur se propageant dans sa jambe alors qu'il cherchait de l'air. *Billie !* Elle ne bougeait pas. Il se traîna dans l'herbe en criant. Les gens sortaient de leurs voitures et couraient vers elle. *Billie !* Des larmes brouillèrent sa vision tandis qu'il se traînait plus loin, repoussant les gens qui essayaient de l'aider. La jambe et le bras de Billie formaient des angles horribles, son casque avait disparu, et sa magnifique compagne, l'amour de *sa vie*, gisait sans vie et en sang.

— *Non, non, non. Oh mon dieu, non.* Ne me laisse pas !

Il prit son corps dans ses bras et dit aux gens qui lui disaient de ne pas la toucher d'aller *se faire foutre*, tout en la berçant contre lui.

— *Billie. Réveille-toi, bébé, réveille-toi. Allez, bébé. Réveille-toi, Mancini.*

L'agonie l'envahit et il enfouit son visage dans ses cheveux ensanglantés.

Un *Nooooon*! s'échappa de ses poumons tandis que deux personnes l'éloignaient d'elle et qu'il se débattait pour se libérer.

— Laissez-moi tranquille, bordel ! Je dois être avec elle !

— *Dare*, on s'occupe d'elle. Elle respire. C'est moi, Hazard.

Le visage du flic se dessina. Hector "Hazard" Martinez, le frère de Maya, un Dark Knight.

— Elle est…

Une douleur atroce traversa la poitrine de Dare.

— Ouais, mec. Elle est vivante mais inconsciente. Les ambulanciers sont avec elle. Il faut qu'on t'emmène à l'hôpital. Tu es dans un sale état.

— Je m'en fous…

Il tenta de faire entrer de l'air dans ses poumons.

— Putain.

Il haleta.

— J'ai besoin d'être… avec elle.

Il essaya de se jeter dans la direction des ambulanciers qui chargeaient Billie sur une civière, mais Hazard le retint alors que d'autres ambulanciers apparaissaient et commençaient à l'examiner.

— *Lâchez-moi…* Aidez-la.

Un secouriste s'accroupit devant lui, pointant du doigt l'évidence.

— Écoute-moi, mec. Ils s'occupent d'elle, mais nous devons *te* venir en aide. Tu as une jambe cassée et une blessure à la poitrine. Maintenant, allonge-toi et ne me rends pas la tâche plus difficile qu'elle ne doit l'être.

CHAPITRE DIX-HUIT

COWBOY ET DOC se tenaient d'un côté du lit d'hôpital de Dare, ses parents de l'autre, ses sœurs et Rebel à ses pieds. De nombreux Dark Knights et leurs épouses étaient venus, mais il les avait envoyés à l'étage pour qu'ils soient avec la famille de Billie dans l'unité de soins intensifs. Le médecin avait dit qu'ils avaient eu de la chance de tourner au coin de la rue et de ne pas rouler à pleine vitesse lorsqu'ils avaient été percutés, sinon les choses auraient pu être bien pires. Dare avait une commotion cérébrale, trois côtes cassées, sa jambe gauche était cassée et plâtrée, et son épaule droite était fracturée. Son bras droit était en écharpe et immobilisé. Il avait un bandage sur une blessure au thorax qui avait été recousue, et il avait tellement d'autres coupures, d'écorchures et de points de suture qu'il avait l'impression d'être une véritable pelote d'épingles. Son corps et sa tête lui faisaient un mal de chien, mais c'était son cœur qui avait l'impression d'être passé au hachoir. Manny leur avait donné des nouvelles de Billie il y avait environ une heure. Elle s'était cassé le bras droit, la jambe gauche, la clavicule et les côtes. Elle avait un poumon perforé, un corps plein de points de suture et d'abrasions, et elle était toujours inconsciente. Ils faisaient d'autres tests et il fallait qu'il soit là-haut.

Birdie regarda son téléphone.

— Bobbie dit qu'il n'y a toujours pas de nouvelles. Mais ne t'inquiète pas, Dare, elle va s'en sortir.

Il serra les dents, sachant qu'elle voulait bien faire, mais si une personne de plus lui disait que Billie allait s'en sortir, il perdrait la tête. Ils vérifiaient l'enflure et l'hémorragie de son cerveau. *Bon sang. Son putain de cerveau.* Il ne pouvait pas la perdre, pas après tout ce qu'ils avaient vécu. Elle ne méritait pas ça. Ses parents ne méritaient pas ça. *Putain.* Il ne le méritait pas et il n'allait certainement pas rester là à ne rien faire. Il jeta sa couverture et essaya de se redresser, grimaçant de douleur.

— Ouah, mon pote. Tu dois te rallonger, dit Doc.

— C'est ça, oui. Il faut que je monte.

— Tu ne peux pas encore la voir, affirma Cowboy d'un ton sévère. Ils font encore des tests.

— Je n'en ai rien à faire, dit-il en serrant les dents. J'ai besoin d'être là où elle est, d'être avec sa famille et de m'assurer qu'ils vont bien, de voir la tête du docteur quand il sortira, alors aidez-moi ou dégagez de mon fichu chemin.

— D'accord, *calme-toi*, ordonna son père d'un ton sévère. Rebel, va lui chercher un fauteuil roulant.

Alors que Rebel quittait la pièce, Doc dit :

— Ce *n'est pas* une bonne idée. Tu ne peux rien faire là-haut. La meilleure chose que tu puisses faire est de te reposer jusqu'à ce que nous en sachions plus, et ensuite nous t'emmènerons la voir.

— Tu as trois secondes pour poser ces fichues barres latérales ou je vais commencer à frapper.

Doc regarda leur père d'un air implorant.

Les frères de Dare poussèrent un juron en abaissant les barres métalliques de protection.

Dare grimaça malgré la douleur en se redressant et en balançant ses jambes sur le côté du lit.

— Oh, chéri. Tu es sûr de toi ? lui demanda sa mère.

— Je vais *bien*, maman.

— Non, tu ne vas pas bien, mais je sais qu'il ne faut pas discuter avec toi. Je viens avec toi.

Quelques minutes plus tard, Rebel poussa un fauteuil roulant dans la pièce.

— Tu es sûr que c'est une bonne idée ? L'infirmière m'a fait chier quand j'ai dit que c'était pour toi.

— Je me pose la même question, dit Sasha tandis que ses frères l'aidaient à s'installer dans le fauteuil roulant. Tu as subi un traumatisme important et ton corps a besoin de repos pour guérir.

— *Bon sang*, lança Birdie, exaspérée. Il veut être là pour Billie. Il l'*aime*. Tu ne veux pas d'un gars qui traînera son corps brisé jusqu'à toi, quelles que soient les conséquences ?

— Oui, mais…

Dare commença à faire rouler le fauteuil roulant vers la porte avec son bras valide, serrant les dents contre la douleur.

— Chéri, laisse-moi faire.

Sa mère le conduit à l'extérieur.

Dare entendit ses frères râler contre son père à propos des E*t si*, et une minute plus tard, le reste de sa famille et Rebel les rattrapèrent près de l'ascenseur.

— Je ne changerai pas d'avis, prévint Dare.

— Sans déconner, espèce de crétin têtu, dit Cowboy. Nous venons avec toi.

— Je n'ai pas besoin d'une baby-sitter, s'emporta Dare.

— Tais-toi avant que je ne t'en veuille profondément, avertit Cowboy. Nous serons là *pour* toi, pas pour te retenir. Nous ne voulions pas que tu t'énerves et que tu te blesses alors que tu devrais te reposer.

Dare déglutit difficilement, appréciant le soutien.

— Quand ils auront fini les tests, si Billie ne s'est pas réveillée et qu'ils la gardent en soins intensifs, ils ne laisseront entrer
que deux personnes pour la voir, dit Doc.

— Ses parents, affirma Dare.

Il avait besoin de les voir. Pour s'excuser.

Doc acquiesça.

— Je connais une infirmière des soins intensifs. Je vais voir
ce que je peux faire.

— Merci, mec. J'apprécie. Je n'essaie pas d'être un con. J'ai
juste besoin de la voir.

— On a compris, déclara Doc. Mais pendant que tu
t'inquiètes pour Billie, quelqu'un doit s'inquiéter pour toi.

Il se dirigea vers le poste de soins tandis que les autres se
rendaient dans la salle d'attente de l'unité de soins intensifs. La
famille de Billie avait l'air aussi dévastée que Dare, ce qui lui
rappelait l'horrible après-midi où ils avaient perdu Eddie et où
tous leurs parents étaient arrivés en même temps que
l'ambulance, affolés et anéantis, l'éviscérant à nouveau. Bobbie
eut les larmes aux yeux lorsque ses sœurs vinrent la rejoindre,
toutes trois enlacées.

Le regard d'Alice se porta sur lui, dans le fauteuil roulant, et
elle se couvrit la bouche, les larmes coulant de ses yeux.

— Oh, *mon grand*.

— Je vais bien. Tu as des nouvelles de Billie ?

— Pas encore, mais ils ont dit que les tests prendraient un
certain temps, les informa Manny en passant son bras autour
d'Alice.

On aurait dit qu'il avait vieilli de dix ans au cours des dernières heures.

— Billie est forte. Elle va s'en sortir.

— La plus forte.

Dare refoula la peur qui le rongeait.

— Je suis *vraiment* désolé. J'ai essayé d'éviter la voiture. Si j'étais parti…

— Ne t'avise pas d'en prendre la responsabilité, insista Manny. Le type qui t'a percuté était complètement défoncé. Ils l'ont arrêté, et c'est sa faute, pas la tienne.

— Je sais, c'est juste que… On ne peut pas la perdre. C'est *moi* qui devrais être là-dedans, pas elle.

Luttant contre les émotions qui l'envahissaient, il serra la mâchoire et tourna le visage pour essuyer une larme perdue. Ses parents n'avaient pas besoin de le voir s'effondrer.

— Ne dis pas ça, s'exclama Alice. Ce ne serait pas mieux pour tout le monde si c'était toi. Nous devons juste croire qu'elle va s'en sortir.

— Elle s'en sortira. Il faut qu'elle s'en sorte.

Dare ne pouvait pas rester assis alors que l'amour de sa vie gisait inconscient. Il avait besoin de se lever et de bouger, mais lorsqu'il essaya, son père posa une main lourde sur son épaule, le poussant doucement vers le bas. Dare lui jeta un regard noir.

— Je t'ai laissé venir ici, mais tu vas garder tes fesses sur cette chaise, lui objecta son père alors que Doc revenait et se dirigeait vers Dare.

Un homme chauve, de petite taille et de forte corpulence, vêtu d'une blouse blanche, franchit la double porte et se dirigea vers la salle d'attente. Le pouls de Dare s'accéléra et tout le monde dans la pièce retint son souffle lorsque l'homme demanda:

— M. et Mme Mancini ?

— Ici même, répondit Manny, et la foule se dispersa pour

aller vers lui.

Dare essaya de se lever, mais son père le poussa à nouveau vers le bas. Quand son père ne poussa pas le fauteuil roulant pour qu'il les suive, Dare le regarda fixement.

— Qu'est-ce que…

Son père ne dit rien d'autre que "Ne bouge pas par respect pour ses parents".

Dare poussa un juron, même s'il savait que son père avait raison.

Doc posa une main sur son autre épaule.

— J'ai tiré quelques ficelles. Tu auras l'occasion de la voir, ainsi que Bobbie.

— Merci.

Dare essaya de lire l'expression du docteur, mais il n'aimait pas ce qui en ressortait lorsqu'il leur fit signe de se diriger vers le couloir.

Manny et Alice le suivirent hors de la salle d'attente. Manny s'arrêta et regarda Dare.

— Viens, fiston. Tu devrais entendre ça aussi.

Putain, merci mon Dieu.

Son père poussa son fauteuil roulant jusqu'à eux. Cowboy et Doc restèrent en arrière.

Le médecin passa en revue la litanie des blessures qui avaient déjà été signalées.

— Elle est toujours inconsciente, mais nous n'avons pas trouvé de gonflement, de saignement ou d'hématome au niveau du cerveau, ce qui est une bonne nouvelle.

Dieu merci. Il était légèrement soulagé.

— Elle respire bien toute seule et nous la surveillons de près. Nous avons choisi de ne pas la mettre sous respirateur pour ne pas avoir à la sédater.

— Pourquoi ne s'est-elle pas réveillée ? demanda Manny.

— Quand se *réveillera*-t-elle ? enchaîna Alice.

— Malheureusement, il n'y a pas de règle pour cela. Chaque cerveau réagit différemment aux traumatismes. Je ne peux pas vous dire quand, ou si, elle se réveillera, mais nous en saurons plus dans les prochaines vingt-quatre à quarante-huit heures.

Dare s'agrippa aux bras du fauteuil roulant pour s'empêcher de grogner. *Elle va se réveiller.* Il faut qu'elle se réveille, putain ! La main de son père se posa à nouveau sur son épaule. *Vingt-quatre à quarante-huit heures ? Que se passera-t-il ensuite ? Est-ce la minuscule fenêtre d'espoir ?* Il ne posa pas la question. Il ne voulait pas connaître la réponse.

— Vous pourrez bientôt la voir, promit le médecin.

— Sera-t-elle capable de nous entendre lui parler ? demanda Alice avec anxiété.

— Oui, et c'est bien de lui parler. Des voix familières peuvent stimuler son cerveau et accélérer son rétablissement. L'infirmière sera bientôt de retour pour vous emmener la voir.

Le médecin sourit pour la première fois et Dare eut l'impression que ce dernier commentaire était le premier véritable signe d'espoir. Il lui parlerait jusqu'à ce qu'il soit à bout de souffle. Il ferait tout ce qu'il faut pour la convaincre et la ramener à la vie.

Manny donna rapidement des nouvelles au groupe et il y eut des murmures de soulagement et d'inquiétude. Un peu plus tard, une grande infirmière brune expliqua qu'ils faisaient une exception aux règles de visite, et elle escorta Manny, Alice et Bobbie pour qu'ils puissent voir Billie. Dare adressa d'autres prières silencieuses aux pouvoirs en place pour que Billie se réveille et aille bien, concluant des accords avec le diable et tous ceux qui voulaient bien l'écouter. Son père et Cowboy se tenaient à quelques mètres de lui, les pieds fermement ancrés au sol, les bras croisés, l'observant comme un faucon. Il essaya de se lever, oubliant son putain de plâtre et ses côtes cassées, et retomba avec un juron.

— Qu'est-ce qu'il te faut ? demanda Doc.

— Que Billie se réveille, *putain*.

— Je sais, mec. Elle se *réveillera*. Elle est forte et elle t'aime. Tu sais qu'elle se bat bec et ongles pour revenir.

Seigneur, j'espère que c'est le cas.

— J'ai besoin d'une béquille. Tu peux m'en trouver une ? Si je reste assis ici une minute de plus, je vais péter les plombs. Et peux-tu passer chez moi pour me trouver des vêtements plus tard et un nouveau téléphone ? Le mien s'est cassé dans l'accident.

— Bien sûr.

Tandis que Doc allait chercher une béquille, Dare appela Cowboy.

— Je veux tout savoir sur le type qui nous a percutés.

— Hazard est déjà sur le coup. Il s'appelle Crew Hendricks. Fiancé éconduit, il est allé faire la fête toute la nuit. C'était son premier délit. Il sera probablement condamné à une peine de prison et à une forte amende, et il y aura probablement une sorte de dédommagement pour la victime.

— Aucun dédommagement ne peut compenser ce qu'il a fait à Billie.

— Hé, tant qu'il finit derrière les barreaux, ce n'est pas ton problème.

— D'accord. Merci. Je dois parler à Ezra avant que mon cerveau ne cesse de fonctionner. Ça fait un mal de chien.

Avec un signe de tête, Cowboy alla chercher Ezra, et Dare ferma les yeux, essayant de faire cesser l'impression que sa tête allait exploser.

— Tu as besoin de moi, Dare ? demanda Ezra.

Dare ouvrit les yeux.

— Oui. J'ai besoin que tu t'occupes de mes patients.

— Bien sûr. Tout ce dont tu as besoin.

— Cela va les secouer, mais je m'inquiète surtout pour Kenny en raison de sa position dans le programme. Cela va probablement le faire paniquer, alors fais attention à ne pas l'effrayer. Il faut qu'il sache ce qui s'est passé, que je ne peux pas le rencontrer demain et que Billie ne peut pas rouler avec lui. Cela pourrait totalement le faire dérailler.

— Je ne le laisserai pas faire, promit Ezra. Dwight et moi allons le surveiller de près. Je m'assurerai qu'il est soutenu, ne t'inquiète pas.

— Je sais que tu le feras. Fais-lui savoir que je vais *bien* et que je le verrai dès que possible. Nous avons une réunion avec ses parents la semaine prochaine. Il faut que Maya reporte cette réunion jusqu'à ce que nous ayons trouvé une solution. J'ai besoin d'être avec lui pour ça. As-tu le temps de prendre en charge nos séances pour l'instant ? Je ne suis pas sûre que ma mère soit d'accord. Je doute qu'elle veuille quitter Alice et Manny.

— Je prendrai du temps pour lui et pour tous les autres patients que tu voudras que je prenne en charge.

— Merci. Arrange-toi avec Maya, mais assure-toi d'avoir Kenny. Je pense qu'il te comprendra mieux que Colleen. Il pourrait la voir comme une figure trop maternelle. Je peux te mettre au courant demain matin. Je ne peux pas me concentrer pour l'instant.

— Pas de problème. Je vais retourner au ranch pour éviter que cela ne dégénère. Je te dirais bien de ne pas t'inquiéter pour le travail, mais je te connais trop bien. Sache que nous sommes tous derrière toi, alors tu peux mettre tes pensées profession-nelles en veilleuse.

— Merci, mec. J'apprécie.

Un peu plus tard, Manny, Alice et Bobbie revinrent, les yeux rougis, le peu de couleur qui leur restait au visage ayant disparu, et Dare se traîna sur une béquille dans le couloir, à côté de l'infirmière, pour aller voir Billie.

— Merci de me laisser la voir.

— Bien sûr. Je ferais n'importe quoi pour Doc.

Elle sourit de cette façon qui lui montrait à quel point elle aimait son frère. Elle s'arrêta devant la chambre de Billie et lui parla doucement.

— Pas trop longtemps, d'accord ? J'ai fait en sorte que les autres infirmières sachent qu'elles doivent vous laisser entrer aussi longtemps qu'elle restera ici.

— J'apprécie.

— Gardez une attitude positive, et parlez-lui comme si elle pouvait répondre à vos questions. Ça aide.

Dare acquiesça et entra dans la chambre de Billie. Son cœur se serra dans sa gorge. Sa joue était meurtrie et bandée, tout comme son front. Sa jambe et son bras étaient plâtrés, et son bras plâtré était en écharpe. Elle était sous perfusion et des tubes sortaient de sous sa blouse. Ce n'était pas la fin. Ce n'est pas possible. La femme qui était prête à prendre le monde d'assaut ne pouvait pas s'éteindre en un clin d'œil sur un simple foutu trajet retour. Dare voulait mettre la main sur l'enculé qui lui avait fait ça.

Les larmes qu'il avait retenues coulèrent librement, glissant sur ses joues alors qu'il s'approchait d'elle. Il posa sa béquille sur la table de chevet et déposa un baiser sur son front.

— Je suis *désolé*, ma chérie. Je suis vraiment désolé, putain. Je donnerais n'importe quoi pour changer de place avec toi. Mais tu vas t'en sortir. Le médecin a dit que ta tête avait l'air bien, et tout le monde est là à attendre que tu te réveilles.

Une larme tomba de sa joue sur la sienne, et elle ne broncha pas, ne bougea pas d'un poil. Son immobilité fit couler d'autres larmes.

— Tu *vas te* réveiller, Mancini. Je sais que tu le feras. Nous avons une vie à construire ensemble, et je *sais* que c'est ton vœu le plus cher.

Il prit délicatement sa main entre les siennes.

— Casse-Cous pour la vie, ma *chérie…*

Sa voix se perdit, une avalanche de larmes s'abattit sur lui alors que la réalité le frappait de plein fouet. Il n'avait jamais voulu qu'elle soit dans la position où il se trouvait en ce moment, pleurant la personne qu'elle aimait, prêt à vendre son âme pour la ramener à la vie.

Il serra les dents.

— Je ne t'effraierai plus jamais avec des cascades folles. C'est promis.

Sa voix murmurait dans sa tête : *Ne fais pas de promesses que tu ne peux pas tenir, Whiskey.* C'était si réel qu'il se sentit sourire.

— Je n'ai pas dit qu'on n'irait pas faire de la plongée en falaise, du parachutisme ou du ski, et d'autres choses amusantes, mais je ne repousserai plus les limites, chérie. Je n'ai pas besoin de sauter par-dessus des bus ou de courir avec les taureaux. J'emmerde les records. Tout ce dont j'ai besoin, c'est de toi, chérie, et je ne quitterai pas cet hôpital sans toi. Alors repose-toi comme tu veux, et sache que quand tu seras prête, je serai là à t'attendre pour te ramener à la maison.

CHAPITRE DIX-NEUF

DARE AVAIT l'impression d'avoir passé la nuit dans un compacteur d'ordures, mais il était sûr que c'était dû à l'accident et à son cœur endolori plutôt que sa chambre. Il s'était disputé avec ses parents et les infirmières hier soir pour retourner dans sa chambre, mais ils avaient finalement accepté qu'il ne bouge pas et l'avaient laissé dormir dans un fauteuil inclinable dans la salle d'attente de l'unité de soins intensifs, tout comme ses parents et Manny, Alice et Bobbie l'avaient fait.

Comme promis, Doc lui avait apporté des vêtements propres hier soir, et il s'était enfin douché. Il souffrait le martyre, et il avait besoin d'un sac autour de son plâtre, mais il était heureux de quitter cette horrible blouse d'hôpital. Quand il était revenu dans la salle d'attente, Kellan était là, fou d'inquiétude. Il avait dit à Manny qu'il s'occuperait du bar, et que Rebel et plusieurs autres Dark Knights le remplaceraient aussi longtemps qu'ils en auraient besoin. Colleen avait assuré à Dare et à ses parents qu'entre Ezra et elle, leurs patients seraient bien traités. Son père et Manny avaient renvoyé les familles du club chez elles, mais Dare avait vu un certain nombre d'entre elles se promener aux premières heures de la matinée. Il savait qu'ils continueraient à être là pour soutenir leurs familles à l'hôpital et pour soutenir ses frères et sœurs au ranch, puisqu'ils devaient y retourner pour faire leur travail. Il leur en était reconnaissant, car quelle que soit la solidité de leurs familles, rien n'aurait pu les préparer à cela.

C'était mercredi soir, et même si ses frères et sœurs et des dizaines d'autres personnes étaient venus prendre de ses nouvelles et de celles de Billie, il n'avait vu aucun d'entre eux. Il était assis dans le fauteuil à côté du lit de Billie, lui tenant la main, là où il était depuis le début de la matinée, lui promettant le soleil, la lune et les étoiles si elle se réveillait. Sa mère lui avait apporté le nouveau téléphone que Doc avait déposé, et il avait contacté Ezra au sujet de Kenny. Il était heureux d'entendre que même si ce dernier était inquiet, cela ne l'avait pas poussé à bout.

C'était une bonne chose, car Dare ne serait d'aucune aide pour personne en ce moment. Il ne pensait qu'aux paroles du médecin concernant les prochaines vingt-quatre à quarante-huit heures, qui ressemblaient à une bombe à retardement, comme si au bout de quarante-huit heures, une porte se refermerait pour ne plus jamais s'ouvrir. Les heures s'écoulaient douloureusement, et il avait passé chaque seconde à essayer de trouver un moyen d'extraire Billie de cette nouvelle obscurité qui ne lui était pas familière. Il ne pouvait utiliser aucune de ses tactiques habituelles. Il ne pouvait pas flirter avec elle ou la tenter avec des choses qu'elle aimait. Il ne pouvait pas l'inciter à relever un défi ou se mettre dans sa peau en la touchant.

Il avait *tout* essayé et il ne s'était jamais senti aussi impuissant de toute sa vie.

— J'ai besoin que tu te réveilles, Mancini.

Il frotta son pouce sur le dos de sa main.

— Tu as fait valoir ton point de vue, et quoi que tu veuilles, quoi que tu aies besoin quand tu sortiras de là, je le ferai, je le construirai ou je l'achèterai. Je t'ai promis tout ce que je peux imaginer et je sais que tu n'en veux pas. Tout ce que tu veux, c'est nous et ta famille, et nous sommes là, chérie, à attendre que tu reviennes où que tu sois partie.

Il embrassa le dos de sa main, ses larmes tombant sur sa peau. Il l'observa attentivement, mais ses yeux restèrent fermés, son corps immobile.

— Je vais continuer à te harceler jusqu'à ce que tu m'entendes, alors tu ferais mieux de te réveiller.

La porte s'ouvrit et il essuya ses larmes lorsque sa mère entra avec une tasse de café et un sandwich. Il ne savait pas quel genre de ficelles l'amie de Doc avait tirées, mais ils lui devaient une fière chandelle. L'unité de soins intensifs n'autorisait généralement que deux visiteurs par jour, et ils avaient non seulement permis à Bobbie d'entrer *avec* ses parents et à Dare de voir Billie hier soir, mais ils autorisaient également leurs familles à leur rendre visite, à condition qu'il n'y ait pas plus de deux personnes dans la chambre en même temps.

— Je t'ai apporté à manger, dit sa mère mais son sourire disparut rapidement. Oh, mon chéri.

Elle posa le sandwich et le café sur la table et s'approcha de lui, touchant sa joue, sa main, son bras.

— Je vais bien, mentit-il, encore plus ému par l'affection qu'elle lui portait.

— C'est normal de ne pas aller bien, chéri. L'amour de ta vie est allongé dans un lit d'hôpital et je sais qu'elle essaie de revenir vers toi.

D'autres larmes coulèrent et il les essuya.

— J'ai plus pleuré dans cette pièce que dans toute ma vie, à part…

Il était inutile de préciser *à la mort d'Eddie*.

— Non, chéri, c'est ce que je ressens.

Elle prit une chaise à côté de lui et lui prit la main.

— Tu ne te souviens pas quand tu étais petit et que Billie t'a dit qu'elle ne voulait plus être ton amie. Tu as pleuré toute la journée. Tu t'es aussi battu avec tes frères, tu t'es blessé à la main en frappant un mur et tu as donné des coups de pied à tout ce qui se mettait en travers de ton chemin. Et puis tu t'es échappé sur notre quad pour aller la voir, en nous faisant une peur bleue.

Il sécha ses larmes.

— Je m'en souviens. J'étais furieux. J'avais l'impression de m'être fait avoir. J'avais une meilleure amie qui me traitait de tous les noms quand elle était en colère, mais je l'ai traitée une fois de fille stupide et elle m'a abandonné.

— As-tu la moindre idée de la raison pour laquelle elle était si blessée ?

— Parce que c'est Billie, la femme la plus combative de la planète, et qu'elle n'aime pas qu'on l'insulte.

— Personne n'aime se faire insulter, mais ce n'est pas la seule raison. Tu l'as traitée de *fille* stupide. Tu n'aimais pas quelque chose chez elle qu'elle ne pouvait pas changer.

Il se moqua.

— Je l'*aimais* à l'époque et je l'aime encore aujourd'hui. Je ne savais pas quoi faire de tous ces sentiments. C'est pour ça que j'ai dit ça. Même quand j'étais petit, chaque fois que je la voyais, je voulais qu'elle soit *à moi*. Je ne savais même pas ce que cela signifiait, mais je n'avais aucun moyen de l'arrêter. C'était plus fort que moi.

— Je sais, mon cœur.

— Je ne peux pas la perdre, maman.

D'autres larmes coulèrent.

— Je ne sais même pas qui je suis sans elle.

Elle passa ses bras autour de lui, et il laissa tout sortir, versant des années de larmes qu'il ne s'était jamais permis de déverser.

— Ça va aller, mon chéri. Elle va s'en sortir.

Dare se rassit, se forçant à se ressaisir. Sa mère n'avait pas besoin de plus de stress.

— J'espère que c'est le cas. Je n'arrête pas d'essayer de trouver un moyen de la faire sortir de l'endroit où elle se trouve. Où vont les gens lorsqu'ils sont inconscients ? Dans le vide du néant ? Est-ce qu'elle rêve ?

— Si c'est le cas, c'est de toi dont elle rêve.

Il réussit à sourire, espérant que c'était vrai.

— Elle se réveillera et les choses reviendront à la normale. Tu verras.

— Je n'ai pas besoin de *normalité*. J'ai juste besoin qu'elle se réveille, et quoi qu'il arrive, quoi qu'elle ait besoin, elle l'aura. Et je ne la mettrai jamais – ou toi et tous les autres – dans une position où vous pourriez être assis près de mon lit d'hôpital comme ça.

Sa mère fronça les sourcils.

— Qu'est-ce que tu insinues ?

— J'ai promis à Billie de ne plus repousser les limites. J'ai été égoïste en voulant qu'elle me soutienne pour sauter par-dessus les bus et courir avec les taureaux. Qu'est-ce qui m'a pris ? Comment ai-je pu ne pas voir la pression et la peur que cela lui mettait, à elle et à tous les autres ? Je suis un idiot. Vous auriez dû me faire entendre raison.

— Tes frères ont essayé pendant des années.

Elle lui tapota la main.

— Chéri, tu n'as pas voulu nous écouter, pas plus que Billie ne l'a fait en repoussant tout le monde. Vous êtes tous les deux conçus d'une manière que vous êtes les seuls à comprendre, et même si je suis ravie d'entendre que tu vas tempérer le besoin de nous faire peur, tu dois savoir que tu n'es pas un imbécile. Tu es juste Dare et elle est juste Billie. Deux casse-cous implacables qui sont aimés pleinement et complètement comme ils sont.

Luttant contre les larmes, il répliqua :

— Merci, mais je suis toujours désolé d'avoir fait subir ça à tout le monde, et sans elle, il n'y a pas de moi. Elle est le seul *frisson* dont j'ai besoin.

UNE HEURE ET demie plus tard, une fois que Manny, Alice, Bobbie et Tiny soient passés rendre visite à Billie, Dare se retrouva à nouveau seul avec elle. L'infirmière qui était de garde ce soir jeta un coup d'œil.

— Les heures de visite se terminent dans cinq minutes.

— Je suppose que je ne peux pas gagner une heure de plus pour cent dollars, proposa Dare.

— J'aimerais pouvoir vous laisser faire. Désolée.

— Ça valait le coup d'essayer.

L'infirmière ferma la porte, Dare se redressa sur sa jambe valide et contempla le beau visage abîmé de Billie.

— De quoi rêves-tu vraiment, ma belle ? Es-tu là, dans *l'entre-deux* ? Je sais que tu sens que je t'attends, alors quoi que tu fasses, tu peux te dépêcher et revenir ici ?

Il regarda le plafond, passant son pouce sur le dos de la main de Billie, et il fit quelque chose qu'il n'avait pas fait depuis des années.

Il fit appel au meilleur ami qu'ils avaient perdu.

— Eddie, si tu m'entends, Billie m'a raconté ce qui s'est passé ce jour-là et pourquoi elle a rompu avec toi. Je suis désolé. Je suis sûr que ça a fait très mal. Mais je ne savais pas que je lui plaisais. On n'a rien fait derrière ton dos. Donc si tu ne me détestes pas, j'ai besoin d'une faveur. Notre copine a besoin d'un coup de pouce. Ce n'est pas encore son heure, alors si tu as *un peu* d'influence, tu pourrais me la renvoyer ? Montre-lui juste le chemin, mec. Je pense qu'elle est perdue et j'ai vraiment besoin d'elle. Je sais que ça fait de moi un enfoiré égoïste, mais elle est le sang qui coule dans mes veines, l'air que je respire. Elle *est* ma raison d'être.

Il serra les dents et la porte s'ouvrit à nouveau.

Une autre infirmière entra dans la pièce.

— Je suis désolée, mais je dois vous demander de partir.

Dare acquiesça et se pencha pour embrasser Billie, s'arrêtant juste avant ses lèvres.

— Je dois quitter ta chambre, mais je serai juste devant ta porte quand tu te réveilleras. Je t'aime plus que la vie elle-même, Mancini.

Il pressa ses lèvres contre les siennes et sentit ses doigts bouger. L'espoir monta en lui.

— Elle a bougé ses doigts !

L'infirmière regarda la main qui s'était immobilisée.

— C'était probablement involontaire. Ce n'est pas rare.

— Non, je vous dis que c'est elle qui l'a fait.

Il lui serra la main, mais elle ne réagit pas.

— Allez, chérie. Tu peux le faire.

Il approcha son visage du sien.

— Je sais que tu m'entends, Mancini. Bouge tes doigts si tu m'entends.

Ses doigts se refermèrent légèrement sur les siens.

— *Vous voyez ? Elle bouge. Regardez sa main !*

Les yeux de la jeune femme s'ouvrirent sur une expression d'égarement et le cœur de Dare fit un bond.

— Elle est réveillée !

L'infirmière se précipita et appuya sur un bouton, parlant dans l'interphone pendant que Dare s'adressait à Billie.

— Bonjour, ma chérie. Je suis là. Je savais que tu te réveillerais.

— Où suis-je ? demanda-t-elle doucement.

— À l'hôpital. Nous avons eu un accident. Tu ne te souviens pas ?

Elle fixa Dare en secouant la tête.

— Qui êtes-vous ?

L'estomac de Dare s'effondra.

— C'est moi, chérie, *Dare.*

— Je ne vous connais pas.

Elle s'éloigna de lui tandis que le médecin et une infirmière entraient en trombe dans la pièce.

— C'est moi, Billie. Dare.

— Je ne le connais pas, répéta-t-elle, la peur au ventre.

Le médecin poussa alors Dare et une autre infirmière lui mit sa béquille sous le bras et l'escorta jusqu'à la porte.

— *Attendez !* Pourquoi ne se souvient-elle pas de moi ?

Le médecin lui bloqua la vue et la panique s'empara de sa poitrine.

— Il faut qu'elle me voie pour qu'elle se souvienne de moi !

— Nous devons l'évaluer et nous ne pouvons pas le faire si vous êtes ici. Nous nous occuperons bien d'elle, le rassura l'infirmière.

— Laissez-moi lui parler, *s'il vous plaît !*

Il lutta pour retourner auprès de Billie mais l'infirmière le força à franchir la porte.

— M. Whiskey, si vous vous opposez à nous, vous *ne serez pas* autorisé à revenir, le menaça l'infirmière. Je sais que vous êtes inquiet mais vous devez nous laisser faire notre travail.

DARE AVAIT PENSÉ que chaque minute était dangereusement dure avant que Billie ne se réveille, mais attendre que le médecin sorte de la chambre de Billie était atroce. L'infirmière leur avait dit qu'il n'était pas rare que les patients inconscients aient du mal à se souvenir de certaines choses et que le médecin sortirait dès qu'il aurait fini d'examiner Billie. Mais elle était *réveillée* et cela ressemblait au plus grand miracle de la terre. Ils en étaient tous ravis et espéraient, après ce qu'avait dit l'infirmière, que le fait de ne pas avoir reconnu Dare n'était qu'une erreur de réveil après une journée d'inconscience. Dare était tellement impatient de la voir que tout son corps était tendu et prêt à se battre, ce qui n'était pas le cas avec ses blessures. Mais il se fichait éperdument de la douleur qu'il ressentait. Tout ce qui l'intéressait, c'était de retrouver Billie.

Lorsque le médecin apparut enfin, ils se précipitèrent vers lui.

— Comment va-t-elle ? demanda Alice en même temps que Dare disait :

— Pourquoi ne s'est-elle pas souvenue de moi ?

Comme hier soir, l'expression du médecin restait sérieuse.

— Elle était un peu déconcertée et agitée, mais c'est normal. Elle dort confortablement maintenant, mais elle semble souffrir d'amnésie rétrograde.

— Qu'est-ce que ça veut dire ? Elle ne se souvient de rien ? interrogea Manny.

— Cela signifie qu'elle a perdu la capacité de se souvenir des événements qui se sont produits avant l'apparition de l'amnésie, ou dans le cas de Billie, avant l'accident, mais qu'elle est capable de créer et de conserver de nouveaux souvenirs, expliqua le médecin.

Alice sursauta et les yeux de Bobbie se remplirent de larmes. Manny les entoura de ses bras. Dare résista aux émotions qui l'étouffaient tandis que les larmes de sa mère s'échappaient. Son père posa une main sur son épaule indemne et prit la main de sa mère.

— Dans la plupart des cas, les patients perdent leurs souvenirs récents, mais ils sont capables de se rappeler des souvenirs plus anciens, comme leur enfance, par exemple. Dans le cas de Billie, elle se souvient de l'identité de ses parents et de sa sœur, mais elle ne se souvient pas de son nom.

Le médecin se tourna vers Dare.

— Malheureusement, elle ne se souvient pas non plus de vous, et elle ne se souvient d'aucun autre détail de son passé.

— Bonté divine, dit sa mère en essuyant ses larmes.

Le regard de son père était fixé sur Manny.

— Nous allons nous en sortir.

Il regarda le médecin.

— Est-ce qu'elle finira par se souvenir de plus de choses ?

— Nous l'espérons. Dans certains cas, l'amnésie rétrograde disparaît assez rapidement, dans les vingt-quatre heures environ, et nous la surveillerons de près, promit le médecin.

Cette maudite ligne temporelle provoqua une nouvelle vague de peur. Cette fois, Dare avait besoin de savoir ce qui les attendait.

— Que se passera-t-il après vingt-quatre heures ?

Sa voix était aussi rauque qu'il le ressentait.

— Tout le monde est différent. Pourquoi ne pas s'en préoc-cuper le moment venu ? suggéra le médecin.

Dare avait envie de le plaquer contre le mur et d'exiger des réponses, et son père dut le sentir, car il resserra son emprise sur l'épaule de Dare.

— Qu'est-ce qu'on peut faire ? Y a-t-il des spécialistes que nous pouvons faire venir pour l'aider à retrouver la mémoire ?

— La meilleure chose que vous puissiez faire pour l'instant est de lui rappeler gentiment qui vous êtes et de lui raconter des choses sur sa vie, suggéra le médecin d'un ton rassurant. La vue, l'odorat et le goût peuvent également l'aider à retrouver la mémoire, mais essayez de ne pas l'accabler et de ne pas lui mettre la pression. Répondez à ses questions, mais n'insistez pas. Elle a vécu beaucoup de choses et son cerveau travaille déjà dur pour essayer de combler les lacunes, donc elle se fatiguera probablement facilement.

— Se souvient-elle de ce qu'il faut faire ? demanda Bobbie.

— Ce type d'amnésie concerne des faits plutôt que des compétences, expliqua le médecin. Par exemple, une personne atteinte d'amnésie rétrograde peut oublier qu'elle possède un vélo, de quel type il s'agit et où elle l'a acheté, mais elle se souvient comment faire du vélo.

Ils poussèrent tous un soupir de soulagement.

— Quand pourrons-nous la voir ? ajouta Manny.

— Elle dort en ce moment et il est probable qu'elle fasse sa nuit. Je vous suggère de rentrer chez vous, de vous reposer et de revenir demain matin.

Dare n'allait nulle part. Pendant que le médecin s'éloignait et que les autres discutaient, il se mit en mode combat, imaginant d'autres moyens de rendre les souvenirs de Billie plus grands et plus forts que ceux de son enfoiré d'adversaire.

Il se mit sur le côté et appela Cowboy.

— Hé, mec ! Qu'est-ce qu'il y a ? Ça va ? lui demanda Cowboy.

— Oui. Billie est réveillée, mais elle est amnésique. J'ai besoin que tu me rendes un service...

CHAPITRE VINGT

BILLIE REGARDAIT les dizaines de photos encadrées qui recouvraient toutes les surfaces de sa chambre, même le plateau où quelqu'un avait laissé son petit déjeuner. Il y avait des photos de sa famille et de personnes qu'elle ne reconnaissait pas. Des groupes de personnes. D'autres familles peut-être, des hommes en moto, et des dizaines de photos d'elle et de ses deux garçons en skateboard, en snowboard, à moto et dans d'autres activités. Il y avait aussi un ordinateur portable sur la table de chevet. Ni les photos ni l'ordinateur n'étaient là hier soir, lorsque le médecin lui avait expliqué qu'elle avait eu un accident de moto et qu'elle souffrait de ce qu'on appelle une amnésie rétrograde. C'est pourquoi elle avait mal partout et ne se souvenait de rien. La personne qui lui avait apporté son petit-déjeuner lui avait dit que sa famille avait probablement apporté les photos et l'ordinateur portable pendant qu'elle dormait pour l'aider à se souvenir de son passé.

Elle prit une photo sur la table de chevet et l'étudia. Elle avait l'air jeune, tout comme les deux garçons avec qui elle était. Ils étaient tous assis sur des motos, et elle se trouvait au milieu. L'un des garçons était blond. L'autre ressemblait au brun qui était dans sa chambre hier soir et qui avait dit s'appeler *Dare*. Il avait l'air plus jeune sur la photo et il portait un chapeau de cow-boy, mais on ne pouvait pas se tromper sur ces yeux. Ils avaient ébranlé la jeune femme la nuit dernière. Lorsqu'elle s'était réveillée, ses yeux avaient été la première chose qu'elle avait vus, et en l'espace d'une seconde, elle avait senti ce regard sombre et intense comme s'il pouvait voir dans sa tête, dans son cœur, comme s'il cherchait, dégageant une énergie si intense qu'elle avait eu l'impression d'y entrer comme dans une spirale, et qu'elle n'avait pas pu s'en détacher. Elle avait l'impression qu'elle *devrait* savoir qui ils étaient, lui et l'autre type sur la photo, que toutes les informations les concernant étaient sur le bout de sa langue, mais qu'elle n'arrivait pas à les faire sortir. C'était comme regarder le monde à travers une loupe embrumée qu'elle voulait désespérément nettoyer, mais qu'elle n'arrivait pas.

C'était un peu terrifiant de penser que d'autres personnes détenaient ses secrets, alors qu'elle était maintenue dans l'obscurité. La porte de sa chambre s'ouvrit et sa mère jeta un coup d'œil. Elle fut soulagée.

— Bonjour, ma chérie. Est-ce que ton père et moi pouvons entrer ?

— Oui.

Elle posa la photo sur ses genoux, face contre terre. Elle ne se souvenait plus très bien de ses parents, mais elle les *connaissait* et se sentait en sécurité auprès d'eux. Le sourire chaleureux de son père la frappa d'une manière qui lui fit dire qu'ils avaient dû être proches. Il tenait un sac dans une main, et son autre main reposait sur le dos de sa mère lorsqu'ils arrivèrent à son chevet.

— Comment te sens-tu, ma chérie ? demanda sa mère.

— Je vais bien. Elle ne voulait pas inquiéter les seules personnes qu'elle connaissait dans ce monde.

Son père pencha la tête, les yeux plissés, une expression qui lui était également familière.

— Tu en es sûre, ma chérie ?

L'adjectif affectueux lui procura une nouvelle bouffée de bonheur.

— J'essaie d'aller bien, avoua-t-elle.

— Peut-être que ceci te fera te sentir un peu mieux.

Il ouvrit le sac et en sortit une canette de root beer, la regardant curieusement tandis qu'il l'ouvrait et la lui tendait.

— C'est notre truc, n'est-ce pas ? Boire de la bière ? Je m'en souviens.

— Vraiment ?

Les yeux de sa mère étaient écarquillés et pleins d'espoir.

— Oui, mais je ne sais pas *pourquoi* c'est notre truc.

— Je peux te le dire, proposa son père d'un ton pensif. Ta sœur, Bobbie, est plus jeune que toi, et après sa naissance, il m'arrivait de t'emmener travailler avec moi au bar familial quand j'ouvrais pour le déjeuner, et nous prenions le repas ensemble pour donner un peu de répit à ta mère. Un jour, tu étais en colère à propos d'une chose ou d'une autre, et tu m'as vu servir une bière à un client et lui parler d'un problème qu'il rencontrait. Tu m'as demandé une bière et tu t'es énervée quand je t'en ai refusé une.

— Nous sommes propriétaires d'un bar ?

— Oui, et tu aimes le gérer, précisa sa mère. Tu as en quelque sorte grandi là, en faisant tes devoirs pendant que nous travaillions.

Elle *voulait* se souvenir de tout ce qu'ils lui disaient. Elle avait l'impression de pouvoir s'en souvenir presque, mais c'était hors de portée.

— Quel âge j'avais quand l'histoire de la bière a eu lieu ?

— Presque quatre ans, répondit son père.

Presque quatre ans.

— J'étais pénible ?

— Non, dit-il en souriant. Mais tu n'as jamais aimé qu'on te dise que tu ne pouvais pas avoir ou faire des choses, et tu t'es assise au bar en faisant la moue. Mais tu n'as pas boudé comme une gamine qui pleurniche. Tu m'as jeté un regard noir, et si les regards pouvaient tuer, je ne serais pas ici en ce moment.

Elle rit doucement.

— *J'ai été* pénible.

— Non, chérie, ajouta sa mère. Tu étais farouche et c'est ce que nous aimons chez toi. Quand je suis venue te chercher ce jour-là et que j'ai vu à quel point tu étais en colère, j'ai suggéré qu'on te donne une bière *spéciale*.

— De la Root beer.

— C'est ça. Seulement, une fois que tu l'as eue dans les mains, tu as voulu t'asseoir au bar et raconter à ton père ce qui t'avait mis en colère en arrivant, comme l'avait fait le client.

Elle regarda son père.

— Tu te souviens de quoi il s'agissait ?

— Je n'oublierai jamais.

L'amusement surgit dans ses yeux.

Bobbie avait alors sept ou huit mois, et tu as dit que tu y avais réfléchi et que tu ne voulais pas de sœur. Tu voulais qu'on la renvoie et qu'on te donne un frère.

— J'espère que Bobbie ne connaît pas cette histoire. Que m'as-tu répondu ?

— Je t'ai dit que nous aimions beaucoup ta sœur et que nous ne l'abandonnerions pour rien au monde.

Son père sourit.

— Tu t'es encore plus énervée, mais nous avons parlé un moment, et à la fin de notre conversation, tu as dit qu'avoir une sœur ne serait pas si mal et tu as demandé si nous pourrions commander un garçon la prochaine fois.

— J'aime ma sœur, n'est-ce pas ? J'ai l'impression que oui.

— Oui, chérie. Tu l'aimes beaucoup et elle t'adore, dit sa mère. Elle est ici si tu veux la voir.

— J'aimerais bien.

— D'accord, mais d'abord, si tu buvais une gorgée de cette bière et que tu nous disais ce que tu ressens vraiment, suggéra son père.

Elle but une gorgée et le goût sucré réveilla quelque chose en elle. Pas des souvenirs précis, mais la sensation d'une époque comme celle qu'ils venaient de lui raconter et un sentiment de bonheur.

— Ce sourire est le bienvenu, affirma sa mère.

— La bière me rend heureuse.

— Tu souffres beaucoup ? demanda sa mère.

— J'ai l'impression qu'on m'a fait tomber du toit de l'hôpital.

La douleur se lit sur les visages de ses parents.

— Je suis désolée, chérie, dit sa mère.

— Devons-nous demander plus d'analgésiques ? proposa son père.

— Non. Je suis plutôt contente de pouvoir ressentir autre chose que l'engourdissement dû au fait que je ne me souviens plus de qui je suis, ni de ce que j'ai fait dans ma vie.

Sa mère lui toucha la main, ce qui la rendit encore plus heureuse.

— Le médecin a dit qu'il y avait de bonnes chances que ta mémoire revienne. Il faut juste que tu lui donnes du temps.

— Je l'espère.

— Le médecin a ajouté que tu pourrais te fatiguer facilement. Pourquoi ne pas aller chercher Bobbie pour toi ? suggéra sa mère.

— Nous t'aimons, ma chérie.

Son père se pencha pour l'embrasser sur la joue, puis sa mère l'embrassa aussi, et ils se dirigèrent vers la porte.

— *Attendez*, dit Billie avec anxiété. Je peux vous voir plus tard ?

— Nous en serions ravis, répondit sa mère. Ils vont te sortir de l'unité de soins intensifs aujourd'hui, et tu pourras nous voir tous ensemble, comme une famille.

Billie s'en réjouit après qu'ils aient quitté la chambre, et elle étudia à nouveau la photo, jusqu'à ce que sa sœur entre. Elle était jolie et avait le sourire de leur mère.

— Bonjour, lança doucement Bobbie, les yeux pleins de larmes.

Ses larmes mirent Billie mal à l'aise.

— Bonjour.

— Comment te sens-tu ?

Billie baissa les yeux sur ses plâtres. Elle était couverte de points de suture et d'écorchures, elle avait des côtes cassées et un tube dans la poitrine à cause d'un poumon affaissé. Le médecin a dit qu'on lui retirerait bientôt le tube. Elle eut l'étrange impression d'avoir perdu son souffle et ses souvenirs en même temps. Elle regarda sa sœur.

— J'espère que j'ai connu des jours meilleurs.

Bobbie rit doucement et cela la fit rire aussi.

Elle grimaça et passa son bras valide sur ses côtes.

— Ça fait mal.

— Je suis désolée. Je ne te ferai plus rire.

— Ce n'est pas grave. Je suis désolée de ne me souvenir de rien à propos de toi ou de nous.

Elle détestait se sentir si perdue et pensa à l'histoire que ses parents lui avaient racontée.

— Est-ce qu'on était proches ?

— C'est une question à laquelle il est difficile de répondre. J'ai envie de te dire oui et d'inventer une histoire sur notre complicité dans l'espoir qu'elle se réalise, mais l'infirmière m'a dit d'être aussi honnête que possible. Nous étions proches d'une certaine manière. Nous vivons ensemble depuis quelques années dans une belle petite maison et nous nous entendons bien. Tu as toujours été protectrice à mon égard et je t'ai toujours admirée.

Des larmes glissèrent sur les joues de sa sœur, et Billie détourna le regard pour essayer d'échapper au malaise que ces larmes provoquaient.

— *Désolée.*

Bobbie essuya rapidement ses yeux.

— Tu as toujours détesté que je pleure.

— Ah bon ? Je suis désolée, s'excusa Billie, se sentant mal.

— Ce n'est pas grave. J'ai toujours été plus émotive que toi.

La façon dont elle prononça cette phrase amena Billie à se demander ce qu'elle voulait dire et quel genre de personne elle était.

— Je suis *une peste* ?

Bobbie sourit.

— Non, mais tu as ton petit caractère.

— J'étais une garce. Je le vois à la façon dont tu l'as dit.

— Non, pas du tout. Je te le promets.

— Alors pourquoi as-tu dit qu'on était proches *d'une certaine façon* et pas seulement qu'on était proches ?

— Nous sommes juste différentes.

Bobbie soupira.

— Tu aimes avoir le contrôle et garder les choses pour toi,

alors que j'ai tendance à montrer mes sentiments. Nous n'avons pas les mêmes centres d'intérêt. Je te rendais folle en te parlant de coiffure et de maquillage, ou de vêtements et de garçons, et tu n'aimais rien de tout cela.

Elle essaya de comprendre ce qu'elle disait.

— J'aime les filles ?

— Non. Tu aimes vraiment les hommes. Nous avons juste des intérêts et des personnalités différentes. Tu es beaucoup plus dure que moi. C'est ce que j'admire chez toi.

— Merci.

— Pour être honnête, il n'y a que deux personnes dont tu as été *vraiment* proche.

— Qui sont-elles ?

Bobbie jeta un coup d'œil dans la pièce et s'approcha du rebord de la fenêtre. Elle saisit une photo et la remit à Billie.

— Nous étions adolescentes, et c'est un lac où nous avions l'habitude d'aller.

Billie étudia la photo. Elle était sur les épaules de celui qu'elle croyait être Dare, et Bobbie était sur les épaules du garçon blond qui était sur l'autre photo qu'elle avait regardée. Billie eut à nouveau cette impression, comme si elle connaissait son nom mais n'arrivait pas à mettre le doigt dessus. Bobbie désigna Dare du doigt.

— C'est Dare Whiskey. Son vrai nom est Devlin, mais quand vous étiez plus jeunes, vous avez commencé à l'appeler Dare parce que vous pouviez le mettre au défi de faire n'importe quoi, et il le faisait.

Elle pointa du doigt le blond.

— C'est Eddie Baker. Vous l'appeliez Eddie, le Roc parce qu'il était toujours prudent et prêt à tout. On pouvait toujours compter sur eux deux, mais on savait qu'Eddie prendrait la route la plus sûre et Dare la plus risquée. Vous étiez tous les trois les meilleurs amis du monde et vous faisiez tout ensemble.

Billie promena ses doigts sur leurs visages.

— C'est Dare qui a apporté toutes ces photos pour t'aider à te souvenir.

— Devlin « Dare » Whiskey et Eddie « Le Roc » Baker.

— Leurs noms te disent quelque chose ? demanda-t-elle avec espoir.

Billie secoua la tête.

— Non.

— Dare n'a pas quitté l'hôpital depuis que tu es là. Il t'aime beaucoup.

— Il m'aime. C'est étrange d'entendre cela à propos de quelqu'un que je ne connais pas. Est-ce que je l'ai aimé ?

Bobbie acquiesça, essuyant rapidement les larmes qui coulaient sur ses joues.

— Je suis *désolée*. J'essaie de ne pas pleurer, mais tu l'aimais tellement, et il te rendait incroyablement heureuse.

— Est-ce que j'ai aimé Eddie Le Roc ?

— Oui, beaucoup.

Billie réfléchit un instant.

— Je les aimais tous les deux ? Comment ça se fait ?

— Je pense que la différence est que tu aimais Eddie, mais que tu étais *amoureuse* de Dare. Tu aimerais voir Dare et lui poser ces questions ?

Elle réfléchit à cette question, car la façon dont il l'avait regardée la nuit dernière l'avait fait vibrer. Tout son être *avait voulu* qu'elle se perde en lui, bien qu'elle n'ait pas été capable de rassembler les fragments d'un seul jour de sa vie ou de leur relation. Bobbie avait raison. Elle n'aimait pas se sentir hors de contrôle. Mais si tout ce que Bobbie disait était vrai, alors Billie se devait à elle-même, et à Dare, d'essayer de se souvenir.

— Oui, répondit-elle finalement. Mais est-ce que je peux te poser encore quelques questions ?

— N'importe quoi.

— Eddie est là aussi ?

Le visage de Bobbie se décomposa.

— Non. Je suis désolée, Billie, mais Eddie est mort dans un accident, il y a plusieurs années.

— Oh, c'est si triste. Je ne me souviens ni de lui, ni de l'accident.

Elle était tellement frustrée. Elle détestait savoir qu'elle avait perdu quelqu'un dont elle était proche et qu'elle ne pouvait même pas l'honorer par un simple souvenir.

— C'est sans doute une chance. Nous étions tous dévastés.

— Ai-je été gentille avec lui ?

— Tu étais merveilleuse pour lui. Dare et toi étiez ses meilleurs amis.

— J'ai ce sentiment bizarre que je ne suis pas quelqu'un de bien, et je ne sais pas pourquoi, ni ce que cela signifie.

Cela fit pleurer sa sœur, et Billie craignit que cela ne signifie qu'elle ne l'était pas.

— Tu es une personne *formidable* et nous t'aimons tous beaucoup.

Billie resta silencieuse pendant un long moment, réfléchissant à tout ce que ses parents et sa sœur avaient dit. Bobbie était gentille et l'aimait visiblement beaucoup, et Billie voulait essayer de se rapprocher d'elle, si c'était possible.

— Papa m'a raconté que quand tu étais petite, je voulais qu'ils t'échangent contre un frère, mais je ne crois pas avoir jamais vraiment voulu qu'ils se débarrassent de toi.

— Je parie que c'était parfois le cas. J'étais une peste. Quand j'étais petite, j'essayais de te suivre partout, et quand nous avons grandi, j'ai emprunté certains de tes vêtements les plus sexy sans que tu le saches, mais ils ne m'allaient jamais aussi bien qu'à toi, et tu t'en rendais toujours compte de toute façon.

— Tu es magnifique. Je parie que tu fais tourner les têtes partout où tu vas, avec ou sans vêtements sexy. Tu es aussi plus gentille que quelqu'un qui *a ses mauvais jours.*

— Merci. Je sais que tu n'aimes pas les câlins, mais est-ce que je peux te serrer dans mes bras si je le fais avec précaution ?

Bobbie eut à nouveau les larmes aux yeux.

— J'avais tellement peur qu'on te perde.

Billie eut la gorge serrée et acquiesça. Bobbie la prit dans ses bras et son shampooing parfumé au citron lui procura les mêmes sensations de chaleur et de bonheur qu'elle avait ressenties avec ses parents.

— Je t'aime, dit Bobbie doucement.

— Je t'aime aussi.

Pour une raison inconnue, cela fit pleurer Bobbie plus intensément.

— Qu'est-ce que je peux faire pour t'empêcher de pleurer ?

Bobbie rit et effaça ses larmes.

— Je ne peux rien faire. Je suis faite comme ça, tout comme tu es faite pour être dure. Je vais aller chercher Dare.

— *Attends.*

Billie lui prit la main.

— C'est étrange de savoir que n'importe qui peut me mentir et dire qu'il me connaît, ou que nous avons fait des choses, et je ne verrai pas la différence.

— C'est une pensée effrayante.

— Y a-t-il quelque chose que je devrais savoir sur Dare ?

Son regard se réchauffa.

— *Oui.* Il ne te mentirait jamais.

— Parce qu'il m'aime ?

— Parce que c'est le genre d'homme qu'il est, et tu dois savoir que lorsque vous avez eu l'accident, il a rampé sur plus de quinze mètres avec une jambe cassée, une épaule fracturée, des côtes cassées *et* une blessure à la poitrine pour te rejoindre.

— *Waouh.* Il a l'air un peu fou.

— Il est absolument fou de toi, et c'est peut-être un peu le bon genre de fou, aussi, comme toi.

— Qu'est-ce que tu veux dire par là ?

— Juste que j'ai toujours admiré ton intrépidité. Je vais chercher Dare.

Billie regarda les deux photos sur ses genoux pendant qu'elle attendait, essayant de faire le lien entre le garçon et l'homme qui avait rempli sa chambre de douzaines de photos et qui avait rampé sur quinze mètres malgré ses propres blessures, juste pour l'atteindre. Il semblait trop beau pour être vrai.

La porte de sa chambre s'ouvrit et le visage inquiet de Dare apparut.

— Ça te dérange si j'entre, chérie ?

Il portait un chapeau de cow-boy, un débardeur noir surdimensionné et un short cargo et s'aidait d'une béquille sous son bras gauche. Un sac à dos était accroché à son poignet gauche. Sa jambe gauche était plâtrée sous le genou et son bras droit était en écharpe et attaché à sa très large poitrine. Son visage était couvert d'égratignures et il avait un bandage au-dessus de l'œil gauche. Son cou, ses épaules et sa poitrine étaient couverts de tatouages. Et ses yeux sombres étaient aussi intenses que réfléchis.

Elle avait envie de lui arracher son chapeau de cow-boy et de le mettre sur sa tête, et la façon dont il disait " *chérie* " faisait battre son cœur plus vite, mais c'était l'énergie qui crépitait dans l'air entre eux alors qu'il soutenait son regard qui faisait que sa voix était étrange et un peu essoufflée.

— Bien sûr.

— Comment te sens-tu ?

Il posa le sac à dos sur le sol et appuya la béquille sur la table de nuit.

— Probablement comme toi, sauf que mon cerveau ne fonctionne pas et que le tien fonctionne.

— Ton cerveau fonctionne, Mancini. Il est juste fatigué d'avoir reçu des coups.

La façon dont il prononçait son nom de famille le rendait spécial.

— Pourquoi tu m'appelles comme ça ?

— Parce que tu es *ma* Mancini.

Il le dit d'un ton détaché. Comme si c'était une vérité dont elle ne se souvenait pas, et puis il sourit. Il était déjà beau, avec ses joues poilues et sa mâchoire ciselée, mais ce sourire lui donnait des fourmis dans les jambes, ce qui était idiot, car même s'ils avaient apparemment une longue histoire ensemble, il restait un étranger pour elle.

LE REGARD INQUIET de Billie était à peu près la seule chose qui aidait à calmer l'envie de Dare de grimper sur son lit, de la prendre dans son bras valide et de lui professer son amour jusqu'à ce qu'elle se souvienne de chaque petite chose à leur sujet. Mais il était déterminé à ne pas lui rendre la tâche plus difficile, même si c'était une torture pour lui. *De doux rappels,*

murmurait la voix de sa mère. Elle avait passé les dernières heures à le lui rappeler.

— Tu ne t'en souviens peut-être pas, dit-il avec désinvolture. Mais tu m'appelles souvent *Whiskey*.

— C'est vrai ? Pourquoi ? Parce que c'est ton nom de famille ?

— J'aimerais penser que c'est parce que tu aimes mon goût, mais la vérité, c'est que tu m'appelles comme ça depuis que nous sommes enfants. Je pense que cela nous a rendus plus égaux. Tu ne me laissais jamais prendre le dessus sur toi. Si je te battais dans une course, tu voulais faire la course encore et encore jusqu'à ce que tu gagnes. Mais nous n'avons jamais été égaux, Billie. Tu m'as toujours époustouflée.

Elle sourit un peu timidement et regarda les photos qu'elle avait sur ses genoux.

— Merci de m'avoir apporté toutes ces photos.

— J'espère qu'elles t'aideront à te rappeler à quel point ta vie a été belle.

Elle le considéra d'un air pensif.

— Ma sœur m'a dit que tu t'étais traîné jusqu'à moi après l'accident. Ça a dû faire mal.

— Ma chérie, je t'aime tellement que rien ne pourrait me faire plus mal que l'idée de te perdre.

Il poussa un juron.

— Je suis désolé. Je ne voulais pas te mettre la pression.

— Je ne ressens pas de pression. Je regrette que ce soit gênant. Bobbie a dit qu'on s'aimait.

— *L'amour.* Nous nous *aimons.* Cela ne change pas à cause d'un accident. Tu ne te souviens peut-être pas que tu m'aimes en ce moment, mais notre amour ne ressemble à aucun autre. Il dure depuis que nous sommes enfants, et je passerai chaque jour du reste de notre vie à te donner des raisons de tomber amoureuse de moi. Je ne t'abandonne pas, Mancini.

Les larmes montèrent aux yeux.

— *Désolé*. Je ne voulais pas te faire de peine.

— Ce n'est pas le cas. J'aimerais juste me souvenir de nous. Nous devions représenter le monde l'un pour l'autre pour que tu dises ces choses. Je me sens mal pour toi parce que je suis tellement brisée.

Il se pencha plus près d'elle, voulant qu'elle entende chacun de ses mots.

— Tu n'es pas brisée, Billie. Nous avons eu un horrible accident et nous avons de la chance d'être en vie. Ton esprit a juste besoin de temps pour rattraper le temps perdu, et il n'y a pas d'urgence, pas de pression.

Même en disant cela, cette bombe à retardement continuait à faire tic-tac au fond de son esprit.

— Tu es vraiment quelqu'un de bien.

— Je suis un fils de pute arriviste, mais j'essaie aussi d'être quelqu'un de bien. Y a-t-il quelque chose dont tu voudrais parler ? Quelque chose que tu aimerais savoir ?

— Je veux en savoir plus sur toutes ces photos. On dirait qu'on s'est bien amusés.

Son regard se porta sur les photos posées sur ses genoux et son sourire s'estompa.

— Mais Bobbie m'a parlé d'Eddie.

— Ah oui ?

Elle hocha la tête.

— Je ne me souviens pas de lui, mais je suis triste qu'il soit mort.

— Nous l'aimions beaucoup. Que dirais-tu de regarder un film ? J'en ai un qui te donnera une bonne idée de toutes ces photos et de notre vie ensemble avant l'accident d'Eddie.

— J'aimerais bien.

— Tu crois que je peux m'asseoir sur le lit avec toi ? Pas de câlins, juste pour partager le goûter et regarder le film ?

Elle sourit.

— Tu es drôle. Je n'ai qu'une bière, mais tu peux la partager avec moi.

Il prit le sac à dos.

— J'ai tout ce qu'il nous faut.

Il s'installa avec précaution sur le matelas à côté d'elle et fouilla dans le sac à dos pour en sortir un paquet d'Oreos, des chips barbecue et deux Capri Suns.

— Est-ce que j'aime ça ? Demanda-t-elle.

— On va dire que oui. Macaron le Glouton ne t'arrive pas à la cheville.

Son visage se figea.

— Qu'est-ce qui ne va pas ?

— C'est juste frustrant. J'ai l'impression de savoir qui est Macaron le Glouton, d'avoir entendu ce nom un millier de fois, mais je n'arrive pas à l'imaginer.

Dare reposa l'ordinateur portable sur ses genoux et afficha une photo de Macaron.

Ses yeux s'illuminèrent.

— Je le connais ! Je m'en souviens. *Sesame Street*, c'est ça ?

— Exact !

Il se pencha pour l'embrasser et elle recula.

— Désolée.

Bon sang.

— Je me suis laissé emporter. Je suis vraiment désolé. C'est juste instinctif avec toi.

— Ce n'est pas grave.

— Non, ça ne l'est pas. Mais je ne veux pas rendre ça plus difficile ou tout gâcher pour toi.

— J'ai une nouvelle pour toi. C'est déjà une situation assez compliquée.

— Je sais, mais nous allons en tirer le meilleur parti. Tu vas tomber amoureuse de moi encore et encore, et quand tu auras retrouvé la mémoire, tu m'aimeras encore plus.

Elle l'étudia, les yeux plissés. Il pouvait pratiquement entendre les rouages de sa tête se mettre en branle, décortiquant ses mots. Ce n'était pas grave. Il n'avait rien à cacher. Surtout pas à elle.

— Tu n'abandonnes vraiment pas les gens, n'est-ce pas ?

— Pas d'habitude et certainement pas en ce qui te concerne.

— Et si je ne tombe pas amoureuse de toi ? demanda-t-elle prudemment.

— Cela n'arrivera pas. Tu m'as dit un jour que je t'avais empêché d'aimer quelqu'un d'autre.

Elle prit un Oreo, les rouages se remettant en marche, et mordit dedans. Tout son visage rayonna.

— Ça, *j'aime* bien.

Elle attrapa le paquet et le rangea contre son autre côté.

— Tu peux manger les chips.

Il rit, puis se saisit les côtes, étouffant un gémissement de douleur.

— Tu es sérieuse, Mancini ? Tu ne donnes même pas un biscuit à un blessé ?

— Tu peux en avoir *un*, dit-elle avec insolence. Mais tu dois me laisser goûter les chips.

— Pour que tu découvres que tu les aimes et que tu les voles aussi ? Pas question, dit-il en la taquinant et en lui tendant le paquet de chips.

Elle les rangea dans son autre poche avec un sourire malicieux.

— Tu vas lancer le film ou quoi, Whiskey ?

Elle n'avait peut-être pas retrouvé la mémoire, mais elle n'avait certainement pas perdu sa fougue. Il se dirigea vers le film et s'installa contre l'oreiller.

— Je vais mettre mon bras autour de toi pour que nous ayons plus de place, et tu pourras t'appuyer contre moi, mais s'il te plaît, vas-y doucement.

Elle s'appuya prudemment contre lui et ils grimacèrent tous les deux.

— Nous formons une sacrée paire.

— Nous sommes un duo parfait. Tu verras.

Pendant qu'ils regardaient le film, Dare vit son expression passer des froncements de sourcils aux sourires. Elle posa des dizaines de questions sur leur âge et leurs activités. Elle mangea des chips et des biscuits et but leurs deux Capri Suns. Ils rirent et le regrettèrent, gémissant tous deux de douleur. Dare attendait l'éclaircie qui la ramènerait à lui. Mais ce moment ne vint jamais.

Lorsque le film se termina, elle reposa sa tête contre son torse en soupirant lourdement. Elle appuyait sur sa blessure, mais il n'osait pas bouger, voulant s'imprégner de chaque instant qu'elle voulait bien partager. Il voulait lui demander si elle se souvenait de quelque chose, mais il essayait de ne pas lui mettre la pression, alors il préféra dire :

— Qu'est-ce que tu as pensé du film ?

Elle releva la tête pour le regarder, des larmes brillaient dans ses yeux fatigués.

— J'aimerais pouvoir me souvenir de tout. Eddie a l'air merveilleux et nous nous sommes bien amusés tous les trois, n'est-ce pas ?

— Il n'y avait rien que nous ne pouvions pas faire. Rien ne nous arrêtait.

On l'est toujours, ma chérie. Tu verras.

Elle passa paresseusement ses doigts sur le tatouage qui ornait le dessous de son avant-bras.

— Tu as beaucoup de tatouages. Tu en as un pour nous trois ?

— Oui. Nous devions tous nous en faire un l'été suivant notre sortie du lycée, mais Eddie s'est dégonflé, et tu as dit que s'il n'en faisait pas, tu n'en ferais pas non plus. Je ne peux pas te le montrer maintenant, parce qu'il est sur mon dos. C'est écrit *Casse-Cous* avec des flammes qui sortent du premier *C*.

— Comme au début du film, dit-elle en s'endormant.

— Oui, c'est ça. Tu veux voir celui que je t'ai offert ?

Elle plissa les sourcils.

— D'accord.

Il leva le menton et toucha le tatouage qui couvrait le devant de son cou.

— C'est un phénix, le symbole de l'immortalité, parce que mon amour pour toi ne mourra jamais.

Son regard s'adoucit.

— C'est un grand engagement. Quand l'as-tu fait ?

— L'année qui a suivi la perte d'Eddie. Tu étais en deuil, et tu as fait de ton mieux pour m'écarter de ta vie.

— C'est horrible. Nous étions de si bons amis dans ce film.

— Il n'y avait pas d'amis plus proches que nous. Mais c'était une période compliquée.

— Comment avons-nous fini ensemble si je t'ai repoussée ?

Il sourit, se souvenant de l'expression de son visage lorsqu'il s'était incrusté sur sa piste de course.

— Je suis plutôt irrésistible.

— Eh bien, tu as les meilleurs en-cas.

Cela ressemblait tellement à la fille qu'il aimait qu'il devait se rappeler qu'elle ne se souvenait toujours pas de lui.

— Et j'ai la meilleure amie.

Elle bailla.

— Désolée, je ne sais pas pourquoi je suis si fatiguée.

— L'accident t'a fait beaucoup souffrir.

La dernière chose qu'il voulait faire était de sortir de ce lit et de passer la porte, mais il savait qu'elle avait besoin de se reposer.

— Je ferais mieux de te laisser dormir.

Il embrassa le sommet de son crâne, déplaça le tout sur la table de chevet et descendit prudemment du lit en attrapant sa béquille.

— Tu veux que je ferme tes rideaux ?

Il n'était pas encore midi.

— Non merci, je suis tellement crevée que je pourrais dormir pendant un tremblement de terre. Tu devrais probablement te reposer aussi.

— Je vais bien.

Il ne se reposera pas tant qu'elle ne sera pas revenue vers lui.

— Merci pour tout.

— Tout le plaisir est pour moi, ma chérie.

Elle sourit, ce qui lui donna envie de l'attirer dans ses bras.

— J'aime quand tu m'appelles chérie. Je peux te voir plus tard ? demande-t-elle avec espoir. À moins que tu ne sois trop occupé ou fatigué.

— Je t'ai dit hier soir que je ne quitterai pas cet hôpital sans que tu sois à mes côtés, et je le pensais vraiment.

— Je suis désolée. Je ne m'en souviens pas, dit-elle doucement en baillant à nouveau.

— Tu ne t'étais pas encore réveillé. Mais je le pensais quand même. Ferme les yeux et laisse ton beau cerveau se reposer avant qu'ils ne viennent t'emmener dans ta nouvelle chambre.

— Ils ont intérêt à déplacer toutes ces photos avec moi.

Elle regarda autour d'elle.

— Tu as oublié ton ordinateur portable et ton sac à dos.

— Je déplacerai moi-même les photos une fois que tu auras trouvé une chambre, et j'ai laissé l'ordinateur portable au cas où tu voudrais revoir le film. Tout ce que tu as à faire, c'est de l'ouvrir et d'appuyer sur play.

— Et ton sac à dos ?

— Il y a un peu plus de collations dedans, au cas où tu aurais faim le soir. C'est souvent le cas.

Cela m'a valu un autre sourire doux.

— Ne t'inquiète pas. Je m'occupe de toi, chérie. Repose-toi.

— D'accord, dit-elle en s'endormant, en se calant contre l'oreiller et en fermant les yeux.

Il la contempla longuement une dernière fois. *Je vais te faire tomber amoureuse de moi tous les jours jusqu'à la fin de nos vies, Mancini. Que tu récupères ta mémoire ou non.*

CHAPITRE VINGT-ET-UN

— OH FANTASTIQUE, VOUS êtes réveillée, déclara l'infirmière en entrant dans la chambre de Billie.

Celle-ci mit un doigt sur ses lèvres, la faisant taire, et désigna Dare, qui dormait profondément dans le fauteuil incliné dans le coin de la pièce. C'était jeudi soir et elle avait quitté l'unité de soins intensifs depuis plusieurs heures. Dare et sa famille avaient déplacé toutes les photos qu'il avait apportées, et des dizaines de vases débordant de belles fleurs avaient été livrés tout au long de l'après-midi. Une fois installée, la famille du jeune homme lui avait rendu visite, et elle avait vraiment apprécié de les rencontrer. Ils étaient drôles et gentils et lui avaient raconté des dizaines d'histoires sur Dare et elle, depuis l'enfance jusqu'à la nuit de l'accident, où elle était apparemment montée sur le bar de sa famille et avait dansé avec lui. *Sur. Le. Bar.*

Elle recollait petit à petit les morceaux de sa vie, et d'après ce qu'elle avait appris jusqu'à présent, elle était une bonne sœur, mais elle pouvait, et voulait, faire mieux. Elle était amusante, aimait faire du sport et prendre des risques, mais elle était aussi un peu maligne. Elle s'interrogeait sur *les moments* que sa sœur avait mentionnés et quand elle avait posé la question à la famille de Dare, ils avaient un peu hésité, et sa mère avait fini par dire : *Nous avons tous nos moments, chérie.* Billie avait l'impression que ses moments à elle étaient plus importants que les leurs, mais elle ne pouvait pas le confirmer par autre chose qu'un ressenti.

— J'ai apporté vos médicaments contre la douleur, chuchota l'infirmière en tendant à Billie un petit gobelet en papier contenant des pilules et un verre d'eau qui se trouvait sur son plateau.

Elle observa Dare d'un air pensif pendant que Billie prenait le médicament.

— Je n'arrive toujours pas à croire qu'il ne vous ait pas quittée. C'est le genre de gestes galants que l'on ne trouve que dans les romans d'amour.

— Je ne connais rien aux romans d'amour, ni à rien d'autre que les Oreos et les chips, murmura Billie pendant que l'infirmière vérifiait les moniteurs. Mais il est facile de comprendre pourquoi je serais tombée amoureuse de lui.

Et il n'y avait pas que Dare. Elle avait le sentiment d'avoir été amoureuse de sa famille aussi. Ils étaient si aimants envers elle aujourd'hui, même ses frères, et ils semblaient la connaître si bien que son manque de mémoire en était encore plus exaspérant. Elle détestait dépendre des autres. Au moins, l'infirmière avait retiré son cathéter et sa perfusion. Même si elle était mal à l'aise et qu'elle devait demander de l'aide pour aller aux toilettes, elle était contente d'avoir un peu de contrôle sur *quelque chose*.

— Vous souvenez-vous de quelque chose d'autre ?

— Juste des flashs, ou des bribes de souvenirs, dont j'ai parlé quand la famille de Dare était ici, mais rien que je puisse retenir. Je déteste ce sentiment. C'est comme si toutes ces informations étaient là, mais que je n'arrivais pas à les saisir.

Le médecin s'était montré très encourageant et plein d'espoir lorsqu'elle lui avait raconté le genre de choses dont elle se souvenait, même si elle avait l'impression qu'il ne s'agissait que d'instants fugaces. Elle se souvenait de quelques souvenirs de son enfance, mais ce n'était que des flashs de choses quotidiennes, comme courir dans un champ avec Dare et Eddie, l'odeur des chevaux, les petits déjeuners avec sa famille.

— Je sais que c'est frustrant, mais ce sont de très bons signes, lui souffla l'infirmière. Vous faites des progrès. Vous avez beaucoup de gens qui vous aiment et vous soutiennent, et j'espère que plus vous en apprendrez sur vous-même, plus vous vous en souviendrez. Dare et vous m'avez appris quelque chose depuis que vous êtes à mon étage.

— Quoi ?

— Qu'il est temps de rompre avec mon petit ami. Cet homme est ma nouvelle référence.

Elle sourit.

— Je peux vous apporter quelque chose avant de partir ?

— Je vais bien et je suis désolée de vous avoir donné envie de rompre avec votre petit ami.

— Ne le soyez pas. Ça fait longtemps que j'y pense. Vous m'avez rendu service.

— Eh bien, je n'ai rien fait. Tout le mérite en revient à Dare. Merci encore de l'avoir laissé rester ce soir.

— Le laisser ? Il a fait savoir à toutes les infirmières qu'il n'acceptait pas qu'on lui dise non.

Elle lui fit un clin d'œil.

— Je viendrai vous voir dans un instant. Essayez de vous reposer.

Billie avait l'impression que tout ce qu'elle faisait, c'était dormir. Elle était si vite épuisée mentalement. Elle espérait que *ce* n'était pas permanent car elle détesterait passer la moitié de sa vie à dormir. Mais elle n'était pas fatiguée maintenant. Elle était agitée et avait faim.

Elle regarda les en-cas supplémentaires que Dare avait apportés dans le sac à dos et qui se trouvaient maintenant sur la table à côté d'elle – des barquettes de légumes coupés et de pommes tranchées, des crackers, du beurre de cacahuète, des barres chocolatées, de la root beer, des Capri Suns et un sachet de noix. Elle ne se souvenait plus de ceux qu'elle aimait, mais elle avait adoré ceux qu'elle avait déjà goûtés et savait qu'elle aimerait aussi les autres, car Cowboy lui avait dit que Dare lui avait donné une liste très précise de tous ses en-cas préférés. Sa plus jeune sœur, Birdie, qui passait d'un sujet à l'autre si rapidement que Billie avait du mal à suivre, avait apporté pour le dîner ce qu'elle avait dit être sa pizza préférée. Elle contenait du jambon, de l'ananas, des olives vertes et des champignons. Billie en avait mangé quatre parts et avait adoré chaque bouchée. Elle aimait savoir quels types d'aliments elle préférait et se sentait chanceuse d'avoir autant de personnes qui la connaissaient si bien.

Elle prit les tranches de pommes et le beurre de cacahuètes et posa l'ordinateur portable sur le lit à côté d'elle. Elle s'assit et regarda le film, trempant les pommes dans le beurre de cacahuètes et aimant leur goût. Elle étudia Eddie. Ses mouvements, sa voix et son sourire éclatant lui étaient si familiers qu'ils semblaient faire partie d'elle. Même sa voix lui était familière.

Vous n'avez pas vu de course avant d'avoir vu la seule et unique Billie "Badass" Mancini, la femme la plus acharnée derrière un guidon...

La personne la plus acharnée, corrigeait-t-elle dans le film.

Elle se demanda si c'était à cause de cet air narquois que Bobbie avait dit qu'elle avait ses moments de gloire. Elle n'en avait pas l'impression. Elle s'était vue gagner une course de motocross, et Dare avait lancé le poing en l'air en criant

Mancini en courant vers la piste. Eddie courait aussi, filmant et applaudissant, *C'est notre copine !* Alors qu'elle descendait de sa moto et enlevait son casque en criant *Les Casse-Cous font la loi* ! Dare l'avait prise dans ses bras et lui avait fait faire un tour sur elle-même. Elle se tourna vers l'appareil photo et fit signe à Eddie de s'approcher. Il les filma tous les trois à bout de bras, s'étreignant et riant, leurs visages entrant et sortant de la caméra alors qu'il pressait ses lèvres contre les siennes et disait : *Félicitations, chérie !*

Chérie...

Un flash d'Eddie à genoux surgit dans son esprit, lui coupant le souffle. Un autre flash de lui, portant d'autres vêtements. Un autre jour ? La blessure et la colère jaillirent de ses yeux tandis que sa voix traversait son esprit.

— *Je suis désolée. Ce n'est pas toi. C'est moi. Je t'aime, mais pas au point de vouloir t'épouser.*

Elle tremblait, haletait, tandis que le film à l'écran était effacé par celui qu'elle avait dans la tête. *Elle retirait une bague de fiançailles, essayant de la lui donner, mais il repoussait sa main.*

— *Je l'ai achetée pour toi, je veux que tu l'aies.*

— *Mais on ne va pas se marier.*

— *Ça n'a pas d'importance. Je t'aimerai toujours.*

— *Et je t'aimerai toujours.*

— *Mais pas comme tu le devrais.*

Il parla à voix basse, sa voix était rauque et torturée.

— *Je suis désolée ! Je n'ai jamais voulu te faire de mal.*

Ses yeux se rétrécirent, son angoisse la clouant sur place.

— *C'est Dare, n'est-ce pas ? Ça a toujours été Dare.*

Elle ouvrit la bouche pour nier, mais elle n'y parvint pas.

Eddie était furieux. Il s'éloigna d'elle, retournant vers Dare, qui se trouvait à l'autre bout du champ, mais il coupa à droite, se dirigeant vers les motos, et courut vers elles. Billie lui courut après, essayant de le rattraper, mais il était trop rapide, la distance trop grande. Il se saisit d'une moto, la toisant de ses mots.

— *Je vais te montrer comment faire un putain de flip.*

— Non ! cria-t-elle, des larmes coulant sur son visage alors que le film se déroulait dans son esprit.

Dare se précipita vers Eddie.

— *Ne fais pas ça, mec, supplia Dare. Tu n'es pas prêt pour un flip.*

— *Eddie, s'il te plaît, ne fais pas ça ! Tu vas te blesser !*

Dare saisit le bras d'Eddie, mais ce dernier le repoussa et s'élança en direction de la rampe.

— *Non ! Eddie…*

Billie retint son souffle alors qu'il monta la rampe et s'élança dans les airs. La moto se retourna, et elle pensa qu'il la tenait, mais il perdit sa prise, plongeant vers le sol alors que la moto s'élançait vers l'avant.

— Non ! Eddie…

Dare et elle sprintèrent vers lui. Ses poumons brûlaient et les larmes brouillaient sa vision. Dare l'atteignit quelques secondes avant elle et tourna sur lui-même, essayant de la repousser par le chemin qu'ils avaient emprunté.

— *Non, Billie ! Tu ne vas pas aller là-bas.*

Ils pleuraient tous les deux, criaient, et il l'attrapa par la taille alors qu'elle se débattait pour atteindre Eddie, puis elle le vit allongé sur le sol, la tête en sang, le cou et les membres pliés dans des positions impossibles, les yeux vides et la bouche inanimée ouverte, elle s'effondra sur le sol en criant.

— Billie ! Billie, tu vas bien. C'est moi, Dare !

Elle sursauta, essayant de voir à travers ses larmes lorsque le visage de Dare apparut. Son cœur battait la chamade et elle comprit qu'elle était en train de se battre contre lui et de crier.

— Tu vas bien, chérie. Tu es à l'hôpital. Nous avons eu un accident de moto et tu as perdu la mémoire.

— *Je sais*, dit-elle en s'étranglant.

Elle tremblait de tous ses membres.

— J'ai vu Eddie. Je me souviens du jour où il…

Les sanglots étouffèrent sa voix.

Dare la rapprocha prudemment de sa poitrine.

— Je suis désolé, ma chérie. C'était il y a longtemps.

Une infirmière entra en courant dans la chambre.

— Ça va, Billie ?

Elle posa une main sur son dos.

Billie hocha la tête contre la poitrine de Dare.

— Elle s'est souvenue de l'accident de notre ami, expliqua Dare. J'en ai parlé au médecin. Cela devrait être dans son dossier.

— C'est le cas, dit l'infirmière. Billie, si je vous donnais quelque chose pour vous aider à vous calmer ?

Elle leva le visage et regarda l'infirmière.

— Je ne veux pas me calmer. Je veux me souvenir, même si ça fait mal.

— Tu peux te reposer et on en reparlera plus tard ? demanda Dare.

— *Non*. Je veux en parler maintenant, pendant que j'ai une chance de me souvenir.

Il regarda l'infirmière.

— C'est bon ?

— Laissez-moi prendre ses constantes et m'assurer qu'elle va bien. Billie, je veux que vous vous asseyiez et que vous essayiez de vous détendre.

Elle ausculta Billie, et quand elle eut fini, elle dit :

— Tout semble bon. Je tiendrai le médecin au courant, mais vous devriez essayer de ne pas trop vous énerver.

— Merci.

Dare se tourna à nouveau vers Billie lorsque l'infirmière partit.

— Qu'est-ce que je peux faire ? Tu veux un verre d'eau ?

Elle secoua la tête.

— Je veux juste parler. Tu veux bien rester ici et t'asseoir avec moi ?

— Il faudrait une armée pour que je te laisse tranquille. Mais je veux que tu t'allonges pour que ton corps se détende.

Il nettoya la nourriture qu'elle avait laissée tomber sur la couverture et déplaça l'ordinateur portable sur la table de nuit. Puis il s'assit à côté d'elle, la glissant sous son bras valide, comme il l'avait fait plus tôt.

— Eddie et moi étions-nous fiancés ?

Il acquiesça.

— J'ai rompu avec lui parce que je t'aimais ?

— Oui, mais je ne l'ai su que récemment.

— Il est mort il y a combien de temps ?

— Six ans.

— Je me souviens de l'enterrement et de notre tristesse à tous.

Elle laissa couler ses larmes, tirant aussi celles de Dare. Il lui tendit la boîte de mouchoirs qui se trouvait sur la table de nuit. Elle renifla et s'essuya le nez.

— Je l'aimais tellement. Je le sens encore.

— Et il t'aimait, ma chérie.

— Est-ce qu'on en a parlé, toi et moi ? J'ai l'impression que oui.

— Nous l'avons fait, quelques fois.

— C'est pour ça que tu as dit que je t'avais repoussée. Je m'en souviens maintenant. J'ai repoussé tout le monde, n'est-ce pas ?

Il avait l'air peiné.

— Oui.

— C'est ce que Bobbie voulait dire quand elle disait que j'avais eu des moments difficiles. Je le sens.

Elle regarda le phénix sur son cou.

— Mais tu ne m'as jamais abandonnée.

— Et je ne le ferai jamais. Mais tu n'as jamais renoncé à toi non plus. Tu es la personne la plus forte que je connaisse, Billie.

Il lui raconta comment elle avait essayé de se rendre responsable de la mort d'Eddie et comment, après des années passées à se punir et à garder ses distances, elle l'avait finalement laissé entrer et avait réalisé que ce n'était pas de sa faute. Ils discutèrent longtemps et lorsqu'il lui rappela sa conversation avec leurs mères et sa visite aux parents d'Eddie, ces souvenirs lui revinrent aussi, ainsi que d'autres souvenirs récents. Comme refaire de la moto, apprendre à Kenny à en faire, aller courir, faire du kayak, passer du temps avec sa famille, et faire l'amour avec Dare.

— Tu rougis.

— Je me souviens de nous… *tu sais.*

Un lent sourire ourla ses lèvres et ses sourcils se haussèrent.

— De bons souvenirs, hein ? Tu n'as jamais rougi.

— Tais-toi.

Elle détourna le visage.

— C'est comme te voir nu pour la première fois.

— Regarde-moi, Mancini.

Quand elle le fit, ses yeux sombres étaient si pleins d'amour que c'était comme une étreinte.

— Ce rouge te va bien, et je peux t'assurer que tu as aussi

aimé ce que tu as vu la première fois.

Elle s'en souvenait aussi, mais cela lui paraissait un peu bizarre avec les trous de mémoire.

— Dis-m'en plus.

— Je crois que tu as dit quelque chose comme : *Bon sang, Whiskey. Je pensais avoir rêvé de cette glorieuse créature.*

Ses joues devinrent encore plus brûlantes.

— Je voulais parler d'autres choses que nous avons faites, pas *de ça.*

— Désolé, chérie. Je me suis trompé.

— Ce sourire me dit que tu n'es pas si désolé.

— Ok, tu m'as eu. J'ai dit que j'allais te faire retomber amoureuse de moi, et te faire savoir ce qui t'attend ne peut que t'aider.

Avec sa nature loyale et attentionnée, elle ne pensait pas qu'il avait besoin d'une aide supplémentaire.

Il continua à lui parler des endroits où ils étaient allés et des choses qu'ils avaient faites et plus il en parlait, plus les souvenirs affluaient. Ils n'étaient pas complets, et beaucoup étaient au mieux flous, mais c'était un début, et au fur et à mesure que les morceaux de ces années lui revenaient, son amour pour Dare augmentait. Cela ne la frappa pas d'un seul coup et ne lui coupa pas le souffle. Il s'était insinué en elle petit à petit. Au début, c'était un murmure de légèreté, un battement dans sa poitrine, un sourire dans son cœur, un désir dans ses reins, le sentiment de sécurité que lui procurait son contact. Ces sensations, et d'autres encore, se succédèrent jusqu'à ce qu'elle ressente une plénitude qu'elle ne pouvait nommer. Elle avait l'impression qu'ensemble, ils étaient vraiment inarrêtables, et cela lui donnait de l'espoir pour les souvenirs qui lui manquaient.

C'était un sentiment étrange que de ramasser tous ces morceaux brisés et de sentir son cœur les recoller, mais c'était aussi un soulagement de ne plus se sentir aussi perdue. Elle ferma les yeux, l'écoutant parler d'elle comme personne d'autre ne l'avait fait. Il était terriblement honnête, reprenant la description que Bobbie lui avait faite de sa dureté, lui disant qu'elle pouvait faire des remarques mordantes aux gens qui le méritaient – et à ceux qui ne le méritaient pas lorsqu'elle avait repoussé tout le monde. Il lui indiqua qu'elle en avait eu besoin et lui expliqua pourquoi. Il s'est dit fier de sa force et amoureux d'elle malgré tout. Il décrivit son côté sensible et la façon dont, parfois, tard dans la nuit, lorsqu'elle pensait qu'il dormait, elle déposait un baiser sur sa poitrine et lui murmurait *Je t'aime.* Elle s'en souvenait un peu.

Il ajouta qu'elle n'aimait pas parler de ses émotions et qu'elle ne lui avait dit que quelques fois qu'elle l'aimait, mais il affirma que ce n'était pas grave, parce qu'il le savait et qu'il n'avait pas besoin de l'entendre. Elle s'interrogea sur ce point, car cela lui faisait du bien quand il le lui disait. Il parlait d'une voix grave et réfléchie, comme s'il chérissait les moments dont il parlait, et elle comprit pourquoi personne d'autre n'avait essayé de lui dire qui elle était avec autant de détails.

Il lui manquait peut-être des années de souvenirs, mais elle n'en avait pas besoin pour être certaine d'une chose. Devlin "Dare" Whiskey la connaissait mieux que quiconque, et elle savait au fond de son cœur que l'inarrêtable Casse-Cou, qui avait marqué son amour pour elle sur son cou pour que le monde entier puisse le voir, le ferait toujours.

CHAPITRE VINGT-DEUX

DARE ÉTAIT ASSIS sous le porche avec Cowboy et Kenny, écoutant les rires et les bavardages venant de l'intérieur, où les mères et les sœurs de Billie mais aussi les siennes l'aidaient à se préparer pour leur rendez-vous. Entendre sa copine rire était l'un des sons les plus agréables au monde, au même titre que lorsqu'elle lui disait *"je t'aime"* et lui murmurait ces supplications coupables lorsqu'ils étaient proches l'un de l'autre. Ils étaient rentrés chez eux depuis près d'un mois et Billie avait retrouvé la plupart de ses souvenirs. De temps en temps, elle ressentait un brouillard autour d'un souvenir la première fois qu'il était évoqué, mais ces moments étaient rares. Elle était restée avec Dare, depuis qu'ils avaient quitté l'hôpital, et leurs familles s'étaient mobilisées autour d'eux, l'aidant à se doucher et à s'habiller, tandis que Dare s'obstinait à faire ces choses lui-même : préparer les repas, les emmener à leurs rendez-vous médicaux, et les choyer comme des fous. Il appréciait l'aide de chacun, mais les semaines à venir ne pouvaient pas passer assez vite. Il y a des limites à ce qu'un homme peut supporter avant de perdre la tête. Il avait hâte que les plâtres soient enlevés pour qu'ils puissent recommencer à faire des choses par eux-mêmes et avoir un peu plus d'intimité.

Il avait hâte d'avoir Billie pour lui tout seul pendant

quelques heures ce soir. C'était la dernière nuit du Festival on the Green, et ils étaient déçus d'avoir manqué cet événement d'une semaine, mais cela aurait été difficile de marcher avec des béquilles et d'avoir chacun l'usage d'un seul bras. Mais Dare n'allait pas la laisser manquer le feu d'artifice. D'autant plus qu'ils l'avaient manqué le 4 juillet. Ils en avaient besoin. Ni l'un, ni l'autre n'avait l'habitude de compter sur les autres ou de se la couler douce, et ils étaient à cran à cause de cela. Dare retrouvait ses patients, ce qui l'aidait. Même s'il organisait encore des séances en plein air, le travail manuel lui manquait. Billie avait raison de dire qu'il avait du mal à rester assis. Il avait presque autant de mal qu'elle à le faire.

Billie voulait désespérément retourner travailler au bar. Il n'en était pas question avant quelques semaines, mais elle passait plus de temps seule avec Bobbie, et il avait remarqué qu'elles étaient toutes les deux plus heureuses grâce à cela. Sa soeur l'avait emmenée quelques fois au *Roadhouse* pendant l'heure du déjeuner, et ce temps passé au bar semblait nourrir le moral de Billie presque autant que ses leçons avec Kenny. Elle avait insisté pour continuer à travailler avec lui, et Dare veillait à ce qu'il soit présent à chaque leçon, tout comme Doc. Ils avaient besoin d'au moins un adulte non blessé présent. Kenny avait même demandé à Doc de monter avec lui quelques fois, et cela rendait Dare immensément heureux de voir son frère aîné se lâcher un peu.

— Je n'arrive toujours pas à croire que je vais faire un tour de démonstration au lancement de Ride Clean, dit Kenny pour la dixième fois en autant de minutes.

Ses parents avaient approuvé l'idée et lui avaient annoncé la nouvelle juste avant que les filles n'arrivent pour aider Billie à se préparer.

— Tu devras t'entraîner beaucoup pour ne pas être trop nerveux le moment venu, insista Dare.

— Je m'entraînerais tous les jours si tu me laissais faire, s'exclama Kenny.

Cow-boy arqua un sourcil.

— Quand monteras-tu à cheval si tu fais de la moto tous les jours ?

— Quand on veut, on peut, dit Kenny en hochant la tête à la manière des Whiskey.

Tout le monde s'était extasié de l'excellent travail de Kenny, qui avait aidé Cowboy à organiser les promenades à poney lors du festival. Ces dernières semaines, il s'était tellement passionné pour les chevaux qu'il avait discuté avec Sasha pour devenir thérapeute en rééducation équine. Dare ne pouvait pas être plus fier de lui et il avait hâte de voir où se situaient ses passions au fil du temps. Ils avaient eu une excellente réunion avec ses parents et Kenny rentrerait chez lui cette semaine. Ces derniers avaient accepté qu'il travaille au ranch quelques heures par semaine jusqu'à la rentrée scolaire et qu'il continue à s'entraîner avec Billie même après la rentrée, à condition qu'il maintienne ses notes et qu'il évite les ennuis. Dare rencontrerait sa famille chaque semaine pour prendre la température et l'aider à résoudre les problèmes qui pourraient survenir.

Cowboy leva le menton en direction de Dare.

— Comment ça va là-bas ? Vous avez besoin de quelque chose ?

— Ouais, tu penses que tu peux te dépêcher de faire monter les filles ? Je suis prêt à m'éclater.

— Elles sortiront quand elles seront prêtes, dit Cowboy. Tu es nerveux pour ton grand rendez-vous ?

— Oui, effectivement, je le suis. C'est difficile de faire des avances à une fille quand on a tous les deux le corps cassé.

Il adressa un clin d'œil à Kenny qui se mit à rire.

— Je veux juste que ce soir soit parfait pour elle. Je veux voir ce sourire qui me frappe ici même.

Il se frappa la poitrine du poing et grimaça. Sa blessure à la poitrine était en grande partie guérie, mais s'il la frappait juste ce qu'il fallait, elle lui faisait mal.

— Je suppose qu'il faudra un certain temps avant que tu puisses sauter au-dessus des bus ou courir avec les taureaux, lança Cowboy.

— Je ne t'ai pas dit que je ne faisais plus ces cascades de haut niveau ?

— Oui, mais je n'y croyais pas.

Dare soutint son regard.

— Je le pensais vraiment. Je ne peux pas supporter l'idée que Billie, ou n'importe lequel d'entre vous, soit assis à côté de mon lit d'hôpital, ou pire.

Cowboy redressa son chapeau, le regard sérieux.

— Tu réalises que ton accident s'est produit simplement parce que tu conduisais, n'est-ce pas ? Pas besoin de faire des cascades.

— Ouais, et tu te rends compte que Billie et moi allons continuer à faire des trucs marrants, non ?

— Je m'en doutais.

Les lèvres de Cowboy se retroussèrent.

— Je sais que vous ne seriez plus vous-mêmes si vous laissiez la vie vous intimider au point de vous sacrifier.

— Il n'y a qu'une seule chose pour laquelle je me sacrifies, et c'est la magnifique brune qui en a probablement marre de se faire tripoter là-dedans. Je vais la sauver.

Dare saisit sa béquille et se leva.

Cowboy se leva d'un bond.

— Assois ton cul de boiteux. Je vais la chercher.

— Et si je ne le fais pas ?

— Elle sera assise près de ton lit d'hôpital à cause de ça.

Cowboy brandit son poing.

Kenny rit.

— Ne l'encourage pas.

Dare se rassit.

— Ce type a un complexe de sauveur plus grand que cet état.

— Il a grandi avec un petit frère qui se croit indestructible.

Cowboy ouvrit la porte et cria :

— Habillez-vous, mesdames. J'entre.

— Je pense toujours que tu as eu de la chance, dit Kenny alors que la porte se refermait derrière Cowboy. Tes frères et toi avez de bonnes relations.

— Ils me font chier.

— Tu es un emmerdeur pour moi, mais j'aime quand même traîner avec toi.

Dare s'esclaffa.

— Moi aussi, j'aime bien traîner avec toi, mon pote. Es-tu prêt à aller au festival ? Tu as tout ce qu'il te faut ?

Cowboy les emmenait voir le feu d'artifice, et Kenny allait traîner avec les familles de Billie et de Dare et les autres patients du *Ranch Rédemption* qui étaient déjà partis pour le festival avec Dwight, Hyde et Taz.

Kenny ramassa son chapeau de cow-boy et l'installa sur sa tête, faisant un signe de tête à Dare.

— Je suis prêt.

La porte s'ouvrit et Birdie sortit en courant, aussi brillante et rayonnante que son short violet, qu'elle portait avec un débardeur blanc et une paire de bottes à semelles compensées qui la rendaient plus grande de quinze centimètres. Ses cheveux étaient tressés en deux grosses nattes et elle portait un fard à paupières violet scintillant.

— Dare ! Ferme les yeux !

— *Birdie.*

Il voulait juste voir sa copine.

Elle croisa les bras.

— Ce n'est pas tous les jours que Billie se fait aider pour se préparer.

— On dirait bien, râla Dare en attrapant sa béquille, en mettant son chapeau et en se levant.

Birdie leva les yeux au ciel et commença à redresser sa chemise, une chemise écossaise sans manches et sans col, qu'elle avait apportée avec elle ce soir, ainsi qu'un short cargo beige, et qu'elle avait insisté pour que Dare porte. Elle avait dit qu'il devait s'habiller correctement pour leur premier rendez-vous après l'accident. Les vêtements étaient confortables et tout le monde l'avait complimenté, mais c'est la réaction de Billie qui l'avait convaincu de les garder. Elle s'était mordu la lèvre inférieure, et la chaleur dans ses yeux lui avait dit qu'elle l'avait fait pour ne pas dire les choses cochonnes qui lui passaient par la tête devant sa sœur. Ils avaient réussi à garder leurs mains pour eux les premiers jours pendant qu'ils se reposaient, mais ils avaient depuis trouvé des moyens créatifs d'utiliser leurs mains, leurs bouches et leurs coéquipiers à piles pour satisfaire leurs désirs.

— *Voilà*, dit Birdie en se reculant pour admirer Dare. Tu es vraiment beau.

— Merci, Bird.

— Billie aussi est *superbe.*

Elle sautilla sur place.

— Bobbie l'a coiffée, Sasha l'a maquillée et Alice, maman et moi l'avons aidée à choisir sa tenue et ses accessoires. J'ai hâte que tu la voies !

— Des accessoires ?

Billie n'avait pas d'accessoires. Elle était probablement en train de devenir aussi folle que lui.

Cowboy hurla de l'intérieur de la maison :

— Ferme tes yeux, Dare ! C'est toi qui m'as fait me dépêcher.

Dare ferma les yeux et entendit un flot de chuchotements étouffés, des bruits de pas et Billie qui boitillait sur le porche avec sa béquille, tandis que leurs mères s'extasiaient devant elle.

— D'accord, ouvre les yeux ! s'exclama Birdie.

Il ouvrit les yeux et perdit littéralement le souffle. Les cheveux de Billie étaient parfaitement brillants et ses yeux charbonneux et sexy. Il était heureux qu'ils n'aient pas recouvert les cicatrices sur son visage, parce qu'il l'aimait telle qu'elle était, et il ne voulait pas que quelqu'un lui donne l'impression qu'elle devait cacher une partie d'elle-même. Elle portait une robe bleu clair à bretelles spaghetti, avec des découpes en dentelle qui partaient de sa taille et formaient un V renversé au niveau de son sternum, bien que son écharpe en couvrait la moitié. Le haut de la robe épousait ses courbes, mais la jupe était ample, avec un minuscule volant quelques centimètres plus hauts que l'ourlet, qui lui arrivait juste au-dessus des genoux. Elle portait plusieurs bracelets en or autour d'un poignet et trois colliers en or. Le collier noir qu'elle portait auparavant avait été coupé après l'accident. Il attendait avec impatience le jour où il pourrait l'emmener en choisir un nouveau. Le collier le plus court qu'elle portait était orné d'un petit pendentif en diamant.

Il reconnut celui que ses parents lui avaient offert pour son diplôme de fin d'études secondaires. Pour son dix-septième anniversaire, il lui avait offert le collier de longueur moyenne avec le pendentif *D* en or, et son cœur battait un peu plus vite en se souvenant de ce jour. Le collier le plus long était composé de trois cercles reliés entre eux. Il ne le reconnut pas. Elle portait des baskets blanches qui avaient été ornées de pierres précieuses pour s'accorder avec sa robe et il savait que c'était l'œuvre de Birdie. Son plâtre, comme celui de Dare, avait été signé par pratiquement toutes les personnes qu'ils connaissaient.

— Bon *sang de bonsoir*, dit Kenny, tirant Dare de sa rêverie.

— Je sais, pas vrai ?

Cowboy leva un pouce vers Billie.

— Ça lui va *très bien*.

— Bon sang, chérie. Je ne crois pas t'avoir vue en robe depuis le bal de promo du lycée. Tu es magnifique.

— Tu as été au bal ? demande Kenny.

Billie sourit, les yeux rivés sur Dare.

— J'y suis allée avec Dare et Eddie.

— Oui, tu y es allée.

Dare sentit ce tiraillement dans sa poitrine qui se produisait chaque fois qu'elle évoquait un souvenir pour la première fois depuis leur accident.

— Et tu étais la plus jolie fille là-bas.

— Toi et moi ne voulions pas y aller, lui rappela-t-elle.

— C'est vrai, mais Eddie voulait y aller.

— Je m'en souviens.

Elle baissa les yeux sur la robe et lorsqu'elle croisa le regard de Dare, ses yeux se rétrécirent de manière séduisante.

— Alors, tu l'aimes bien, hein ?

— Je l'aimerai encore plus à notre étage plus tard, mais oui, tu es incroyablement sexy.

Il se souvint que Kenny était là et lui fit un clin d'œil, espérant qu'il prendrait ça pour une blague.

— *Bon sang*, grogna Cowboy. Il n'y a que vous deux pour penser *à ça* avec vos plâtres, vos côtes cassées et vos bras en écharpes.

Tout le monde rit.

— Le jeune amour est une belle chose, dit sa mère.

Alice regarda Billie.

— Et ça devient de plus en plus beau avec le temps.

Dare se pencha pour embrasser Billie.

— On y va, Mancini ?

Elle lui arracha son chapeau et le lui remit.

— Oui.

— Attendez ! cria Birdie. Je veux une photo !

Après avoir pris une centaine de photos, Billie, Dare et Kenny montèrent dans le camion à double cabine de Cowboy, les autres s'entassèrent dans la voiture d'Alice et ils se dirigèrent vers le festival.

Peu de temps après, ils passèrent sous une bannière FESTIVAL ON THE GREEN accrochée en travers de la route au centre d'Allure, une petite ville pittoresque avec des routes pavées de briques, des réverbères à l'ancienne et des devantures de magasins en briques avec des clôtures ornée et en fer, toutes décorées pour le festival. Une foule de festivaliers se rendait sur la pelouse. Des couples marchaient main dans la main et des ballons dansaient au bout de longues ficelles attachées aux poignets des enfants.

Le bonheur brillait dans les yeux de Billie. Lorsque Dare avait évoqué le festival pour la première fois avant sa sortie de l'hôpital, elle s'était souvenue d'y être allée, mais n'avait pas été capable de retrouver toutes les petites choses qu'ils y avaient faites. Dare le lui avait rappelé et lui avait promis que l'année prochaine, ils iraient tous les jours de la semaine. Il avait l'intention de tenir cette promesse et s'était fixé comme objectif de faire en sorte que cette soirée soit aussi inoubliable qu'elle l'était.

ALORS QUE COWBOY se garait au bord de la pelouse, Billie regardait par la fenêtre la mer de tentes en train d'être démontées et de stands en train d'être emballés. Il y avait des masses de gens assis sur des couvertures, des enfants qui couraient partout et des couples qui dansaient près de la scène, au-dessus de laquelle se trouvait une bannière annonçant une chanteuse locale, Kaylie Crew. Billie aimait bien sa musique et baissa la vitre pour l'écouter. C'est alors qu'elle aperçut, un peu plus loin dans l'herbe, une charrette de foin tirée par des chevaux. Le chariot avait des lumières scintillantes sur les côtés et les chevaux étaient parés de rubans dans leurs crinières et leurs queues.

— Regarde, Dare. Quelqu'un a amené des chevaux. Peut-être qu'ils font des promenades en charrette.

— Allons voir.

Il sortit du véhicule avec sa béquille.

Quand il se retourna pour l'aider, Cowboy se fraya un chemin devant lui.

— Pousse-toi, mon frère. Je m'en occupe.

Il se pencha plus près de Billie.

— Mets tes bras autour de mon cou.

— Pourquoi ?

— Fais-le, grogna Cowboy d'un ton sévère.

— Tu es plus insolent que ton frère.

Elle fit ce qu'il demandait et il la prit dans ses bras.

Cowboy sourit.

— Plus beau aussi.

— Rêve, tête de nœud.

— Cowboy, tu peux me mettre à terre. Je peux marcher avec ma béquille.

— Pas ce soir, tu ne peux pas.

Il regarda Kenny qui attrapa sa béquille dans le pick-up.

— Dare, dis-lui de me poser.

Cela faisait trois semaines et demie qu'on s'occupait d'elle, et même si elle appréciait les relations plus étroites avec leurs familles, elle en avait assez de se sentir impuissante.

— Il le fera, ma chérie, dès que nous serons arrivés à notre chariot.

— *Notre* chariot ?

— Tu ne pensais pas que je te laisserais t'asseoir sur le sol dur ce soir, n'est-ce pas ?

Dare arbora un sourire sexy.

— J'ai demandé aux gars de mettre un matelas gonflable dans le chariot pour que tu sois à l'aise.

Son cœur s'emballa.

— Tu as fait ça pour moi ?

— Je ferais n'importe quoi pour toi, ma chérie.

Elle savait qu'il le ferait. Pendant que tout le monde l'aidait physiquement, Dare était devenu son assistant émotionnel, l'aidant à se souvenir des bons et des mauvais moments, et lorsqu'elle souffrait, il la tenait dans ses bras, lui racontant des histoires sur leur vie ou des blagues pour la distraire de ses douleurs. Mais il avait pris soin de sa tête et de son cœur bien avant l'accident, et elle remerciait sa bonne étoile pour cela.

Alors qu'ils s'approchaient des chevaux, elle vit que leurs rubans étaient dorés et noirs et que Dare ne s'était pas contenté de mettre un matelas dans le chariot. Il y avait des couvertures et des oreillers parsemés de pétales de roses. À côté du matelas, il y avait des bouteilles de champagne, des bouquets de roses rouges et une de ces glacières isolantes pour la nourriture. C'était la chose la plus romantique qu'elle ait jamais vue. Elle avait envie de pleurer. Cela lui arrivait souvent depuis l'accident. Comme si l'impact avait libéré ses émotions. Ou peut-être que l'évaluation de Dare était juste, l'autre soir, quand elle l'avait mentionné, et qu'il avait dit qu'elle était tellement heureuse qu'elle ne se souciait plus de ce que les autres pensaient.

— *Dare… ?*

Son cœur se serra dans sa gorge.

— Tu es épuisée, ma chérie. Je voulais que ce soir soit si spécial afin que tu ne l'oublies jamais. J'ai fait venir le dîner de ce restaurant que tu aimes bien en ville.

— *Barkley's ?*

Elle n'avait aucune idée de l'origine de cette réponse. Elle était juste apparue dans son esprit, si différente de la façon dont elle s'était efforcée de se souvenir d'autres choses au début. Elle se demanda si elle analyserait ce sentiment pour toujours. Elle avait l'impression que oui, car la perte de ses souvenirs l'avait amenée à les chérir encore plus.

Il sourit et acquiesça.

— Tu te souviens.

— Oui, je m'en souviens. Il y avait ce gâteau aux carottes que j'adorais.

— Je l'ai pris aussi. Mais je ne peux pas m'en attribuer tout le mérite. J'ai pris les dispositions, mais j'ai eu un peu d'aide pour tout mettre en place.

— Bobbie, Sasha et Birdie ont décoré les chevaux et le cha-riot, expliqua Kenny en installant sa béquille dans le chariot. Doc et Tiny ont amené les chevaux et le chariot et les ont préparés.

— Ton père est allé chercher notre dîner et le champagne et s'est assuré que nous avions tout ce dont nous avions besoin, précisa Dare.

Tout le monde s'est donné tant de mal pour eux. Il n'est pas étonnant que les filles soient si enthousiastes à l'idée de l'habiller.

— Et si nous parlions des détails après avoir mis Billie à l'aise ? suggéra Cowboy en l'installant sur les couvertures et en l'aidant à s'installer, le dos contre les oreillers.

Dare se tenait près du hayon en battant des cils.

— Je suis le prochain, mon grand.

Kenny rit.

Cowboy jeta un regard noir à Dare, mais lui tendit quand même la main.

— Fichez le camp d'ici. Je m'en occupe.

Dare grimaça en se hissant dans le chariot et en s'installant à côté de Billie. Il fouilla dans la caisse et en sortit des bougies à piles, qu'il alluma tandis que Cowboy et Kenny s'installaient sur le siège du conducteur.

— Des bougies aussi ?

Billie n'en revenait pas.

— Depuis quand es-tu si romantique ?

— Je t'ai dit que j'allais te donner des raisons de tomber amoureuse de moi tous les jours pour le reste de notre vie, et je le pensais.

— Je n'ai pas besoin de raisons. Je t'aime de tout mon être,

Whiskey, et je sais que je t'aimerai toujours.

Leur lien était plus fort que jamais, et après tout ce qu'ils avaient traversé, elle savait que ce lien était inébranlable.

— Je t'aime aussi, chérie.

Il se rapprocha d'elle et l'embrassa tandis que Cowboy leur demandait de s'accrocher et commençait à conduire les chevaux à travers la pelouse.

— Où nous emmènent-ils ?

— À notre place pour regarder le feu d'artifice.

— *Notre* coin, murmura-t-elle, le souvenir de ce coin prenant vie dans son esprit. J'adore notre coin.

Elle se blottit contre lui tandis que les chevaux grimpaient la colline herbeuse jusqu'à *leur* butte, s'arrêtant près d'un petit groupe d'arbres. Dare, Eddie et elle avaient regardé les feux d'artifice depuis cet endroit jusqu'à l'année où il était mort. Elle n'y était jamais retourné depuis, et maintenant, alors qu'ils se laissaient bercer par la musique du festival et qu'ils étaient entourés d'une vue magnifique sur les montagnes au loin et sur les lumières du festival en contrebas, elle était heureuse de ne pas l'avoir fait. Elle aimait que leur lieu ne soit pas entaché par ces années de stress.

Désormais, il ne contenait plus que des souvenirs heureux d'eux trois et tous les nouveaux souvenirs que Dare et elle avaient créés.

Dare leur versa du champagne et lui tendit une coupe. Lorsqu'il lui tendit une assiette, elle vit que toute la nourriture était déjà coupée en petits morceaux.

— Tu as pensé à tout.

— J'ai pensé à toi, et je veux tout te donner, alors c'était facile.

Il brandit sa coupe de champagne.

— À nous, ma chérie.

— À nous.

Ils trinquèrent, burent leur champagne et s'embrassèrent. Elle chercha Cowboy et Kenny, mais ils devaient être dans l'ombre.

Ils s'embrassèrent et parlèrent pendant qu'ils dînaient, partageant les assiettes de l'autre, comme ils l'avaient toujours fait. Ils portèrent des toasts à presque tout et engloutirent le délicieux gâteau aux carottes en guise de dessert. La musique se termina lorsqu'ils eurent fini de manger, et ils mirent leur vaisselle de côté pour s'allonger sur les couvertures et attendre le début du feu d'artifice.

Billie posa sa tête sur l'épaule de Dare.

— Tu entends ça ?

— Quoi ? Le bourdonnement des voix du festival ?

— Non. Le silence qui nous entoure. Personne ne nous demande si on a besoin de quelque chose.

— C'est un véritable bonheur, n'est-ce pas ? Je le nierai si jamais tu en parles devant nos familles.

Elle rit doucement.

— Tes secrets sont toujours en sécurité avec moi. J'aime nos familles, et je sais que nous n'aurions pas pu aller aussi loin sans elles, mais c'est agréable d'être seule avec toi.

— Je ressens la même chose.

— Tu ne te demandes jamais ce qui se serait passé si mes souvenirs n'étaient pas revenus ?

— Non. Nous nous serions fait de nouveaux souvenirs et nous serions toujours là, à regarder les étoiles en attendant le feu d'artifice.

Elle aimait qu'il soit si confiant dans leur amour.

— Tu y penses ? demanda-t-il.

— Parfois. Surtout parce que c'était effrayant de ne rien savoir de ma vie. Mais j'ai le sentiment que tu as raison, et que nous serions ici en train de faire ça.

Elle tourna son visage vers lui et constata qu'il la regardait. Elle se souvenait d'avoir regardé ses yeux sombres lorsqu'ils étaient enfants et de n'avoir jamais voulu les détourner.

— Tu rends vraiment impossible d'aimer quelqu'un d'autre. Tu le sais, n'est-ce pas ?

— Toi aussi, Mancini, et c'est parce que nous sommes faits l'un pour l'autre.

Elle toucha son collier avec le pendentif *D* qu'il lui avait offerte lorsqu'ils étaient adolescents.

— Tu te souviens m'avoir offert ce collier ?

— Pour ton dix-septième anniversaire. Je t'ai dit que le D était pour *Daredevils*,[3] mais c'était en fait pour Dare.

Elle sourit.

— Ce n'était *pas* le cas.

Il haussa les sourcils.

— Sachant que je t'aime depuis que nous sommes enfants, tu crois *vraiment* que je n'essaierais pas de te faire passer pour la mienne de la seule façon possible ?

— Oh mon Dieu. Tu l'as *fait*.

Elle rit, parce que c'est du *Dare* tout craché.

Il pressa ses lèvres contre les siennes dans un tendre baiser.

— Où as-tu trouvé le collier avec les trois cercles ? Il est joli.

— Eddie me l'a donné quand tu es partie à l'université. Tu me manquais tellement que je l'ai rendu fou à ce sujet. Un jour, il me l'a donné et m'a dit qu'il nous représentait nous trois, et que peu importe où nous étions, nous serions toujours en-

---

[3] Daredevils signifie Casse-cou

semble.

— C'est bien. J'adore ça. Je ne me souviens pas t'avoir vu le porter.

— Je l'ai porté pendant quelques jours, mais tu sais que je ne porte jamais de bijoux quand je cours. J'ai dû le mettre dans ma boîte à bijoux et l'oublier. Les filles ont dit que je devais porter des bijoux ce soir, alors Bobbie a apporté ma boîte à bijoux. Ta mère a dit que je devais choisir mes trois colliers préférés. J'ai pensé que trois c'était beaucoup puisque je ne les porte jamais. Mais je suis contente. Ces trois colliers sont spéciaux et maintenant Eddie est aussi avec nous ce soir.

— Il est toujours avec nous, il veille sur nous.

Il leva les yeux au ciel et elle fit de même.

— Si tu pouvais réaliser un souhait, quel serait-il ?

— Qu'Eddie ne soit jamais monté sur cette moto.

— Moi aussi. Et si tu pouvais avoir deux souhaits ?

Elle le regarda à nouveau et il se retourna avec un sourire.

— Je souhaiterais que personne n'ait jamais à vivre un accident comme le nôtre.

— J'aime ça chez toi.

— Quoi ?

— Ton beau cœur.

— Tu aimes mon corps. Mon cœur n'est qu'un accessoire, dit-elle en plaisantant.

— Oui, tu as raison.

Il lui donna un baiser au moment où les premiers feux d'artifice éclatèrent.

— Tu illumines mon monde, Mancini.

Elle rit et l'embrassa à nouveau.

— Qu'est-ce que tu souhaiterais ?

— Que tu m'épouses.

Les feux d'artifice explosèrent au-dessus d'eux, inondant le ciel de couleurs, et elle déposa un baiser sur sa poitrine.

— Tu sais que demain, je me rendrais au palais de justice avec toi en clopinant.

— Le palais de justice ? C'est loin d'être une fanfare suffisante pour deux casse-cous.

Elle ne put s'empêcher de sourire.

— Qu'est-ce que tu imagines ? Prononcer les vœux pendant qu'on fait du parachutisme ou quelque chose comme ça ?

— Quelque chose comme ça.

— Tu es *fou*.

— Tu sais que tu m'aimes.

— Plus que tu ne peux l'imaginer, Whiskey.

— C'est ce sur quoi je compte.

Il passa la main sous l'un des oreillers et en sortit une petite boîte en velours noir.

Son cœur s'emballa et son regard passa de la boîte à lui alors qu'il se mettait maladroitement à genoux, puis sur un genou. *Oh, mon Dieu. Es-tu... ?* Elle se redressa, mais il ne dit rien. Le silence s'amplifia entre eux.

— Dare, qu'est-ce que tu fais ?

— J'essaie de faire ma demande en mariage, mais je suis tellement nerveux que je ne me souviens plus de ce que je voulais dire.

Elle rit, les larmes lui brûlant les yeux.

— Je vais improviser.

Il déglutit difficilement, il fronça les sourcils, ses yeux sérieux se plantant profondément dans les siens.

— Je n'ai jamais connu la peur comme lorsque nous avons été éjectés de la moto. Ma seule pensée était : *Où est Billie ? Je dois la retrouver.*

Des larmes glissèrent sur ses joues.

— Chérie, tu es toute ma vie, tout mon monde, et je ne veux pas perdre une minute de cette seconde chance qui nous a été donnée. Je ne veux pas attendre le moment parfait, parce que chaque minute passée avec toi est parfaite.

Il n'y avait pas moyen d'arrêter ses rivières de larmes.

— Je t'aime depuis que nous sommes enfants, et je t'aimerai quand nous serons ridés et grisonnants, et longtemps après le jour où nous rejoindrons Eddie de l'autre côté. Je veux me réveiller avec ton beau visage tous les jours et laisser trainer des vêtements dans notre chambre tous les soirs. Un jour, quand nous serons prêts, je veux élever de petites filles sarcastiques avec tes yeux magnifiques et ta langue acérée, et des garçons ambitieux qui n'accepteront pas un non comme réponse et qui donneront leur cœur à une fille et à une seule. Je t'aime, Mancini. Que dirais-tu de rendre cette chose permanente ? Veux-tu m'épouser ?

Elle pouvait à peine voir à travers le flou des larmes.

— *Oui*, Whiskey. Oui, je vais t'épouser.

Elle saisit sa chemise d'une main et l'embrassa.

— Je t'aime tellement.

— Je t'aime aussi, bébé. Plus que la vie elle-même.

Il ouvrit la boîte, révélant une superbe bague avec un simple anneau en or blanc orné de deux flammes soulignées de diamants blancs, dont les centres étaient remplis de pierres orange foncé.

Elle n'avait jamais rien vu d'aussi beau de sa vie. Flammes jumelles, murmura-t-elle, se rappelant qu'elle s'était inquiétée de ses cicatrices au début, et que Dare les avait toutes embrassées en disant :

— *Nous sommes des flammes jumelles, ma chérie, et les cica-*

trices dans nos cœurs sont la preuve de nos âmes qui se reflètent.

— C'est nous, chérie.

Il la fit glisser sur son doigt.

— Les pierres à l'intérieur des flammes sont des diamants cognac. Je sais que tu n'aimes pas porter des bijoux. J'espère que ce n'est pas trop.

Les diamants étaient petits, assez discrets, et les flammes n'étaient pas assez hautes pour s'accrocher à des objets.

— C'est absolument parfait.

Des larmes glissèrent sur ses lèvres.

— Je ne l'enlèverai jamais.

— Ne fais pas de promesses que tu ne peux pas tenir, Mancini. Tu sais que tu ne voudras pas la porter quand tu feras de la moto, et ce n'est pas grave. Je sais que tu m'aimes et que tu es à moi.

Il pressa ses lèvres contre les siennes dans un doux baiser, se pencha en arrière et s'écria : *Elle a dit oui !*

Des acclamations retentirent tandis que leurs familles et leurs amis couraient vers eux en haut de la colline. Billie ne pouvait s'empêcher de rire et de pleurer tandis qu'ils entouraient le chariot, les félicitant et faisant sauter des bouteilles de champagne. Dare avait l'air plus heureux qu'elle ne l'avait jamais vu.

— Tout le monde était au courant ? demanda-t-elle.

— J'étais tellement excité que je pense que toute la ville était au courant. Tu as de la chance que je n'aie pas tout gâché et que je ne te l'aie pas dit à toi aussi.

Il lui tendit une coupe de champagne et prit la sienne.

— À nous, bébé. Casse-Cous pour la vie.

— Casse-Cous pour la vie et ta Tigresse pour *l'éternité.*

Pendant qu'elle posait son verre sur le sien, ses yeux amoureux étaient fixés sur elle. Ils prirent chacun une gorgée, puis il l'embrassa, goûtant au champagne, au bonheur et au seul avenir qu'elle ait jamais vraiment voulu.

CHAPITRE VINGT-TROIS

SEPTEMBRE S'ÉTAIT abattu sur Hope Valley comme un artiste, peignant les collines et les vallées de larges touches de couleurs automnales vibrantes, créant une toile de fond magnifique pour le coup d'envoi de la campagne des Dark Knights, Ride Clean au *Ranch Rédemption*. Billie et Dare étaient complètement guéris et avaient terminé leur rééducation, et même s'ils appréciaient leur famille, ils étaient ravis de pouvoir prendre soin d'eux-mêmes et de se concentrer sur la construction de leur vie commune. Les frères de Dare avaient déménagé les affaires de Billie la semaine suivant sa demande en mariage et, étrangement, il n'avait pas eu l'impression de franchir une étape importante. Il avait plutôt l'impression qu'elle s'était finalement installée à la place qu'elle avait toujours occupée dans son cœur. Elle était rentrée *à la maison*. Dare était heureux de travailler à nouveau aux côtés de ses patients, et Billie était retournée travailler au *Roadhouse*. Dès qu'elle en avait été capable, elle avait repris la moto, ce qui avait ravi Dare au plus haut point. Il avait craint que la peur ne la retienne, mais ils en avaient beaucoup parlé pendant leurs semaines de guérison, et Billie était déterminée à ne pas se fermer à nouveau aux choses qu'elle aimait. Alors que Billie et lui avaient repris les balades en moto, qu'ils prévoyaient d'aller sur les pistes cet hiver pour faire du ski, du snowboard, du snowkite et du snowcross, et qu'ils étaient impatients de reprendre le parachutisme et d'autres activités amusantes ensemble, Dare n'avait plus envie de battre de nouveaux records. La vie avec Billie et les activités dans et hors de la chambre à coucher lui suffisaient. Parfois, il se demandait si Billie n'avait pas raison, si le fait de repousser les limites à l'extrême n'avait pas été sa propre pénitence pour avoir survécu à Eddie. Ou peut-être n'était-il qu'un pauvre fou qui aimait défier la mort.

Il avait l'impression que c'était un peu des deux, et il s'en accommodait, tout comme sa belle fiancée, qui était incroyablement sexy dans un pantalon de sport et un T-shirt noir Ride Clean/Dark Knights, avec une chemise en flanelle nouée autour de la taille et le nouveau collier ras-de-cou qu'il lui avait offert. Avec leurs parents, elle encourageait Kenny qui filait à toute allure sur la piste de motocross.

Dare se rapprocha Billie et l'embrassa sur la joue.

Elle se laissa embrasser, mais ses yeux restèrent rivés sur Kenny. Dare n'y voyait pas d'inconvénient. Elle avait travaillé dur pour aider Kenny à réussir, et ils avaient fait honneur à son travail. Les Dark Knights avaient ouvert l'événement avec un discours de bienvenue du père de Dare et de Manny et avaient lancé les festivités avec la course d'exhibition de Kenny. Toutes les familles du club et des centaines d'autres personnes de Hope Valley et des villes voisines étaient venues soutenir la campagne et s'étaient rassemblées autour de la piste pour le regarder.

Kenny s'en sortait très bien et ses parents étaient aux premières loges. Cela faisait presque deux mois qu'il vivait chez lui. Ils avaient connu quelques difficultés, comme on pouvait s'y attendre, mais ensemble, et parfois avec l'aide de Dare, ils avaient trouvé des solutions pacifiques. Kenny était de retour à l'école et avait de bonnes notes, et ses parents lui permettaient de continuer à travailler au ranch et de s'entraîner avec Billie deux après-midis par semaine et un jour le week-end. Kenny était toujours aussi enthousiaste à l'idée de prospecter pour les Dark Knights, et il était sur la bonne voie. Il avait surpris Dare en lui disant qu'il s'était excusé auprès du voisin dont il avait pris la voiture pour faire une virée. Il avait dû faire bonne impression car cette famille était venue le voir rouler aujourd'hui. Leur fille, Mariah, était une jolie blonde au regard malicieux et il était impossible de cacher le béguin fou qu'elle avait pour Kenny. Dare savait à quel point les filles pouvaient influencer les garçons de l'âge de Kenny, et il surveillait cela aussi. Même s'il avait le sentiment que le fait que Mariah le pousse à prendre la voiture de ses parents n'était qu'une façon pour elle d'attirer l'attention de Kenny.

La foule applaudit lorsque ce dernier passa au-dessus de la section rythmique et l'acclama bruyamment lorsqu'il réussit le dernier saut, dévalant la dernière ligne droite et s'arrêtant devant eux. Kenny enleva son casque, rayonnant devant ses parents qui, avec une foule d'autres personnes, allèrent lui parler. Ils avaient préparé Kenny à cela et, d'après les cris et les applaudissements des parents de Dare et de Billie, il savait qu'ils étaient tout aussi fiers de Kenny et de Billie que lui.

Dare serra la main de Billie.

— Tu t'es bien débrouillée avec lui, ma chérie.

Billie afficha un sourire radieux.

— Il est incroyable, n'est-ce pas ? C'est naturel chez lui.

— C'est sûr, dit le père de Dare. Et toi aussi, ma chérie.

— Merci, Tiny, mais mon temps sous les projecteurs est terminé.

Billie jeta un coup d'œil à Kenny, qui était entouré de gens tandis qu'il répondait à des questions et parlait à des enfants.

— L'heure de gloire de Kenny ne fait que commencer et il a tellement de choses à attendre.

— Toi aussi, chérie, dit sa mère. Vous avez un mariage à organiser et une lune de miel en Espagne à savourer.

Ils avaient décidé d'aller en Espagne pour leur lune de miel en juillet et d'assister à la course des taureaux.

— Et nous ne pourrions pas être plus heureux.

Billie regarda Dare, leur secret scintillant dans ses yeux. Ils n'avaient pas voulu attendre pour se marier, mais leurs parents étaient très enthousiastes à l'idée de leur organiser un mariage, et leurs sœurs étaient ravies de l'avoir planifié avec Billie. Ils ne voulaient décevoir personne, y compris eux-mêmes, alors la semaine où ils avaient enlevé leurs plâtres, ils s'étaient rendues en cachette dans un palais de justice situé à trois villes de là pour demander leur licence de mariage et avaient secrètement scellé leur union la semaine d'après, seulement eux deux et Treat Braden, le fils de l'un des plus vieux amis de leurs pères. Treat était un magnat de l'immobilier qui vivait à Weston, dans le Colorado. Il était habilité à les marier et, plus important encore, il était passé maître dans l'art de garder un secret. Il avait marié Billie et Dare à minuit dans la grange où ils avaient partagé leur premier baiser. Mais ils avaient toujours hâte d'avoir un vrai mariage et Dare était impatient de voir sa belle mariée remonter l'allée.

— J'ai pensé que ton temps sous les feux de la rampe n'était peut-être pas terminé, déclara Tiny.

— Crois-moi, Tiny. Je suis devenue trop vieille par rapport aux standards du circuit professionnel. Je ne peux plus courir.

— Je ne parle pas de course, chérie.

Tiny fixa Manny, qui acquiesça, et Dare se demanda ce

qu'ils préparaient.

— Tu as tellement fait pour l'estime de soi de Kenny que j'ai pensé que tu pourrais envisager de prendre d'autres élèves. Peut-être des enfants du ranch qui montrent de l'intérêt.

— Ou des enfants des villes voisines, renchérit Manny. Qui sait où cela peut te mener.

Dare n'en croyait pas ses oreilles.

— Vous vous moquez de moi ?

Il secoua la tête.

Son père lui lança un regard noir.

— Non, fiston, pas du tout. Nous pensons que Billie a ce qu'il faut pour diriger son propre programme.

Billie regarda Dare en fronçant les sourcils.

— Tu ne crois pas que j'en ai les capacités ?

— Non, ma chérie. Je sais que tu en as *les capacités*. Quel enfant ne voudrait pas s'entraîner sous la direction de Billie " Badass " Mancini ? Mais je pensais avoir une idée originale et j'espérais t'en faire la surprise *ce soir*.

Il sortit un papier plié de sa poche et le lui tendit.

— Qu'est-ce que c'est ? demanda-t-elle en le dépliant.

— Le croquis du clubhouse que je veux construire, et l'entrée de la route principale que je veux aménager de l'autre côté de la piste, pour que tu aies un endroit où enseigner et prendre des élèves sans avoir à les faire passer par notre cour.

— Es-tu… ?

Billie se mit à pleurer et leurs mères en firent de même.

— Mais je n'ai enseigné qu'à *une seule* personne.

— Et tu as contribué à changer sa vie, souligna Dare. Je sais que tu aimes gérer le bar, et je ne te suggère pas d'y renoncer. Mais, chérie, tu t'illumines quand tu es autour de la piste et tu es un professeur doué. Nous savons tous de quoi tu es capable.

La seule question est de savoir si c'est quelque chose que tu veux faire. Si c'est ce que tu veux, nous le construirons. Sinon, ce n'est pas grave non plus.

Elle le regarda, ainsi que leurs parents, les yeux humides mais plus brillants que le soleil.

— Bien sûr que je le veux ! Merci !

Elle l'entoura de ses bras.

— J'*adore* cette idée.

Elle regarda leurs pères.

— Merci à tous de croire en moi.

— Tu me facilites la tâche, ma chérie.

Son père la serra dans ses bras.

Le père de Dare l'observa.

— Tu ne crois pas que tu aurais dû me mettre au courant de tes projets, fiston ?

— Je ne pensais pas devoir le faire avant de savoir si elle le voulait ou non.

Il se fendit d'un sourire.

— De plus, tu es un tendre pour ma copine. Il n'y avait pas moyen que tu aies un problème avec ça et comme tu as essayé de me voler la vedette, je crois que j'avais raison.

Tout le monde éclata de rire.

— Les grands esprits, papa.

Dare lui fit un clin d'œil.

— Mais il y a encore une chose que je dois mentionner. Billie et moi avons évoqué l'idée d'agrandir le parcours de cordes. C'est un excellent moyen d'évacuer les frustrations des enfants et des adultes.

Manny donna un coup de coude à son père.

— Pourquoi ai-je l'impression que ce n'est que le début d'un plan plus vaste des Casse-Cous ?

— Parce que tu connais nos enfants, répondit le père de Dare, avec de la joie dans les yeux.

— Je pense que ce sont *deux* idées merveilleuses, s'exclama Alice.

— Moi aussi, dit sa mère. Mais maintenant, nous avons beaucoup de choses à coordonner. Il faudra du temps pour construire le clubhouse et aménager l'entrée, et tu voudras probablement une clôture pour empêcher les gens mal intentionnés d'entrer sur ton terrain, et tu auras besoin d'une licence d'exploitation.

— Et un nom pour ton école, ajouta Alice. Il y a tant à faire, et nous voulons être sûrs d'avoir assez de temps pour organiser votre mariage…

Tandis que leurs mères se lançaient dans l'organisation de ce dernier, leurs pères secouèrent la tête et retournèrent aux festivités. Billie se dirigea vers Dare et passa ses bras autour de son cou.

— Tu ne manques jamais de m'étonner, Whiskey.

— Je cherche juste à gagner des points en matière de sexe.

Elle rit et il l'embrassa.

— *Dépêche*-toi, Mickey. Mancini est *juste là* !

Ils se retournèrent tous les deux pour voir à qui appartenait la voix joyeuse.

Une petite fille blonde, qui devait avoir six ou sept ans, se dirigeait vers eux en bottes de cow-girl et en legging, entraînant derrière elle un garçon aux cheveux bruns. La petite fille regardait Billie avec de grands yeux bruns.

— Vous êtes Billie Mancini ? Nous voulons apprendre à faire du motocross et le garçon sur la moto nous a dit de vous parler.

— Je suis Billie, dit-elle gentiment. Et toi, qui es-tu ?

— Je suis Eddie, et voici…

— Tu ne t'*appelles pas* Eddie, lança le garçon. C'est Edelyn !

Dare et Billie réprimèrent un rire.

Les yeux d'Eddie se plissèrent et ses lèvres se pincèrent.

— Appelle-moi encore une fois comme ça et je te donne un coup au poing, Mickey.

— Waouh, ma petite.

Dare s'interposa entre les deux enfants.

— Il n'y aura pas de coups portés dans ce ranch.

— Et si on allait voir tes parents et qu'on leur parlait de ton idée de faire de la moto ? suggéra Billie.

— D'accord. Viens, Mickey !

Eddie prit la main du garçon et ils partirent en courant.

Billie saisit la main de Dare.

— Allons-y, Whiskey. Tu deviens lent avec l'âge.

— Je vais t'en donner de la lenteur, moi !

Il l'embrassa.

— Hé ! cria Eddie. Vous venez tous les deux, ou quoi ?

Dare et Billie rirent.

— On arrive ! cria Billie.

— Ça me rappelle une petite fille autoritaire que j'ai connue. Allons-y, Mancini.

Il lui donna une tape sur les fesses et elle partit en courant, en riant avec Dare sur ses talons.

Au milieu de l'après-midi, l'événement battait son plein. Les enfants couraient partout avec des biscuits et des hot-dogs, tandis que les adultes les suivaient, se mêlant les uns aux autres en passant d'une activité à l'autre. La pelouse était couverte de tables de nourritures et de boissons préparées par les familles du club et par Dwight, toutes vendues au profit de la collecte de fonds. Tout au long de la matinée, Dare et plusieurs autres personnes donnèrent de brèves conférences et répondirent à des questions sur les difficultés qu'ils avaient rencontrées lorsqu'ils étaient enfants, sur ce que c'était que d'être un Dark Knight, et sur le travail qu'ils effectuaient au ranch. Birdie fit une brève annonce en offrant un prospectus avec des coupons pour des chocolats gratuits dans sa boutique. Tout le monde se relayait pour superviser les activités, et entre les Dark Knights et les dizaines de bénévoles, il y avait beaucoup de monde pour aider.

Dare et Billie s'occupaient des promenades à poney. Il fit descendre une petite fille de son poney, qui courut jusqu'à Billie, qui attendait près de la porte. Il regarda Billie parler avec animation à la petite pendant qu'elle la raccompagnait. Billie était naturelle avec les petits enfants, tout comme elle l'était avec Kenny. Ils n'étaient pas pressés d'avoir leur propre famille, mais Dare attendait avec impatience le jour où ils en auraient une.

Billie leva les yeux en refermant le portail derrière la petite fille, et l'amour dans ses yeux le frappa en plein centre de la poitrine. Elle lui chuchota *Je t'aime* et il lui adressa un clin d'œil, se sentant comme un roi alors qu'il allait chercher l'enfant suivant.

Gus était en tête de file, tenant la main d'Ezra et sautant de haut en bas, ses boucles sombres s'enroulant autour de son visage.

— C'est mon tour !

— Oui, c'est vrai, p'tit homme.

Dare et Ezra se mirent à rire ensemble tandis qu'il le hissait sur un poney.

— Tu te souviens de ce qu'il faut faire ?

— Oui, oui ! Tiens la bride !

Il tint la corne de la selle à deux mains, rayonnant devant Dare et son père.

— Bravo !

Dare fit un signe de tête à Ezra.

— D'accord, papa. On se voit dans quelques minutes.

Alors que Dare promenait Gus autour de la piste, ce dernier cria :

— Regarde-moi, papa ! Je suis à cheval.

— Tu as l'air en forme, Gus.

Ezra sortit son téléphone et prit une photo.

— Sasha ! Regarde-moi, mon chou ! cria Gus.

Sasha fit un signe de la main alors qu'elle s'approchait du corral.

— Fais attention, Gusto. Accroche-toi bien.

— Oui ! cria Gus. Billie, regarde-moi !

— Tu as l'air d'un vrai cow-boy, dit Billie en se mettant au pas à côté de Dare.

— Je *suis* un vrai cow-boy, s'exclama-t-il.

Billie lança un regard séducteur à Dare.

— J'*aime* les cow-boys baraqués.

— Je crois que tu parles d'un cow-boy sauvage.

— *Mon* cow-boy sauvage.

Elle se rapprocha, baissant la voix.

— Est-ce mon imagination, ou Flame regarde Sasha comme s'il voulait la manger pour le dîner ?

Dare jeta un coup d'œil dans la direction de sa sœur et vit Flame s'appuyer sur le corral à côté d'elle avec un sourire charmeur et des yeux trop affamés. Il espérait vraiment que Sasha avait été honnête en disant qu'elle n'était que son amie, parce que la plupart des amies de Flame n'étaient que *de passage*.

— Ce n'est *pas* possible.

— Oh, je crois que c'est en train d'arriver.

Billie rit.

— À moins que le père d'une certaine personne n'ait quelque chose à dire à ce sujet.

Dare suivit son regard jusqu'à Ezra, et bon sang, il avait l'air de vouloir mettre Flame en pièces.

— *Qu'est-ce* qui se passe ici ?

— Peut-être que Birdie a aussi donné du gel douche à Sasha.

Elle gloussa.

Alors qu'ils terminaient la promenade de Gus et le raccompagnaient jusqu'à Ezra, Dare vit Cowboy monter Sunshine depuis le corral inférieur, où il s'occupait des promenades à cheval avec les plus grands. Il s'arrêta pour parler à Hyde, qui s'occupait des promenades à cheval. Hyde échangea sa place avec un employé du ranch et courut jusqu'à la maison gonflable, attrapant Taz, Pep et Otto. Tous les quatre tapèrent dans le dos d'autres Dark Knights et discutèrent jovialement en remontant la colline, puis se dispersèrent en marchant chacun dans la pelouse dans une direction différente. Un groupe de types portant des blousons de cuir noir et marchant avec détermination attirerait l'attention sur ce qui se passait, et c'est pourquoi, s'ils recevaient un appel pendant un événement, ils agissaient comme s'ils étaient sur place. Les visiteurs verraient simplement des gars en train de s'amuser.

Cowboy se dirigeait vers Dare et Ezra, l'air encore plus sérieux que d'habitude.

— Bon travail, Gus.

Dare tendit Gus à Ezra, le hochement de tête d'Ezra lui

indiquant qu'il voyait lui aussi ce qui se passait. Dare tourna le dos aux personnes qui faisaient la queue pour parler à Billie.

— Chérie, tu peux me remplacer un peu ?

— Bien sûr. Qu'est-ce qui se passe ?

— Je ne suis pas sûr, mais Cowboy est en train de rallier les Knights.

Dare sortit du corral au moment où Flame et Sasha rejoignaient Ezra et où Cowboy arrivait à cheval.

— Hé, Cowboy ! Moi aussi, j'ai fait du cheval ! dit Gus, tout excité.

— C'est super, mon pote, lui répondit Cowboy.

Gus se mit à parler à toute vitesse et Sasha lui tendit la main.

— Gusto, si on jouait dans la maison gonflable et qu'on prenait ensuite un des délicieux poneys au chocolat de Birdie ?

— Oui ! Au revoir, papa !

Elle fit un clin d'œil à Ezra et l'emmena avec elle.

— Hé, les gars, qu'est-ce qui se passe ? demanda Flame.

— Tiny a besoin d'aide pour transporter quelques affaires de la maison principale, dit Cowboy. Je suis en route pour aller chercher Doc et les gars du terrain de paintball.

— Je vais dire à maman qu'on va l'aider, dit Dare avec désinvolture, pour ne pas alerter les familles voisines.

Sa mère préviendrait les autres femmes du club et s'assurerait qu'aucune attention ne soit portée au rassemblement du club.

Dix minutes plus tard, Dare se tenait avec le reste des Dark Knights, leur attention rivée sur son père qui se tenait à l'avant de leur plus grande salle de réunion.

— Nous avons un problème. Une jeune fille s'est échappée d'une secte en Virginie-Occidentale et a été recueillie par un camionneur qui se dirigeait vers nous. Ils ont besoin d'un refuge pour elle pendant que les tests ADN sont effectués et qu'ils font la part des choses. Elle s'appelle Sullivan Tate et se fait appeler Sully. Elle a une vingtaine d'années, elle est forte mais elle a peur. Elle refuse d'aller voir un médecin ou la police de peur d'être ramenée à la secte. Nous l'emmenons au ranch ce soir après la tombée de la nuit, où elle pourra suivre une thérapie et être examinée par nos médecins. Cette fille a besoin d'une protection *totale*. Nous ne savons pas si les membres de la secte s'en prendront à elle ou non. *Personne* ne doit savoir qu'elle est ici jusqu'à ce que je reçoive l'ordre que c'est sans danger – pas même vos femmes – ou vous pourriez mettre toute notre famille, et tout le monde dans ce ranch, en danger. Hazard, il faut que cela ne soit *pas consigné* dans les dossiers.

— Compris.

— Cowboy, tu prends les devants sur cette affaire, dit son père. Je veux que tu la surveilles en permanence. Sans exception.

Cowboy acquiesça.

— Le conducteur qui l'a ramassée et sa femme vont se réfugier dans un endroit sûr. Pep et Otto, je veux que vous surveilliez leur maison à distance. Si vous voyez quelqu'un fouiner dans les parages, nous devons le savoir.

Quand ils acquiescèrent, son père ajouta :

— À la fin de l'événement, ramenez vos familles à la maison, et j'ai besoin que tous ceux qui peuvent revenir et rester dans les parages le fassent. Nous avons besoin d'une sécurité supplémentaire autour du ranch dans un avenir proche. Et n'oubliez pas que lorsque vous sortirez de cette pièce, tout se passera comme d'habitude.

Après la réunion, Dare sortit avec ses frères, Rebel, Hyde et Ezra. Il détestait cacher quoi que ce soit à Billie. Elle avait grandi dans une famille de Dark Knights et elle comprenait qu'il ne pouvait pas parler des affaires du club, mais cela ne rendait pas les choses plus faciles.

— Bon sang, cette pauvre fille, s'exclama Doc.

— C'est une sacrée dose de remise en questions, là, dit Ezra.

— Sans déconner, rétorqua Rebel.

Pendant que nous nous demandons quelle fille va atterrir dans notre lit ce soir, cette pauvre fille a peur pour sa vie.

Hyde secoua la tête.

— Un peu comme toutes les filles qui finissent dans ton lit, lança Rebel alors qu'ils franchissaient les portes et sortaient, faisant exactement ce qu'on leur avait dit, c'est-à-dire reprendre leurs activités habituelles.

Les gars gloussèrent, mais ces sons étaient plus lourds, alourdis par leur nouvelle réalité alors qu'ils passaient des affaires du club à des hôtes optimistes de collecte de fonds.

Dare balaya le terrain du regard, ayant besoin d'entourer Billie de ses bras. Peu importe qu'il y ait des centaines de personnes autour de la propriété. Il était attiré par sa compagne comme l'éclair par le sol et se dirigea vers la table de Birdie, où Billie discutait avec leurs sœurs.

— Où vas-tu ? lui demanda Doc.

— Vers la seule personne qui peut me faire sourire.

Il considéra Cowboy. Ses yeux étaient voilés et on aurait dit qu'il était prêt à cracher des clous.

— Mec, ça va ?

Cowboy hocha la tête.

— Tu ferais mieux d'enlever ce regard de ton visage ou tu vas faire fuir les femmes du coin, dit Doc.

— D'accord.

Cowboy roula les épaules en arrière et s'éclaircit la gorge.

— Mieux ?

Dare remarqua son sourire forcé.

— Maintenant, on dirait que tu as un problème dans le caleçon.

— C'est peut-être le cas, dit Cowboy en riant.

— Trou du cul.

BILLIE MANGEAIT du chocolat avec les filles à la table de Birdie, essayant d'écouter Gus parler de toutes les choses amusantes qu'il avait faites aujourd'hui entre deux bouchées de son énorme glace, mais elle était distraite, s'inquiétant de ce que les Dark Knights étaient en train de mijoter.

— Papa est là ! cria Gus.

Elle vit Dare et les gars traverser la foule. Ses yeux se fixèrent sur elle, et elle essaya de lui poser une question silencieuse. *Est-ce que tout va bien ?* Il fit un signe de tête et un clin d'œil et elle poussa un soupir de soulagement.

— Papa ! Sasha m'a donné tout un tas de sucre !

Gus agita sa glace en forme de Petit Poney et les gars gloussèrent.

Ezra regarda Sasha, un sourire en coin.

Elle rit et écarta les paumes de ses mains vers le haut.

— Qu'est-ce que je peux dire ? J'ai un faible pour les petits garçons aux cheveux bouclés.

— Et les grands garçons bien membrés ?

Hyde haussa les sourcils.

— J'aimerais bien un peu de sucre.

— Sasha réserve son sucre pour mon père ! hurla Gus. Pas vrai, Sasha ?

Les filles éclatèrent de rire.

Sasha se couvrit le visage d'une main, sortit de sa poche la boisson gazeuse au chocolat qu'elle avait gardée pour Ezra et la frappa contre la poitrine d'Ezra.

— Régale-toi bien !

— Les gars, venez par ici.

Birdie courut dans tous les sens pour rassembler les hommes autour de la table.

— Les beaux mecs amènent toujours plus de mères célibataires et d'enfants. Restez là, ayez l'air accessible et parlez de la douceur du chocolat.

— Voyons à quel point il est doux.

Dare attira Billie dans ses bras, ses yeux sombres et son sourire coquin promettaient toutes sortes de choses cochonnes.

Elle lui tendit sa boisson chocolatée.

— Tu veux goûter ?

— Bien sûr que oui.

Il posa ses lèvres sur les siennes, l'embrassant si longuement et si profondément qu'elle en ressortit avec des picotements de la tête aux pieds.

— Allez, Bobbie, montrons-leur comment on fait.

Cowboy passa un bras par-dessus ses épaules.

— Vas-y, offre-moi du chocolat.

Bobbie brandit son chocolat et tout le monde se mit à rire.

— Oh, *mon Dieu*. Pourquoi n'ai-je pas pensé à vous deux ?

Birdie poussa un soupir exaspéré.

— Vous êtes *parfaits* ensemble.

— Birdie, je plaisantais. Bobbie est autant une sœur que toi pour moi. En fait, je *voulais* vraiment du chocolat.

Cowboy prit une grosse bouchée du chocolat de Bobbie.

— Oui, Birdie. Il n'est pas mon genre, de toute façon, dit la jeune femme. Il est trop baraqué.

— Je parie qu'il n'a jamais entendu ça avant, dit Dare pour les seules oreilles de Billie.

— Heureusement pour moi, tu es costaud à tous les bons endroits, murmura-t-elle, ce qui lui valut un autre baiser délicieux.

— Tu te moques de moi ? Ce n'est pas une carrure.

Cowboy souleva sa chemise.

— Ce sont des muscles parfaitement définis.

Les yeux de Bobbie lui sortaient presque de la tête.

— Range cette camelote, Cowboy.

Rebel arriva en titubant.

— Elle aime les gars qui peuvent faire bouger le bateau, pas le faire sortir de l'eau.

Il passa son bras autour de Bobbie.

— Pas vrai, ma belle ?

Bobbie leva les yeux au ciel, se tortilla hors de sa portée, ce qui lui valut d'autres rires.

— Bien, ça veut dire que je n'ai pas perdu mon temps à chercher des mères célibataires pour Cowboy, dit Birdie. Tu vois la brune avec la petite fille près des poneys ? Elle était en haut de ma liste. Elle est infirmière et très gentille.

— Je ressens soudain une douleur. Je pense que j'aurais besoin de quelqu'un pour me frictionner.

Doc afficha un sourire et se dirigea vers la brune.

— À plus tard les enfants.

Birdie leva les yeux au ciel.

— Pourquoi le laisses-tu faire ça, Cowboy ? Elle était parfaite pour toi, et tu sais que Doc sortira avec elle pendant quelques semaines et lui brisera le cœur.

— Rends-toi service, Bird'. Retire-moi de ta liste des candidats au mariage, dit Cowboy. Je vais être occupé dans un avenir proche de toute façon.

— Mais…

Il lui jeta un regard noir.

— *Très bien.*

Un sourire malicieux ourla ses lèvres.

— Est-ce que tu utilises au moins le gel douche que je t'ai donné, parce que les femmes n'aiment pas les mecs qui puent.

— Oui, j'adore ce truc. Je dois ramener Sunshine à la grange. Je vous verrai plus tard.

Alors que Cowboy s'éloignait, Birdie se frotta les mains.

— Parfait.

Dare se rapprocha de Billie.

— Tu crois que je devrais le prévenir ?

— Et gâcher le plaisir de Birdie ?

Elle passa ses bras autour de son cou.

— Je peux penser à de meilleures choses à faire avec ta bouche.

— Attention, ma chérie. Si tu continues à parler comme ça, je vais traîner ton joli petit cul dans le grenier à foin et réaliser toutes ces choses.

Elle frémit d'impatience.

— Tu ne peux pas. Il y a des enfants qui jouent là-dedans.

Elle se hissa sur la pointe des pieds et murmura :

— Mais j'ai entendu dire que les portes des selleries étaient fermées à clé…

Envie de découvrir d'autres membres de la famille Whiskey ?

J'espère que vous avez aimé l'histoire de Billie et Dare. Continuez de les découvrir avec *LIBÉRER SULLY* et *POUR L'AMOUR D'UN WHISKEY*. Dans le court préquel *LIBÉRER SULLY*, découvrez l'histoire d'amour de Cowboy Whiskey et Sullivan Tate, détaillant la fuite de Sully de Free Rebellion.

Pour en savoir plus sur les histoires d'amour sexy des autres Dark Knight, lisez ce qui suit.

Callahan Cowboy Whiskey est un homme naturellement protecteur, un Dark Knight et un Rancher. Que se passe-t-il lorsqu'il tombe amoureux d'une femme qui n'a aucune idée de qui elle est vraiment ?

 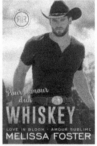

Acheter *LIBÉRER SULLY* (Préquel)
Acheter *POUR L'AMOUR D'UN WHISKEY* (Roman)

À noter : Vous pourriez aimer lire THEN CAME LOVE, disponible en anglais, (de la série Les Braden & Les Montgomery) mettant en scène la sœur de Sullivan, Jordan Lawler, et Jax Braden. L'histoire de cette dernière se déroule avant POUR L'AMOUR D'UN WHISKEY et vous offre une nouvelle perspective sur sa famille. De plus, l'histoire de ces deux héros est merveilleuse !

Lisez tous les romans des *Dark Knight de Peaceful Harbor*

Si vous adorez les héros alpha et sexy, les bébés et les liens familiaux intenses, même ceux qui ne sont pas créés par le sang, vous allez adorer Truman Gritt et les Whiskey.

Truman Gritt ne reculera devant rien pour protéger sa famille. Y compris passer des années en prison pour un crime qu'il n'a pas commis. À sa libération, la vie qu'il connaissait a été bouleversée par l'overdose de sa mère, et Truman décide d'élever les enfants qu'elle a abandonnés. À la fois dur et secret, Truman s'efforce de sauver son frère encore plus abîmé que lui. Il n'a jamais eu besoin d'aide dans sa vie, et quand la belle Gemma Wright essaie d'intervenir, il refuse tout net. Pourtant, Gemma a l'art et la manière de se frayer un chemin dans la vie des gens et elle finit par percer l'armure en acier de son cœur. Quand le passé sombre de Truman entre en conflit avec son avenir, sa loyauté est mise à rude épreuve et il va devoir prendre la décision la plus difficile de sa vie.

Acheter ***SOUS L'ARMURE DE TON CŒUR***

Tombez sous le charme des Braden de Weston

Il ne cherchait pas l'amour quand elle a déboulé dans sa vie, mais à présent, il ne peut plus l'oublier. Délicieusement sexy, fort en émotions et tellement romantique !

Treat Braden ne cherchait pas l'amour quand Max Armstrong a déboulé dans son complexe de Nassau, mais sous le masque d'efficacité et de professionnalisme qu'elle arbore comme un bouclier, il découvre une femme douce et sensuelle. Au cours d'une sublime nuit d'amour, les étincelles fusent et pour la première fois de sa vie, Treat rêve d'autre chose qu'une simple histoire sans lendemain. Mais Max doit le quitter et après des semaines de coups de fil sans réponse, de mélancolie et à rêver à la seule femme qu'il ne peut pas avoir, Treat retourne au ranch familial pour essayer de tourner la page.

Quand Treat et Max se retrouvent par hasard, ils cèdent à une nouvelle nuit de passion intense et se livrent l'un à l'autre. Max lui révèle son secret : un passé douloureux et Treat jure alors de faire son possible pour gagner le cœur de sa belle – y compris l'aider à affronter ses démons.

Acheter *AU CŒUR DE L'AMOUR*

Remerciements

Les plaisanteries et l'amour entre Billie et Dare étaient immensément amusants à écrire.

Les scènes avec Dare étaient très agréables également et, comme vous pouvez l'imaginer, les scènes entourant la mort d'Eddie, la culpabilité de Billie, et l'accident Dare et Billie, ont été particulièrement déchirantes. J'ai fait appel à de nombreuses personnes pour m'aider à dépeindre les situations de ce livre aussi fidèlement que possible et je prends toujours quelques libertés fictives pour que l'histoire se déroule à un rythme agréable. Toutes erreurs sont de mon fait et ne sont pas celles des personnes qui ont eu la gentillesse de m'aider. Bien que nombre de mes sources souhaitent rester anonymes, je remercie chaleureusement mon amie Maggie Hunter, directrice des admissions et de l'assurance de la qualité à Head Injury Rehabilitation and Referral Services. Maggie a plus de seize ans d'expérience dans le domaine de la rééducation des adultes souffrant de lésions cérébrales.

Je lui suis extrêmement reconnaissante d'avoir accepté de répondre à mes nombreuses questions. J'aimerais également remercier Aeryn Havens, auteur de SPIRIT CALLED, pour la patience dont elle a fait preuve en répondant aux questions sur les chevaux et les ranchs.

Aeryn, tu es toujours une bénédiction.

Comme toujours, j'exprime toute ma gratitude à mon incroyable équipe éditoriale et de relecteurs : Kristen Weber,

Penina Lopez, Elaini Caruso, Juliette Hill, Lynn Mullan, Justinn Harris, Lessa Owen, ainsi qu'à ma dernière relectrice, Lee Fisher ; et pour la traduction française à Judy Leeta.

Je suis éternellement reconnaissante envers ma famille, mes assistants et mes amis qui font désormais partie de ma famille, Lisa Filipe, Sharon Martin et Missy Dehaven, pour leur soutien et leur amitié sans faille. Merci d'avoir toujours assuré mes arrières, même lorsque je suis dans une deadline serrée et probablement insupportable.

Amour sublime, **une collection romantique et familiale**

Les Braden de Weston
Au cœur de l'amour
Un amour interdit
Notre amitié brûlante
Un océan d'amour
Un amour si puissant
L'amour décidera

Les Whiskey : Les Dark Knights de Peaceful Harbor
Sous l'armure de ton cœur
Comme une étincelle
Fou de désir
En toi, un refuge
Du bonheur à volonté
Amours rebelles
Aime-moi dans mes ténèbres
À nos horizons
À l'état brut

Les Whiskey : Les Dark Knights du Rédemption Ranch
Aime-moi si tu l'oses
Libérer Sully : le préquel de Pour l'amour d'un Whiskey
Pour l'amour d'un Whiskey

Retrouvez Melissa

www.MelissaFoster.com

Melissa Foster est une auteure récompensée, dont les best-sellers figurent aux classements du *New York Times* et de *USA Today*. Ses livres sont recommandés par le blog littéraire *de USA Today*, le magazine *Hagerstown*, *The Patriot* et de nombreuses autres revues. Melissa a peint et fait don de plusieurs fresques murales pour l'hôpital des enfants malades à Washington, DC.

Retrouvez Melissa sur son site web ou discutez avec elle sur les réseaux sociaux. Melissa aime parler de ses livres avec les clubs de lecture et les groupes de lecteurs. N'hésitez pas à l'inviter à vos événements. Les livres de Melissa sont disponibles dans la majeure partie des boutiques en ligne, en version papier et numérique.

Melissa écrit également des romances douces (sans scènes explicites) sous le nom de plume Addison Cole.

Milton Keynes UK
Ingram Content Group UK Ltd.
UKHW011121180424
441376UK00004B/118